KB090149

항공학 시리즈 ❼

항공기정비실습 I

서홍적 · 한용희 · 조은태 공저

머리말

항공 산업 분야가 크게 발전함에 따라 우리나라의 항공 산업도 급속도로 성장하여 오늘날에는 항공기의 정비, 수리는 물론 조립, 생산을 비롯해 설계, 제작까지도 가능한 단계에 이르렀다. 이러한 성장은 항공 정비사는 물론 항공 정비사를 희망하는 학생들에게도 항공기에 대한 폭넓은 지식과 실무 능력을 요구하게 되었으며, 이에 따라 항공기 정비 업무에 적용할 수 있는 기초적인 이론과 실무에 연관된 다양한 실습에 기본을 두고 본서를 출간하게 되었다. 본서는 국토교통부에서 발간한 항공정비사 표준교재와 AMT(aviation maintenance technician) handbook을 토대로 항공기 취급, 항공기 기체 및 구조물 수리, 무게중심, 착륙장치 등의 기체 부분과 멀티미터를 이용한 다양한 측정, 회로, 항공기 발전기, 전동기, 항공기 도선 작업 등의 전기전자 부분, 그리고 기관의 작동, 기관의 이상 현상, 검사방법 등의 기관 부분까지 총 세 부분으로 구성되어 항공 정비사를 희망하는 학생들에게 도움을 드리고자 출간하게 되었으며, 본서의 미비한 점은 계속 수정 보완하여 좀 더 좋은 책자가 될 수 있게 노력하겠다. 마지막으로 본서를 출간할 수 있게 적극적으로 도와주신 모든 분들과 출간을 허락해 주신 노드미디어 관계자분들께 감사드린다.

차 례

Part 1

Part 2

Part

01

항공정비실습기초

제1장 항공기 취급

1. 항공기 지상 유도

2. 항공기 견인

3. 항공기 주기 및 계류 작업

4. 항공기 잭 작업

5. 항공기 연료 보급

1. 항공기 지상 유도

1.1 학습목표

항공기 지상 유도 방법 및 안전 사항 등을 학습한다.

1.2 실습재료

차륜지 고임목, 유도봉, 유도 장갑, 안전모, 야광 조끼

1.3 관련지식

1.3.1 유도 신호

많은 지상 사고가 유도 중인 항공기에서 부적절한 조작으로 발생해 왔다. 엔진이 정지할 때까지는 조종사가 그 항공기에 대해 궁극적인 책임이 있다고 해도 유도 신호자는 비행대기선(flight line) 주위에서 조종사를 도와 줄 수도 있는 것이다.

그림 1-1 유도 신호자

어떤 항공기의 위치에서, 지상에서부터 조종사의 시계가 방해를 받았다면 그 조종사는 뒤에 무엇이 있는지, 바퀴 가까이 또는 날개 밑에 어떤 방해물이 있는지 알 수 없다. 대개 조종사는 신호자에 의해 방향을 잡게 된다.

그림 1-1은 손바닥이 서로 마주보게 하여 양팔을 머리 위로 충분히 펼쳐서 비행기에 준비가 완료했음을 표시하고 있는 신호자이다.

신호자의 표준 위치는 그림 1-2와 같이 왼쪽 날개 끝 선상에서 약간 전방에 위치한다. 따라서 신호자가 항공기를 마주보고 있을 때 기수는 그의 왼쪽에 있어야 한다. 조종사가 그를 잘 볼 수 있도록 날개 끝 전방으로 충분한 위치에 서 있어야만 한다.

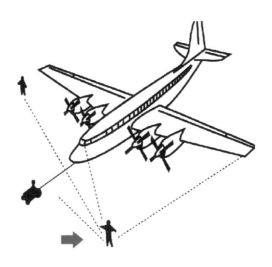

그림 1-2 유도 신호자의 위치

그 다음 조종사가 그의 신호를 볼 수 있는지 확실하게 테스트해 보고, 그 때 조종사의 눈과 마주치면 확실한 것이다.

다음에 나오는 내용들은 국제민간항공기구와 국내 항공법 시행규칙 별표 29에 있는 표준항공기유도신호이다. 유도자는 항공기의 조종사가 유도업무 담당자임을 알 수 있는 복장을 해야 하며, 주간에는 형광색 봉, 유도봉 또는 유도 장갑을 이용하고, 야간 또는 저 시정 상태에서는 발광유도 봉을 이용하여 신호를 하여야 한다. 또한 유도자는 다음의 신호를 사용하기 전에 항공기를 유도하려는 곳에 항공기와 충돌할 만한 물체가 있는지를 확인해야 한다.

(1) 항공기 안내

오른손의 막대를 위쪽을 향하게 한 채 머리 위로 들어 올리고, 왼손의 막대를 아래로 향하게 하면서 몸쪽으로 붙인다.

(2) 출입문의 확인

양손의 막대를 위로 향하게 한 채 양팔을 쭉 펴서 머리 위로 올린다.

(3) 다음 유도원에게 이동

양쪽 팔을 위로 올렸다가 내려 팔을 몸이 측면 바깥쪽으로 쭉 편 후 다음 유도원의 방향 또는 이동구역 방향으로 막대를 가리킨다.

(4) 직진

팔꿈치를 구부려 막대를 가슴 높이에서 머리 높이까지 위 아래로 움직인다.

(5) 좌회전(조종사 기준)

오른팔과 막대를 몸쪽 측면으로 직각으로 세운 뒤 왼손으로 직진신호를 한다. 신호동작의 속도는 항공기의 회전 속도를 알려준다.

(6) 우회전(조종사 기준)

왼팔과 막대를 몸쪽 측면으로 직각으로 세운 뒤 오른손으로 직진신호를 한다. 신호동작의 속도는 항공기의 회전 속도를 알려준다.

(7) 정지

막대를 쥔 양쪽 팔을 몸쪽 측면에서 직각으로 뻗은 뒤 천천히 두 막대가 교차할 때까지 머리 위로 움직인다.

(8) 비상 정지

빠르게 양쪽 팔과 막대를 머리 위로 뻗었다가 막대를 교차시킨다.

(9) 브레이크 정렬

손바닥을 편 상태로 어깨 높이로 들어 올린다. 운항승무원을 응시한 채 주먹을 쥔다. 승무원으로부터 인지신호 (엄지손가락을 올리는 신호)를 받기 전까지는 움직여서는 안 된다.

(10) 브레이크 풀기

주먹을 쥐고 어깨 높이로 올린다. 운항승무원을 응시한 채 손을 편다. 승무원으로부터 인지신호 (엄지손가락을 올리는 신호)를 받기 전까지는 움직여서는 안 된다.

(11) 고임목 삽입

팔과 막대를 머리 위로 쭉 뻗는다. 막대가 서로 닿을 때까지 안쪽으로 막대를 움직인다. 비행승무원에게 인지표시를 반드시 수신하도록 한다.

(12) 고임목 제거

팔과 막대를 머리 위로 쭉 뻗는다. 막대를 바깥쪽으로 움직인다. 비행승무원에게 인가받기 전까지 초크를 제거해서는 안 된다.

(13) 엔진시동 걸기

오른팔을 머리 높이로 들면서 막대는 위를 향한다. 막대로 원 모양을 그리기 시작하면서 동시에 왼팔을 머리 높이로 들고 엔진 시동 걸 위치를 가리킨다.

(14) 엔진 정지

막대를 쥔 팔을 어깨 높이로 들어 올려 왼쪽 어깨 위로 위치시킨 뒤 막대를 오른쪽 왼쪽 어깨로 목을 가로질러 움직인다.

(15) 서행

허리부터 무릎 사이에서 위 아래로 막대를 움직이면서 뻗은 팔을 가볍게 툭툭 치는 동작으로 아래로 움직인다.

(16) 한쪽 엔진 출력 감소

손바닥이 지면을 향하게 하여 두 팔을 내린 후, 출력을 감소시키려는 쪽의 손을 위아래로 흔든다.

(17) 후진

몸 앞 쪽의 허리높이에서 양 팔을 앞쪽으로 빙글빙글 회전시킨다. 후진을 정지시키기 위해서는 신호 7 및 8을 사용한다.

(18) 후진하면서 선회(후미 우측)

왼팔은 아래쪽을 가리키며 오른쪽은 머리 위로 수직으로 세웠다가 옆으로 수평위치까지 내리는 동작을 반복한다.

(19) 후진하면서 선회(후미 좌측)

오른팔은 아래쪽을 가리키며 왼팔은 머리 위로 수직으로 세웠다가 옆으로 수평위치까지 내리는 동작을 반복한다.

(20) 긍정/모든 것이 정상임

오른팔을 머리높이로 들면서 막대를 위로 향한다. 손 모양은 엄지손가락을 치켜세운다. 왼쪽 팔은 무릎 옆쪽으로 붙인다.

(21) 공중정지(Hover)

양 팔과 막대를 90° 측면으로 편다.

(22) 상승

팔과 막대를 측면 수직으로 쭉 펴고 손바닥을 위로 향하면서 손을 위쪽으로 움직인다. 움직임의 속도는 상승률을 나타낸다.

(23) 하강

팔과 막대를 측면 수직으로 쭉 펴고 손바닥을 아래로 향하면서 손을 아래로 움직인다. 움직임의 속도는 강하율을 나타낸다.

(24) 좌측 수평이동(조종사 기준)

팔을 오른쪽 측면 수직으로 뻗는다. 빗자루를 쓰는 동작으로 같은 방향으로 다른 쪽 팔을 이동 시킨다.

(25) 우측 수평이동(조종사 기준)

팔을 왼쪽 측면 수직으로 뻗는다. 빗자루를 쓰는 동작으로 같은 방향으로 다른 쪽 팔을 이동시킨다.

(26) 착륙

몸의 앞쪽에서 막대를 쥔 양팔을 아래쪽으로 교차시킨다.

(27) 화재

• 화재지역을 왼손으로 가리키면서 동시에 어깨와 무릎사이의 높이에서 부채질 동작으로 오른손을 이동시킨다.
• 야간 · 막대를 사용하여 동일하게 움직인다.

(28) 위치대기(Stand-by)

양팔과 막대를 측면에서 45°로 아래로 뻗는다.
항공기의 다음 이동이 허가될 때까지 움직이지 않는다.

(29) 항공기 출발

오른손 또는 막대로 경례하는 신호를 한다. 항공기의 지상이동(taxi)이 시작될 때까지 비행승무원을 응시한다.

(30) 조종장치를 손대지 말 것

머리 위로 오른팔을 뻗고 주먹을 쥐거나 막대를 수평방향으로 쥔다. 왼팔은 무릎 옆에 붙인다.

(31) 지상 전원공급 연결

머리 위로 팔을 뻗어 왼손을 수평으로 손바닥이 보이도록 하고, 오른손의 손가락 끝이 왼손에 닿게 하여 "T"자 형태를 취한다. 밤에는 광채가 나는 막대 "T"를 사용할 수 있다.

(32) 지상 전원공급 차단

머리 위로 팔을 뻗어 왼손을 수평으로 손바닥이 보이도록 하고, 오른손의 손가락 끝이 왼손에 닿게 하여 "T"자 형태를 취한다. 밤에는 광채가 나는 막대 "T"를 사용할 수 있다.

(33) 부정

오른팔을 어깨에서부터 90°로 곧게 뻗어 고정시키고, 막대를 지상 쪽으로 향하게 하거나 엄지손가락을 아래로 향하게 표시한다. 왼손은 무릎 옆에 붙인다.

(34) 인터폰을 통한 통신의 구축

몸에서부터 90°로 양 팔을 뻗은 후, 양손이 두 귀를 컵 모양으로 가리도록 한다.

(35) 계단 열기/ 닫기

오른팔을 측면에 붙이고 왼 팔을 45° 머리 위로 올린다. 오른팔을 왼쪽 어깨 위쪽으로 쓸어 올리는 동작을 한다.

    유도원은 유도신호를 완전 명료하게 수행할 수 있을 때까지 익혀야만 한다. 신호를 받는 조종사는 항상 일정한 거리를 유지하면서 어려운 각도에서는 자주 밖을 내다보며, 살펴야 한다. 신호자의 손은 확실히 구별되어야 한다. 만약 신호가 의심이 가거나 조종사가 신호에 따르지 않는 것으로 보일 경우는 정지 신호 후 다음 신호를 다시 시작해야 한다.

    신호자는 항상 항공기가 주기되고자 하는 대략적인 지역을 조종사에게 알려주도록 해야 하고 신호자가 뒤로 이동시에는 프로펠러에 부딪치거나 고임목, 소화기, 계류선 등의 장애물에 걸려 넘어지지 않도록 해야 한다. 야간 수신호시에는 발광 유도봉을 사용하여 유도신호를 해야 한다. 야간신호는 정지신호를 제외하고 주간신호와 같은 방식으로 한다. 야간에 사용되는 정지신호는 긴급정지 신호로서 머리의 앞쪽에 위로 발광 유도봉을 교차하여 "X"를 나타내 표시한다.

1.4 작업 안전 사항

    (1) 유도 신호사는 조종사가 신호를 잘 볼 수 있도록 해야 한다.
    (2) 유도 신호를 할 때는 동작을 크고 명확하게 표시해야 한다.

(3) 조종사가 신호에 따르지 않을 경우, 정지 신호를 보내고 그 다음 다시 신호를 시작한다.

(4) 조종사와 유도 신호자는 계속 일정한 간격을 유지해야 한다.

1.5 항공기 지상 유도 실습

(1) 유도 신호자는 정 위치에서 기본자세를 취한다.

(2) 지상 전원 공급 연결 수신호를 한다.

(3) 고임목 제거 수신호를 한다.

(4) 항공기 엔진 시동 수신호를 한다.

(5) 항공기 상태 양호 수신호를 한다.

(6) 지상 전원 공급 차단 수신호를 한다.

(7) 브레이크 풀기 수신호를 한다.

(8) 항공기 전진 수신호를 한다.

(9) 항공기 왼쪽으로 선회 수신호를 한다.

(10) 항공기 오른쪽으로 선회 수신호를 한다.

(11) 항공기 서행 수신호를 한다.

(12) 항공기 정지 수신호를 한다.

(13) 고임목 삽입 수신호를 한다.

1.6 평가

순번	평가항목	A	B	C	D	비고
1	작업이해도					
2	항공기 지상 유도 시의 수신호 이해					
3	신호자의 적절한 위치 선정					
4	수신호의 올바른 자세					
5	수신호 시 안전 장구 착용 상태					
6	작업 후 정리 정돈 상태					

2. 항공기 견인

2.1 학습목표

항공기 견인 방법 및 안전 사항을 학습한다.

2.2 실습재료

견인 차량(tug car), 견인봉(tow bar), 차륜지 고임목, 항공기

2.3 관련지식

그림 1-3 견인 트랙터의 예

그림 1-3과 같이 공항, 비행대기선 및 격납고 등으로 대형 항공기를 이동시킬 경우는 일반적으로 "Tug" 라고 부르는 견인트랙터(tow tractor)를 사용하여 견인하게 된다. 소형 항공기의 경우, 짧은 거리를 이동할 때는 핸드 토우 바를 이용하여 손으로 밀어서 이동하기도 한다. 항공기를 견인 시에는 서두르거나 소홀하게 수행할 경우에는 항공기를 손상시킬 수도 있고, 사람을 다치게 할 수도 있다. 다음의 사항들은 항공기 견인에 대한 대표적인 절차로서 개략적인 내용을 소개하고 있다. 그러나 각각의 항공기 모델에 적합한 상세한 견인 절차는 제작사의 매뉴얼에 따라야 한다.

항공기를 견인하기 전에 토우 바(tow bar)에 결함이 생기거나 고리가 벗겨졌을 경우 제동장치를 작동할 수 있도록 유자격자를 조종석에 배치하여야 한다. 조종석에 배치된 유자격자는 제동장치의 작동으로 항공기를 정지시켜 항공기 손상 등을 방지할 수 있다.

그림 1-4 대형 항공기에 사용하는 토우 바

그림 1-4은 일반적인 토우 바로서 일부 유형은 여러 형태의 견인작업에 사용될 수 있다. 이러한 대부분의 토우 바는 항공기를 끌어당기기 위해 충분한 인장강도를 갖도록 만들어져 있지만 비틀림 하중이나 뒤틀림 하중은 고려되지 않았으므로 주의해야 한다. 대부분의 토우 바는 항공기에 연결하거나 분리하여 이동할 수 있도록 소형 바퀴를 가지고 있으며, 토우 바를 항공기에 연결하여 항공기를 움직이기 전에 손상 또는 연결 장치 등에 이상이 없는지 검사해야 한다.

항공기를 견인할 때에는 견인차는 규정된 속도를 준수하고, 감시자를 배치하여 사주경계를 하도록 해야 한다. 항공기를 정지 시킬 때 견인차의 제동장치에만 의존해서는 안 되고, 견인차의 제동장치와 항공기의 제동장치가 조화롭게 병행하여 사용해야 한다.

토우 바의 연결은 항공기 형식에 따라 다르다. 후륜(tail wheel)이 장착된 항공기는 일반적으로 주 착륙장치(main landing gear)에 토우 바를 연결하여 전방으로 견인하고, 후륜 축에 토우 바를 연결하여 항공기를 거꾸로 견인하는 것도 허용된다. 후륜 항공기의 경우 견인 시에 꼬리바퀴 잠금 장치의 파손을 막기 위해 후륜의 잠금 장치를 풀어줘야 한다.

전륜 착륙장치(tricycle landing gear)가 장착된 항공기는 일반적으로 전륜 축에 토우 바를 연결하여 전방으로 견인한다. 또한 견인 브라이들(towing bridle)이나 특별히 설계된 토우 바를 주 착륙장치의 견인 러그(towing lug)에 연결하여 전방 또는 후방으로 견인하기도 한다. 이러한 방식의 견인은 항공기의 방향조종을 위해 앞바퀴에 조향 바(steering bar)를 부착하여야 한다.

2.4 작업 안전 사항

 (1) 견인 작업자는 규정된 견인 절차 및 견인 방법을 철저히 숙지하고 견인해야 한다.

 (2) 견인 작업 시 견인 요원은 유자격자이어야 한다.

 (3) 항공기를 견인 시 견인 감독자, 견인 요원, 견인 차량 운전자 및 탑승자가 반드시 배치되어 협조해야 하며, 견인 중에는 항공기의 안전을 철저히 보장해야 한다.

 (4) 양쪽 날개 끝과 꼬리에 위치한 작업자는 주행이나 선회 할 경우 다른 항공기 및 지상 장비, 기타 구조물 등과 간격이 충분히 유지되도록 감시해야 하며, 고임목을 가지고 있다가 항공기가 정지하면 바퀴를 고정시켜야 한다.

 (5) 항공기 견인 시의 견인 속도는 견인 요원의 보행 속도가 원칙이며, 8km/h를 넘지 말아야 한다.

 (6) 견인 작업 시 견인 차량 운전자는 급격한 조작을 하면 안 된다.

 (7) 항공기를 제한된 각도 이상으로 급하게 선회하지 않도록 주의해야 한다.

 (8) 활주로를 횡단해야 할 경우에는 공항 관제탑의 허가를 받고 안전을 확인한 후에 횡단해야 한다.

2.5 항공기 견인 작업

 (1) 항공기 형식별로 견인 전 지정된 작업(토크 링크 분리, 바이패스 밸브 안전

핀 장착 등)을 실시한다.

(2) 견인봉 및 견인 차량을 항공기에 연결한다.

(3) 견인 차량과 인터폰을 제외한 모든 장비를 제거하고, 견인하는데 방해되는 것이 없는지 확인하고, 지상 작업자는 견인 시 방해되는 것이 없음을 조종실에 알린다.

(4) 조종실에서 관제탑의 허가를 받아 견인 시작을 지상 작업자에게 알린다.

(5) 지상 작업자는 바퀴의 고임목을 제거하고, 조종실에 파킹 브레이크를 풀도록 연락한다.

(6) 지상 작업자는 조종실에서 파킹 브레이크가 풀렸음을 확인한 후 견인 작업을 실시한다. 견인 작업 시 조종사의 시계에 유도 신호자를 배치한 다음, 주위의 건물이나 다른 항공기 등과의 접촉을 방지하기 위해 감시자를 배치한다.

(7) 견인에 의해 항공기를 지정된 위치에 정지시키고, 앞바퀴에 고임목을 앞뒤로 약 2in씩 떨어지게 놓고, 파킹 브레이크가 고정된 것을 확인한 후 견인 차량과 견인봉을 항공기로부터 분리한다.

(8) 견인봉을 항공기로부터 분리한 다음, 항공기 형식별 지정된 작업(토크 링크 연결, 바이패스 밸브 안전 핀 장탈 등)을 수행한 후 조종실에 연락한다.

2.6 평가

순번	평가항목	A	B	C	D	비고
1	작업이해도					
2	항공기 견인 시 주의사항 숙지 상태					
3	견인 작업 시 올바른 위치 선정					
4	견인 시 감시자의 올바른 역할					
5	작업 후 정리 정돈 상태					

3. 항공기 주기 및 계류 작업

3.1 학습목표

항공기 주기 및 계류 방법을 학습한다.

3.2 실습재료

계류 로프, 차륜지 고임목, 거스트 락(gust lock), 계류 고리, 접지선, 계류 체인

3.3 관련지식

3.3.1 항공기 계류

항공기는 갑작스런 강풍으로부터 파손을 방지하기 위해 매 비행종료 후에는 계류시켜야 한다. 항공기의 계류 형식은 기상조건에 의해 결정되고, 주기 및 항공기의 계류 위치는 예상되는 풍향에 의해 결정된다.

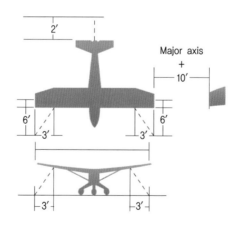

그림 1-5 계류 치수

항공기는 주기지역의 고정 계류지점의 위치에 따라 가능하면 정풍으로 향하게 위치시켜야 한다. 그림 1-5와 같이 항공기 계류의 공간은 날개 끝 간격을 유지해야 한다. 또한 계류 위치가 정해졌다면 전륜(nose-wheel) 또는 후륜(tail-wheel)을 고정시켜야 한다.

(1) 계류 앵커

모든 항공기 주기장(parking area)은 3점 계류장비가 되어 있어야 한다. 이것은 대부분의 공항에 설치되어 있는 계류 앵커를 사용한다. 일부 "pad eyes" 로 불리는 계류 앵커는 주기장을 만들 때 장착되는 고리모양의 피팅이다. 이들은 보통 콘크리트 표면 위 1inch 정도의 높이로 올라와 있다. 사용상 몇 가지 유형의 계류 앵커가 있다. 주기장이 콘크리트 포장 표면, 역청질 포장 표면, 또는 포장되지 않은 잔디 표면일 수도 있기 때문에 앵커 유형의 선택은 항공기 주기장에 사용되는 재질에 의해서 결정된다.

계류의 위치는 보통 흰색 또는 황색의 표시를 한다. 때때로는 계류앵커를 자갈 같은 것으로 둘러쌓는 방법도 사용한다.

소형단발 항공기의 계류 앵커는 각각 최소한 300 lbs 정도의 견인력을 가지고 있어야 한다. 말뚝처럼 땅에 박아 넣은 형태의 계류 장치는 메마른 잔디표면에 쓰일 경우 이 최소 견인력이 있다하더라도 땅이 폭풍이나 폭우 등의 소나기로 젖게 된다면 거의 예외 없이 뽑혀질 수가 있다.

(2) 계류 로프

경항공기를 고정하는데 약 3000lbs 정도의 견인력에 저항할 수 있는 계류 로프를 사용해야 한다. 대형 항공기를 계류하는 데는 보통 케이블이나 체인을 이용하는 계류를 한다.

마닐라(Manila) 로프는 곰팡이나 부식에 대한 검사를 주기적으로 해야 한다. 나이론이나 데이크론(Dacron)계류 로프는 마닐라 로프보다 양호하다. 마닐라 로프의 단점은 습할 경우 오그라들고 곰팡이로 부식에 약하며 나일론이나 데이크론의 경우보다 인장력이 현저하게 작다.

(3) 계류 케이블

계류 케이블은 흔히 항공기, 특히 대형 항공기를 고정하는데 사용한다. 대부분의 케이블형 계류방식은 모든 형식의 항공기에 대해 빠르고 신뢰성이 있는 고정을 위해 만들어진 계류 릴(tie-down reel)을 사용한다.

(4) 계류 체인

체인형 계류 방식은 흔히 대형 항공기를 고정시키기 위한 효과적이고도 강력한 계류방식으로 이용되고 있다. 이와 같이 계류 장비는 모든 부분이 금속으로 되어 있으며, 퀵 릴리스(Quick release)기구, 인장(tensioning)장치 및 갈고리가 달린 체인으로 구성된다.

(5) 경항공기의 고정

경항공기는 고정을 목적으로 하는 경우 대부분 항공기 계류 고리에 로프로 묶어주는 방법을 많이 사용한다. 로프가 더 이상 느슨해지지 않는 점까지 미끄러질 경우 버팀대를 구부릴 수도 있기 때문에 양력 버팀대(Lift strut)에 묶어서는 안 된다.

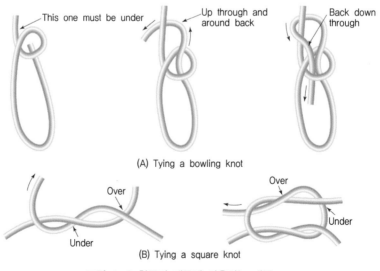

그림 1-6 항공기 계류에 사용하는 매듭

마닐라 로프는 젖으면 수축되므로 약 1인치 정도 유격이 있게 느슨하게 묶어야 한다. 그러나 너무 느슨하면 항공기를 갑작스럽게 움직이게 되는 원인이 된다.

계류 로프는 매듭을 지어 고정하게 된다. 그림 1-6과 같이 보우라인(bowline)매듭과 같은 미끄럼방지 매듭(anti-slip knot)은 빠르게 묶고 쉽게 풀어낼 수 있는 방식이다. 계류장치가 없는 항공기는 제작사의 지침에 따라 고정시켜야 한다. 고익 단엽기에서는 버팀대(strut)의 바깥쪽 끝에 묶어야 하고, 제작자가 장치하지 않았을 경우 구조 강도가 허용된다면 적당한 고리장치를 설치해야 한다.

(6) 대형 항공기의 고정

대형 항공기의 일반적인 계류는 로프나 케이블 계류방식을 사용한다.

이러한 계류 방식은 예상되는 기상조건에 의해 결정된다. 대부분의 대형 항공기는 항공기를 고정시킬 때 조종면이 움직이지 않도록 서로 맞물리게 하거나 고정 장치를 사용한다. 조종면을 고정시키는 방법은 항공기의 형식에 따라 다르다. 따라서 고정 장치의 장착이나 서로 맞물리게 하는 절차에 대해서는 해당 제작사의 매뉴얼을 참고해야 한다. 일부의 항공기는 만약, 태풍이 예상되는 경우라면 조종면 손상을 방지하기 위해서 배튼(batten)을 장착하기도 한다. 그림 1-7은 4곳의 대형 항공기 계류 지점을 보여주고 있다.

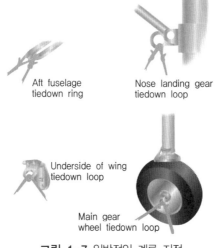

그림 1-7 일반적인 계류 지점

일반적인 대형 항공기의 계류 절차는 다음과 같다.

(1) 가능하면 비행기의 기수는 바람이 부는 방향으로 향하게 한다.
(2) 조종면을 고정하고, 모든 덮개와 가드(Guard)를 장착한다.
(3) 모든 바퀴의 전, 후방에 고임목(chock)을 고인다.
(4) 비행기 계류 루프(Tie-down loop)와 계류 앵커 또는 계류 말뚝에 계류 릴을 부착시킨다. 일시적인 계류일 경우에도 계류말뚝을 사용한다.

계류 릴이 없을 경우, 1/4인치 와이어케이블(wire cable)이나 1/2인치 마닐라선 등을 사용한다.

(7) 헬리콥터의 고정

헬리콥터도 다른 항공기와 마찬 가지로 폭풍에 의한 구조적인 손상을 방지하기 위해 계류해야 한다. 헬리콥터는 돌풍이나 폭풍이 예상될 경우 가능하다면 안전한 곳으로 대피시켜야 한다. (가능하다면 격납고에 주기해야 함) 그러나 그렇지 못할 경우에는 고정하여 계류해야 한다. 헬리콥터를 계류 시에는 65mph 이상의 풍속에도 견딜 수 있어야 한다. 추가적으로, 헬리콥터는 날아다니는 이물질이나 주위의 나무에서 떨어지는 나뭇가지 등에 의한 파손을 방지하기 위해 장애물이 없는 지역에 계류해야 한다.

밖에 헬리콥터가 주기된 상태에서 폭풍이 예상된다면 주 회전날개(main rotor blade)는 결박해야 한다. 헬리콥터 유형별 상세한 고정 및 계류절차는 해당 제작사의 매뉴얼에서 찾아 볼 수 있다. 그림 6-22와 같이 헬리콥터를 계류하는 방법은 기상상태, 지상에서의 주기되는 시간, 주기장소, 항공기 특성 등에 따라 다르다. 헬리콥터를 고정시키는 장치로는 고임목(wheel chock), 조종 잠금장치(control lock), 계류 로프, 계류 덮개(mooring cover), tip부분의 덮개(tip sock), 계류 어셈블리(tie-down assembly), 주기 제동 장치(parking brake) 및 회전 날개 제동장치(rotor brake) 등이 사용된다.

그림 1-8 헬리콥터 계류의 예

대표적인 계류 절차는 다음과 같다.

(1) 최대 풍속 또는 돌풍(gust)이 예상되는 방향으로 헬리콥터를 향하게 주기한다.

(2) 헬리콥터는 타 항공기로부터 로터 스팬(rotor span)거리보다도 약간 더 멀리 거리를 두고 위치시킨다.

(3) 바퀴가 있는 헬리콥터는 바퀴의 전, 후방에 고임목을 고인다.

(4) 스키드(skid)를 장비하고 있는 헬리콥터는 지상 이동 바퀴(ground handling wheel)을 접어 넣고 헬리콥터가 스키드 위에 얹혀 있도록 낮추고, 바퀴위치 자물쇠(wheel position lock pin)을 장착하거나 지상이동바퀴를 떼어 놓는다. 지상이동바퀴는 항공기 안쪽에 고정시키거나 격납고 또는 저장소 안에 고정하여 보관하여야 한다.

그림 1-9 헬리콥터 깃과 동체의 고정

그림 1-9와 같이 헬리콥터 제작사에 의해 규정된 것처럼 회전날개를 동체에 일직선으로 맞추고, 계류 어셈블리를 장착한다. 습한 날씨에는 결박 띠가 수축되어 회전날개에 지나친 응력을 일으키므로 약간 느슨하게 해주어야 한다.

3.3.2 강풍 파손에 대한 주의

강풍파손에 대한 최선의 방지책은 물론 충분한 시간이 있을 경우에는 강풍지역 밖으로 항공기를 비행시키는 것이다. 다음의 최선 방지책은 항공기를 강풍으로부터 보호를 받을 수 있는 격납고나 기타 적당한 피난처에 주기시키는 것이다.

그 다음 항공기를 안전하게 계류 했는가를 확인하는 것이다. 손상을 최대한 줄이기 위해 모든 문이나 창문을 적절하게 묶어야 한다. 왕복엔진이나 가스터빈 엔진의 흡입구, 배기구는 외부물질이 들어오는 것을 방지하기 위해 덮개를 덮어야 한다. 피토 정압관(Pitot static) 등도 파손을 방지하기 위하여 덮개를 덮어야 한다.

최악의 강풍상태에 대비하여야 한다. 이러한 강풍상태에서는 해당 항공기 제작사의 해당 매뉴얼을 확인해야 한다.

다음 사항은 강풍으로부터 항공기의 파손을 감소시키기 위한 사항들이다.

(1) 밖에 위치한 분해된 항공기(특히 엔진이 장탈된 항공기)는 강풍이 예상되면 반드시 격납고에 넣어야 한다. 떨어져 있는 날개를 동체에 묶어놔서는 안 된다. 이들은 격납고 안에 저장해야 한다.

(2) 가능하다면 언제나 예상되는 강풍위험지역 밖으로 비행시켜야 한다. 이것이 불가능할 경우, 강풍으로부터 피할 수 있는 격납고에 넣어야 한다.

(3) 계류 로프에 대해서는 최소 강도를 확인해야 한다.

(4) 날개의 앞전 상부에 일직선으로 적당하게 모래주머니 등을 올려놓는 것은 날개의 양력 발생 위험성을 감소시킨다. 날개에 모래주머니를 너무 무겁게 올려놓으면 안 된다. 만약 예상풍속이 항공기에 양력 발생속도를 초과시키게 되면, 날개의 전 길이에 걸쳐 임시적인 스포일러를 올려놓아야 한다. 그림 1-10과 같이 경항공기를 계류시키는 다른 방법으로는 지상계류지점에 고정되어 있는 U-볼트 앵커를 통과하는 긴 평형 와이어로프를 이용하는 것이다.

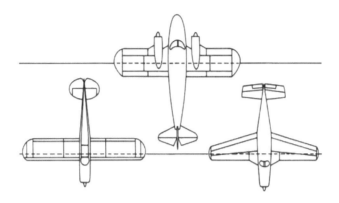

그림 1-10 와이어로프를 이용한 대표적인 항공기 계류

그림 1-11 수직 앵커체인을 사용한 와이어로프 계류

계류 체인은 원형판으로 된 도금한 앵커 고리에 부착시킨다. 이것은 여러 형의 항공기가 공간의 손실 없이 수직 계류를 할 수 있도록 계류체인이 와이어로프에 인하여 떠 있도록 하고 앵커점 사이에 변화거리를 주도록 하는 것이다. 수직 앵커는 돌풍상태에서 발생할 수 있는 충격부하를 훨씬 감소시킨다. 로프간의 거리는 계류면적을 차지하는 항공기의 형식에 따라 결정된다.

그림1-11은 와이어 로프선을 사용하는 적당한 수직 앵커 및 와이어로프와 항공기 날개 사이를 연결시키기 위한 직선의 링크 코일 체인(Link coil chain)을 나타내고 있다. 자유단의 한쪽 링크는 링크의 팽팽한 부분을 통과하고 링크가 되돌아가지 않도록 자물쇠를 사용한다. 체인에 걸리는 부하는 자물쇠 때문이 아니고 체인 자체에 의해서 생기는 것이다.

3.4 작업 안전 사항

(1) 항공기 계류 시 항공기의 기수가 가능한 한 바람 방향으로 향하게 두어야 한다.
(2) 항공기를 계류할 경우 부주의로 인해 항공기 구조에 손상을 입히는 일이 없도록 주의해야 한다.

3.5 항공기 계류 작업

(1) 항공기가 계류장에 정지하고 있을 때에는 각 바퀴의 앞뒤를 고임목으로 고정해야 한다.
(2) 피토관, 조종실, 엔진, 주 날개 및 꼬리 날개 등 덮개가 필요한 모든 부분에 보호 덮개를 씌운다.
(3) 항공기의 주기 장소에서 로프를 이용하여 보라인 매듭법이나 스퀘어 매듭법으로 주기 및 계류한다.
(4) 견인 고리와의 연결부나 각 매듭 부분을 확인한다.

3.6 평가

순번	평가항목	A	B	C	D	비고
1	작업이해도					
2	로프 매듭법의 종류 이해					
3	항공기 주기 및 계류 시 주의 사항 숙지					
4	항공기의 계류 지점의 정확한 위치					
5	작업 후 정리 정돈 상태					

4. 항공기 잭 작업

4.1 학습목표

항공기 잭 작업 시 안전 사항과 작업 절차에 대하여 학습한다.

4.2 실습재료

항공기 잭, 잭 패드, 바퀴용 잭

4.3 관련지식

항공기 기술자는 항공 정비나 조사를 위해 항공기의 잭 작업에 익숙해져야 한다. 잭 작업과정이나 안전 주의 사항이 항공기에 따라 다르기 때문에 일반적인 잭 작업 과정이나 주의 사항에 대해 다루고자 한다. 잭 작업 처리를 위해서는 해당 항공기 제작사의 정비 매뉴얼을 참고해야 한다.

여러 가지 항공기 손상이나 중대한 사람의 부상은 부주의하거나 부적절한 잭 작업 과정에 따라 발생한다. 안전한 작업을 위해 사용 전에 잭(jacking) 능력, 안전 잠금 (safety lock)의 적절한 기능, 핀의 상태 그리고 일반적인 수리 능력을 확인해야 한다. 매뉴얼 상에서 항공기내에 있는 평형계기(Leveling Instrument)의 실측이 요구되지 않는다면 항공기 내에는 누구도 남아있어서는 안 된다.

들어 올리는 항공기는 바람에 영향이 없도록 수평 위치로 놓아야 한다. 가능하다면 격납고에서 작업을 실시해야 한다. Jack point의 위치는 항공기의 제작사 정비수칙에 따라 결정된다. 이들 Jack point들은 항공기가 잭 위에서 균형을 유지 하도록 항공기의 무게 중심인 곳에 위치한다. 그러나 예외의 경우도 있다. 일부의 항공기는 안전한 균형을 취하기 위해 기수부분이나 꼬리부분에 무게를 증가시킬 필요가 있을 때가 있는데, 보통 모래주머니를 사용하기도 한다.

그림 1-12와 같은 삼각대 잭은 항공기를 완전하게 들어 올릴 때 사용하는 잭이다. 또한 그림 1-13과 같은 작은 싱글 베이스 잭(single-base jack)은 단지 바퀴 하나만을 들어 올리는데 사용하는 잭이다. 항공기에 사용되는 잭들은 좋은 조건하에 유지시켜야 한다. 누설이 되거나 손상된 잭은 결코 사용해서는 안 된다. 그리고 잭 형태마다 최대 한계능력이 있는데 그것을 절대로 초과해서는 안 된다.

그림 1-12 대표적인 삼각대 잭

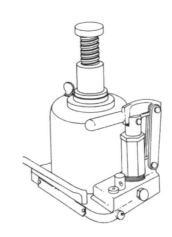

그림 1-13 대표적인 싱글베이스 잭

4.3.1 완전한 항공기 잭 작업

항공기 잭 작업에 앞서 항공기가 사람에 대해 위험이 있는지를 살펴보기 위해서는 완전무결한 전체에 걸친 조사를 해야 한다. 항공기에 적당한 삼각대 잭을 항공기의 Jacking point 아래에 놓고 항공기를 들어 올릴 때 삐뚤어져 나가는 것을 방지하기 위해 정확하게 중심을 맞추어야 한다. 항공기가 올려진 후 행해질 작업에 지장이 없도록, 착륙장치(Landing Gear)를 접어 넣어보는 방법으로 잭의 다리를 검사하여야 한다. 항공기를 들어 잭 작업 시에는 적어도 세 곳에 잭 작업이 필요하다. 어떤 항공기에서는 세 곳에서 들어 올려지고 있는 동안 항공기의 안정을 취하기 위해 네 곳에 하는 경우도 있다.

일반적으로 두 곳의 지점은 양 날개에 있으며 나머지 한 곳은 착륙장치의 설계에 따라 기수 또는 꼬리부분에 위치한다. 대부분의 항공기는 Jack point에 잭받이(Jack pad)를 가지고 있다. 어떤 것들은 잭 작업에 앞서 적당한 곳에 볼트로 조여진 리셉터 클(receptacle)에 끼워진 가동 잭받이가 있다. 올바른 잭받이란 어떠한 경우라도 사용할 수 있어야 한다. 잭받이의 기능은 항공기의 하중을 균일하게 분포되도록 하고 오목한 체크봉과 볼록한 베어링 표면이 잘 물릴 수 있도록 하는 것이다.

들어올리기에 앞서 그 항공기의 형태가 잭 작업을 할 수 있는지를 알아야 한다. 잭 작업 중 만약의 경우 중대한 구조상의 손상을 피하기 위해 제거해야 할 장비나 연료가 있을지도 모른다. 만약 항공기가 들어 올려진 상태에서 다른 작업이 진행 중이라면 위험한 물건들이 제거 되었나 확인해야 한다. 어떤 항공기에서는 항공기를 들어 올릴 때 구조상의 손상을 피하기 위해서 적절한 곳에 강도 높은 판넬이나 평판을 이용하기도 한다.

잭받이와 접촉할 때까지 잭을 뽑아 올리고 항공기가 들리기 전에 잭들이 적절히 정돈 되었는지 마지막으로 확인한다. Jacking 하는 동안 대부분의 사고가 잭들이 적절히 정돈되지 않은 상태에서 발생한다. 항공기를 들어 올릴 준비가 완료되면 각 잭마다 한 사람씩 배치되어야 한다. 항공기를 가능한 한 수평으로 유지시켜 어느 잭에도 과부하가 걸리지 않도록 잭을 동시에 올려야 한다. 감독자가 항공기 앞에 서서 잭 작업자들에게 지시를 하여 위와 같은 작업을 바르게 수행할 수 있도록 해야 한다. 그림 1-14는 들어 올려진 항공기를 나타내 주고 있다.

그림 1-14 완전히 들어 올려진 항공기

보통 잭들은 필요 이상의 높이까지 올라가기 때문에 잭 작업을 수행 시 필요한 높이 이상 항공기를 올리지 않도록 주의해야 한다. 항공기가 잭 위에 올려져 있는 동안은 항공기 주위를 안전하게 보호해야 한다. 항공기에 오를 때는 최대한 조용하게 올라야 하고 그 위에 타고 있는 사람은 절대 격렬한 운동을 하여서는 안 된다. 부분적으로 어느 시간 동안 항공기를 올려진 상태로 유지시키려면 가능한 가장 빠른 시간 내에 동체나 날개 밑에 지지대나 필요한 지지물을 받치도록 해야 한다. Collet을 가진 잭에서 Collet은 올라가는 동안 승강 실린더에 있는 두 개의 나선 사이에 끼워져 있어야 하고, 잭 작업이 완료된 후 고정되지 않도록 실린더로 나사를 완전히 내려야 한다. 잭 압력을 감소시키면서 항공기를 내리기 전에 모든 틀 작업대, 장비 그리고 사람을 멀리 피하도록 하고, 착륙장치(Landing Gear)를 내려 고정시켜야 하며 모든 지상 잠금 장치를 완전하게 장치하도록 해야 한다.

4.3.2 한 쪽 바퀴만의 잭 작업

타이어를 교환하거나 바퀴의 베어링에 구리스를 주입하기 위해 단지 한 쪽 바퀴만 들어 올려야 할 때는 낮은 싱글 베이스 잭(single base jack)을 사용한다. 들어올리기 전에 다른 바퀴들은 항공기가 움직이지 않도록 앞, 뒤로 고임목(chock)을 고여야 한다. 만약 항공기에 꼬리 바퀴가 있을 때는 그것을 고정시켜야 한다. 바퀴는 표면과 떨어져 자유롭게 회전이 가능할 정도로만 충분히 올린다. 그림 1-15는 싱글 베이스 잭을 사용하여 들어 올리고 있는 바퀴를 보여준다.

그림 1-15 한 바퀴를 들어 올린 잭받이

4.4 작업 안전 사항

(1) 잭 작업 시 바람의 영향이 없는 장소에서 작업해야 한다.

(2) 잭 사용 전에 작동유의 용량, 잠금 장치의 기능 및 사용 가능 상태 여부 등을 점검해야 한다.

(3) 작업 구역 내에 위험 요소가 있는지 확인한다.

(4) 항공기가 잭 위에 올려진 상태에서 항공기의 주위를 안전하게 보호하기 위해 안전 표지판을 설치해야 한다.

(5) 항공기가 들어 올려진 상태에서는 항공기에 사람이 탑승해서는 안 된다.

(6) 잭에 과부하가 걸리지 않도록 해야 한다.

(7) 항공기를 내릴 경우 꼭 필요한 인원만 항공기 근처에 있어야 하며, 항공기 밑에 사람이나 장비가 있는지 확인해야 한다.

(8) 착륙 장치가 다운 락(down lock) 위치에 있고 안전핀이 장착되었는지 확인 후 항공기를 내려야 한다.

4.5 잭 작업

(1) 잭 작업자는 잭 작업 전에 작업 절차를 확실하게 이해하고 그 절차를 따라야 한다.

(2) 작업에 앞서 각종 안전장치의 기능과 상태를 점검한다.

(3) 잭 작업 전에 항공기 내에 사람이 있는지 확인한다.

(4) 잭 작업을 할 경우 우선 항공기에 적당한 삼각 받침 잭을 항공기 잭 포인트에 위치시킨다.

(5) 항공기를 들어올릴 때, 미끄러지지 않도록 중심을 정확하게 맞춘다.

(6) 항공기를 올린 후, 착륙 장치 작동에 방해가 되지 않도록 위치 선정해야한다.

(7) 잭의 위치에 잭 받침대를 장착한다.

(8) 각 잭마다 한 사람의 작업자를 배치하고, 가능한 한 수평이 유지되게 하여 어느 잭도 과부하가 걸리지 않도록 동시에 잭을 올려야 한다.

(9) 잭 작업 시 감독자가 항공기 앞에 위치하고 잭 작업자에게 계속 수평을 유지하도록 지시한다.

(10) 잭 작업이 끝난 후 항공기를 내리기 전에 각 작업대와 장비를 철수시키고, 착륙 장치를 내려 고정한다.

(11) 모든 고정 장치와 안전장치를 설치한 다음, 각 잭을 동시에 천천히 압력을 줄여 항공기를 내린다.

(12) 항공기 주변 정리 작업을 한다.

4.6 평가

순번	평가항목	A	B	C	D	비고
1	작업이해도					
2	잭의 종류 및 구조의 이해					
3	잭의 사용법 숙지 상태					
4	잭의 올바른 위치 선정					
5	작업 후 정리 정돈 상태					

5. 항공기 연료 보급

5.1 학습목표

항공기 연료 보급 및 배유 시 안전 사항과 작업 방법에 대하여 학습한다.

5.2 실습재료

연료 호스, 연료 호스 노즐, 접지선, 소화기, 급유차량

5.3 관련 지식

5.3.1 항공기 연료

일반적으로 사용되고 있는 항공연료에는 왕복엔진에 사용되는 항공용 가솔린 연료와 터빈엔진에 사용되는 연료로 나누어진다.

항공용 가솔린 연료는 AVGAS라고 부르며 왕복엔진에 사용되고 있다.

최근에 널리 사용되고 있는 연료는 80/87, 100/130, 100L 등의 세 가지 등급이 있다. 네 번째 등급인 115/145는 대형 왕복엔진 항공기에서 제한적으로 일부 사용되고 있다. 항공기 연료 등급의 두 숫자는 혼합비의 한정을 나타내는 것이다. 100/130 등급의 연료를 예를 들면, 100은 희박 혼합비를 130은 농후 혼합비를 의미한다. 항공 연료를 다른 등급으로 표시하는 방법은 100까지는 옥탄가 번호로 나타내고 있으며, 이 옥탄가는 연료 속에 함유된 이소옥탄(C_8H_{18})과 정햅탄(C_7H_{16})의 혼합비율을 기초로 하고 있다. 어떤 연료의 이소옥탄만으로 이루어진 표준 연료의 안티노크성을 옥탄(octane) 100으로 정하고, 정 햅탄만으로 이루어진 표준 연료의 안티노크성을 옥탄 0으로 하여 표준 연료 속의 이소옥탄의 비율을 백분율로 표시한 것을 옥탄값이라고 한다. 만약 어떤 연료의 옥탄가가 97이라면 이 연료 중 이소옥탄이

97% 혼합되었다는 것이 아니라 97%의 이소옥탄과 3%의 정햅탄이 혼합된 시험연료
가 표준연료의 노킹 압축비와 동일한 압축비에서 노킹이 발생했다면 이 연료를 옥탄
가 97이라고 하는 것이다.

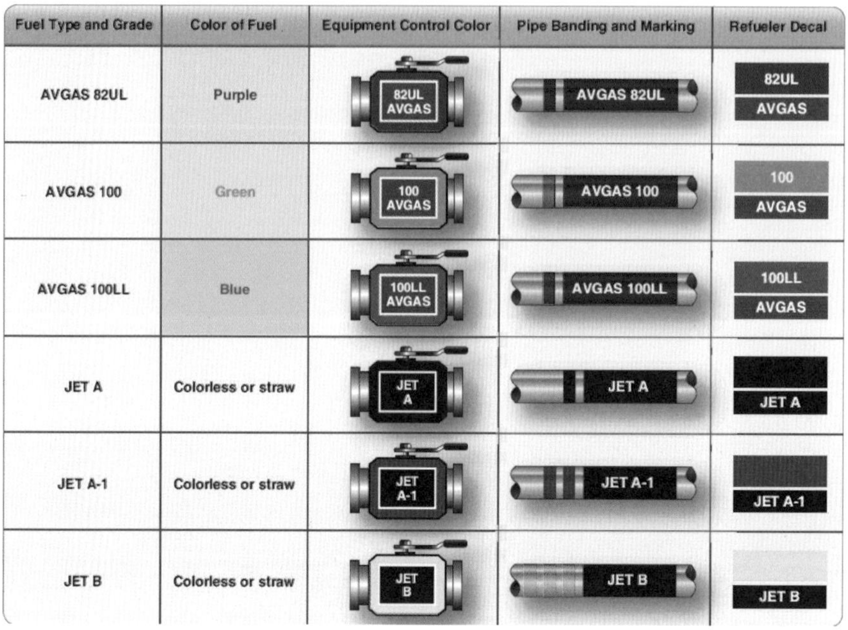

Fuel Type and Grade	Color of Fuel	Equipment Control Color	Pipe Banding and Marking	Refueler Decal
AVGAS 82UL	Purple	82UL AVGAS	AVGAS 82UL	82UL AVGAS
AVGAS 100	Green	100 AVGAS	AVGAS 100	100 AVGAS
AVGAS 100LL	Blue	100LL AVGAS	AVGAS 100LL	100LL AVGAS
JET A	Colorless or straw	JET A	JET A	JET A
JET A-1	Colorless or straw	JET A-1	JET A-1	JET A-1
JET B	Colorless or straw	JET B	JET B	JET B

그림 1-16 연료 장비 등에 사용되는 색깔 코드 및 표시

또한 어떠한 엔진이 순수한 이소옥탄만으로 노킹 없이 100%의 출력이 1,000마력
이었다고 가정 했을 경우, 100 옥탄의 연료를 사용했을 경우 노킹 없이 1.3배의 출
력(1,300 마력)을 얻었다고 하면 이 연료의 성능지수는 130의 연료라고 한다.

항공기용 가솔린은 등급 혼란을 막기 위해 일반적으로 80, 100, 100LL 또는 115
로 식별한다. 또한, 그림 1-16과 같이 항공용 가솔린은 색상에 의해 확인된다. 색상
은 배관과 주유장비에 있는 색상 띠와도 일치가 되어야 한다.

터빈 연료(또는 제트 연료)는 터보 제트 엔진과 터보 샤프트 엔진, 터보 팬 엔진
등에 공급되는 연료로서 케로신(kerosene)계 연료와 wide-cut계 연료로 나눈다. 케
로신계 연료에는 가솔린이 선혀 포함되어 있지 않으며, Jet-A, Jet A-1 등이 포함된

다. wide-cut계 연료에는 Jet-B등이 있으며, 이 연료는 30%의 케로신과 70%의 가솔린이 혼합되어 만들어진다. 군용으로는 케로신계의 JP-8과 wide-cut계의 JP-4 등이 이에 포함된다.

터빈 연료는 배관과 주유장비에 검정색으로 식별되지만 실제 색깔은 맑거나 밀집 빛깔을 띠고 있다.

항공용 가솔린과 터빈 연료는 절대로 혼합해서 사용되어서는 안 된다. 항공용 가솔린에 터빈 연료가 첨가되면 엔진출력이 감소하고, 디토네이션(이상폭발)의 원인이 되어 엔진의 손상과 수명을 감소시킬 수 있다.

5.3.2 오염

항공 연료의 오염은 엔진 고장 등을 일으키거나 나아가 엔진의 수명을 단축시키기 때문에 오염을 관리하는 것은 매우 중요하다. 오염은 연료계통으로 오염물질이 유입되거나 연료계통 내에 오염물질이 생기기도 한다. 오염의 유형으로는 물, 고형물, 미생물 성장 등이 있다.

항공연료에 함유되어 있는 물은 일반적으로 두 가지 형태로서 물에 용해된 증기와 자유수(free water)이다. 용해된 물은 온도가 떨어져 자유수가 될 때까지 큰 문제는 아니지만, 자유수에 의해 얼음이 형성되면 여과기 또는 다른 작은 도관을 막히게 하는 문제를 발생시킬 수 있다. 자유수는 물 슬러그(water slug)나 떠다니는 물로 나타날 수 있는데, 물 슬러그는 농축된 물로서 항공기 급유 후 배출되는 물 같은 것이다. 떠다니는 물은 작은 물방울들로 눈에 잘 보이지 않지만, 연료가 투명하게 보이지는 않으며, 시간이 지나면 가라앉는다.

고형물은 연료에 녹아들지 않는 것으로 녹, 오물, 모래, 개스킷 재질, 실 보푸라기 및 걸레조각 등이다. 연료 조종 장치를 비롯한 연료 관련 기계장치들의 정밀한 공차는 인간의 머리카락 직경의 1/20보다 더 작은 입자에 의해 손상되거나 막힐 수 있다.

미생물학적 성장은 터빈연료에서의 문제점이다. 터빈연료에 함유된 자유수에는 다양한 미생물의 개체가 생존하고 있다. 어떤 것은 흙속에 살지만 이들 유기체 중 일부 변종은 공기 중에 떠다니므로 항공기가 연료를 채울 때마다 이러한 유기체들이 쉽게 유입될 수 있다. 연료에 함유된 미생물의 성장에 좋은 환경은 따듯한 온도와 물에 함유되어 있는 산화철과 무기산염(mineral salt)의 존재이다.

다음에 나오는 항목은 미생물의 영향에 대한 것이다.

(1) 여과기, 분리기(Separator), 연료 조종 장치 등을 막히게 할 수 있는 점액 또는 찌꺼기의 형성

(2) 연료의 유화(emulsification)

(3) 연료탱크의 구조물을 침식시킬 수 있는 부식성의 화합물 생성.(습식날개탱크의 경우, 탱크는 항공기 구조물의 일부이며, 악취를 발생하기도 한다.)

미생물 성장을 방지하기 위한 최선의 방법은 연료에서 수분을 제거하는 것이다.

5.3.3 급유 시 위험요인

항공연료의 휘발성은 항공기의 화재위험성을 증가시킨다. 휘발성은 비교적 저온에서 가스로 변환되는 것으로서 액체 상태에서는 항공 연료는 연소되지 않을 것이다. 그러나 액체 연료가 증기상태나 기체 상태로 변환되면 항공기에 동력을 공급할 수 있는 상태가 되며, 반면에 화재 위험도 증가하게 된다.

정전기는 임의의 두 물체(기체, 액체, 고체 등)의 접촉으로 두 물체 간에 전하가 교환되어 양과 음의 전기를 띄는 현상을 말한다. 모든 비전도성 물체에 상당히 높은 전압의 전기 에너지가 축적된다. 일반적으로 항공기에서 발생되는 정전기는 비행 중이나 활주 중 일 때와는 달리 계류 중에는 항공기 외부로의 정전기 방출이 약해져 정전기 발생 부위에 축적된 상태로 존재하게 되고 특히 습도가 적은 추운 겨울철에는 높은 정 전압을 띄게 된다. 현재 사용 중인 케로신계 터빈 연료는 항공 가솔린에 비행 비중이 높고 발화점이 넓어서 다른 연료에 비해 급유 중 연료와 호스 간의 마찰에 의해 발생되는 정전기의 양이 많으며, 이 정전기의 양은 연료 공급 속도에 비례하여 더욱 커지게 된다. 따라서 이로 인해 발생된 정전기는 항공기에 축적되어 항공기는 양의 전기적 특성을 띄게 된다.

만약 연료보급 중 연료공급 호스와 항공기의 연료주입 연결 부위에서 연료가 누설

되어 이것이 기화되는 경우는 항공기 축적된 정전기가 작업자의 몸을 통해 방전되며 발생한 불꽃이 연료 증기에 점화하게 된다. 연료 증기의 흡입은 매우 해로우므로 주의해야 하고 의복과 피부에 묻은 연료는 즉시 닦아내야 한다.

5.3.4 급유자의 의무

항공기 급유를 트럭에 의해 날개 위에서 수행할 경우 항공기는 에이프런(Apron)이나 이처럼 넓은 공간에 위치시켜야 하며 연료 증기의 점화의 근원이 되는 근처에 위치시켜서는 안 된다. 연료 증기가 점화원 지역으로 날아가지 않도록 바람의 방향을 잡아야 한다. 트럭은 항공기로부터 호스 길이에 해당하는 거리까지 오도록 하는 것이 좋다. 트럭은 날개의 앞쪽과 평행하게 계류시키거나 화재 발생 시 신속하게 운전하여 떠날 수 있는 위치에 계류시켜야 한다. 급유 작업이 끝나는 대로 트럭은 항공기 근처로부터 떠나야 한다. 트럭의 연료탱크 덮개는 탱크에 연료를 보급할 때를 제외하고는 닫혀져 있어야 한다.

이상적으로 대형항공기의 급유자는 4명 정도로 구성된다. 1명은 소화기 옆에 서고 1명은 트럭에 1명은 지상의 연료 호스로 연료를 보급한다.

5.4 작업 안전 사항

(1) 연료 보급 시 사용 가능한 소화기를 지정된 장소에 배치해야 한다. (100ft 이내에 40kg 이상의 분말 소화기 1개 이상 배치)

(2) 연료 보급 시 항공기로부터 100ft이내에서는 흡연이 금지되어 있다.

(3) 연료 보급은 격납고 등과 같은 밀폐된 장소에서 실시해서는 안 된다.

(4) 엔진을 운전 중이거나 가열 상태에 있을 경우, 급유, 배유해서는 안 된다.

(5) 항공기를 격납고 내에 저장할 경우에는 연료 탱크 내에 연료가 가득 채워지지 않도록 해야 한다.(격납고의 내부 온도가 외부보다 높을 경우 탱크 안의 연료가 팽창에 의해 연료가 탱크를 넘쳐흘러서 화재를 일으킬 수도 있기 때문이다.)

(6) 필요한 위험 예방 조치가 없이 승객이 항공기 안에 있을 경우 급유 및 배유
를 금지해야 한다.

(7) 연료 보급 시 화재 위험에 대비하여 소화기에 소화 작업자를 배치해야 한다.

(8) 연료가 배인 옷을 가능한 한 빨리 제거하도록 하고, 연료가 묻은 신체 부위
는 비누와 물로 깨끗하게 씻어내야 한다.

5.5 항공기 연료 급유 절차

항공기의 급유는 정확한 유형의 연료와 안전한 급유절차를 적용하여 급유를 수행
해야 한다. 항공기 급유에는 두 가지 기본적인 절차가 있다.

그림 1-17과 같이 경항공기는 날개 위에서 연료를 급유한다.

그림 1-17 날개 위에서 연료 급유

이러한 방법은 연료호스를 사용하여 날개 상부의 주유구를 통해 연료를 보급한다.
대형 항공기에서 사용되는 방법은 단일 지점(single point) 급유 장치이다.

그림 1-18과 같이 이러한 형태의 급유장치는 한 지점에서 모든 연료탱크를 채우기
위해 날개 하부의 전연부에 있는 리셉터클(receptacle)을 이용한다.

그림 1-18 단일 지점 급유

이러한 방법은 항공기 급유시간을 줄여주고, 오염을 감소시키며, 연료를 발화시키는 정전기를 줄여준다. 대부분 가압급유장치는 가압급유호스, 제어 패널 그리고 한 사람이 항공기의 일부 또는 모든 연료탱크에 연료를 급유 또는 배유(defuel) 작업을 가능하게 하는 게이지로 구성된다. 각각의 탱크는 미리 설정된 수준으로 채워지게 된다. 이러한 절차들이 그림 1-19와 그림 1-20에 나타나 있다.

급유하기 전에 다음 사항들을 점검해야 한다.

(1) 항공기의 모든 전기 계통과 레이더를 포함한 전자장치가 "Off" 되었는지 확인한다.

(2) 작업복 주머니에는 아무것도 넣어서는 안 된다. 연료 탱크로 떨어질 수도 있다.

(3) 급유작업에 인화성 물질을 소지하지 않았는지 확인한다. 순간적인 방심이 사고를 불러온다.

(4) 적절한 형식과 등급의 연료인지 확인한다. 항공용 가솔린과 제트 연료를 혼합해서는 안 된다.

(5) 모든 섬프(sump)가 배출되었는지 확인한다.

(6) 보안경을 착용한다. 보안경만큼 중요하지는 않지만, 고무장갑과 앞치마와 같은 보호 장구는 넘치거나 튀어 오르는 연료로부터 피부를 보호할 수 있다.

(7) 연료를 보급하고 있는 항공기 방향으로 다른 항공기의 후류에 의해 불순물들

이 날아올 경우에는 연료보급을 중단해야 한다. 바람에 날아온 오물, 먼지 및 기타 오염물은 열려져 있는 연료탱크로 유입되어 탱크를 오염시킬 수 있다.

(8) 5mile 이내에서 번개가 칠 때는 연료보급을 하면 안 된다.

(9) 지상레이더가 500feet 이내에서 작동할 경우에는 연료보급을 할 수 없다.

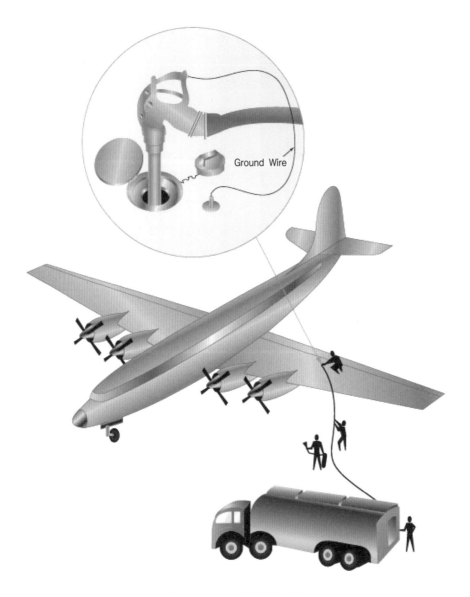

그림 1-19 날개 위에서의 급유

그림 1-20 대형 항공기의 단일 지점 연료 보급 위치

다음은 이동식 급유장치를 사용 시 주의 사항이다.

(1) 비상 시 철수 등을 고려하여 후진하지 않고 빠르게 출발할 수 있도록 연료트럭을 배치한다.

(2) 연료트럭의 핸드 브레이크를 당기고, 흔들림을 방지하기 위해 차륜지를 고여야 한다.

(3) 항공기를 접지 시키고, 연료트럭을 접지시킨 다음 항공기와 연료트럭을 함께 접지시킨다. (3점 접지 : 항공기→지상, 연료차→지상, 연료차→항공기) 이러한 3점 접지는 연료트럭에 있는 3개의 분리된 접지선(Ground wire)을 이용하여 이루어지게 된다.

(4) 접지가 금속 또는 항공기의 적절한 접지 점에 접촉되어 있는지 확인한다. 또한 엔진배기장치 또는 프로펠러를 접지 점으로 이용하지 않는다. 프로펠러에 손상을 줄 수 있으며, 엔진과 기체 사이에 원활한 접속을 보장할 수 없기 때문이다.

(5) 노즐을 항공기에 접지한 후, 연료탱크를 open한다.

(6) 연료가 넘치거나 노즐, 호스, 접지선 등의 부주의한 취급으로 생길 수 있는 손상으로부터 항공기 날개와 관련 부품을 보호해야 한다.

(7) 항공기의 급유가 마무리 되면 연료마개가 잘 닫혀있는지 확인해야 한다.

(8) 3점 접지한 역순으로 접지선을 제거한다. 만약 항공기가 비행에 바로 투입되

거나 이동하지 않는다면 항공기 접지선은 장착된 상태로 놓아둘 수 있다.

5.6 항공기 배유(Defueling)

배유 절차는 항공기의 형식에 따라 다르므로 배유 전 세부절차와 주의사항에 대해 정비 매뉴얼 또는 서비스 매뉴얼을 참고해야 한다.

배유는 연료를 중력 또는 펌프의 가동으로 탱크 외부로 배출 할 수 있다. 중력방법이 사용될 때는 연료를 모으는 방법을 갖추는 것이 필요하고, 펌프 가동방식은 탱크를 손상시키지 않도록 주의해야 한다. 배출된 연료는 좋은 연료와 혼합되지 않아야 한다.

배유 시 일반적인 예방책은 다음과 같다.

(1) 항공기와 배유장치를 접지한다.
(2) 전기와 전자장치를 Off한다.
(3) 정확한 유형의 소화기를 배치한다.
(4) 보안경을 반드시 착용한다.

5.7 평가

순번	평가항목	A	B	C	D	비고
1	작업이해도					
2	작업 전 소화기 비치 상태					
3	연료 보급 시의 안전 사항 이해					
4	항공기 연료의 종류 및 특성 이해					
5	연료 보급 전 3점 접지 상태					
6	작업 후 정리 정돈 상태					

제2장 항공기 판금 수리

1. 항공기의 수리

1.1 학습목표

항공기 외피 및 구조부의 수리 방법과 절차에 대하여 학습한다.

1.2 실습재료

알루미늄 판, 리벳(ϕ3), 공기 드릴, 드릴 척, 리머, 리벳 커터, 버킹 바, 리벳 세트, 스크레퍼, 강철자, 펀치, 클래코 시트 패스터, 공기 압축기, 금긋기 바늘, 고무망치, 절곡기, C-클램프, 줄

1.3 관련지식

1.3.1 리벳의 길이

리벳의 길이를 결정하기 위해서 리벳 작업을 위한 판재의 두께를 알아야 한다. 이 측정값이 그립의 길이가 된다. 리벳의 길이는 그립 길이와 샵 헤드를 형성하기에 필요한 리벳 직경의 양을 더해준 것과 같다. 그림 2-1과 같이 리벳의 길이는 리벳 직경의 1.5배이다.

따라서 리벳의 총 길이는 그립의 길이와 샵 헤드의 길이의 합으로 나타낼 수 있다.

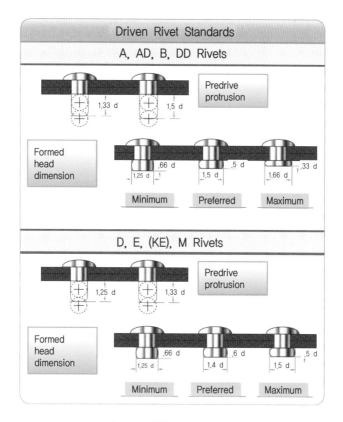

그림 2-1 성형된 리벳 머리 직경

1.3.2 리벳 강도

구조적인 적용에서 교체 리벳의 강도는 매우 중요하다. 강도가 더 낮은 재료로 만든 리벳이면 더욱 큰 리벳을 사용하는 것으로 부족분을 대신하는 경우를 제외하고 교체에 사용해서는 안 된다. 예를 들어 2024-T4 알루미늄 합금 리벳은 크기가 한 치수 더 큰 리벳을 사용하는 것을 제외하고 2117-T4, 2017-T4 알루미늄 합금 리벳 등으로 교체해서 사용해서는 안 된다.

열처리가 필요 없이 일반적인 수리작업에 사용하는 2117-T 리벳은 재질이 매우 부드럽고 강하며 대부분 합금의 형태와 사용했을 경우 내식성이 매우 우수하다. 정확한 리벳의 유형과 재료에 대해 해당 제작사의 매뉴얼을 참고해야 한다.

접시머리 리벳이 사용된 항공기에서 따라야 하는 일반적인 규칙은 날개 및 안정판의 윗면, 하부 날개앞전에서 날개보 뒤쪽에, 그리고 동체에서 날개의 높은 지점 쪽에 접시머리 리벳을 사용하는 것이다. 다른 표면의 모든 부분에서는 유니버설 리벳을 사용한다.

리벳의 선정 시에는 판재와 동일한 합금 숫자의 리벳을 선택한다.

1.3.3 리벳에 가해지는 응력

리벳에 가해지는 응력에는 전단, 인장 등 두 가지 응력이 작용한다.

전단 강도는 두 장 이상의 재료를 함께 고정하는 리벳을 절단하는데 필요한 힘의 양이다. 전단 강도를 결정하기 위해 사용되는 리벳의 직경은 외판 재료의 두께에 3배가 된다. 예를 들어, 0.040 인치의 재료두께에 3배를 하면 0.120 인치가 된다. 이 경우에는 리벳의 직경은 0.125 인치(1/8 인치)를 선택해야 한다.

인장은 리벳에 가해지는 다른 형태의 응력이다. 함께 리벳 할 판재 2장의 판재 가장자리를 통해 리벳을 끌어당기기 위해 필요한 인장의 양이다.

1.3.4 리벳 간격

리벳 간격은 같은 열에서 리벳의 중심선 간의 사이를 측정한다. 돌출머리 리벳 사이의 최소간격은 리벳 작경의 3.5배보다 작아서는 안 된다. 접시머리 리벳의 경우에는 4배보다 작아서는 안 된다. 이 치수는 특정 수리공정에서 다르게 지정할 때 또는 기존 리벳을 교환할 때를 제외하고 최소간격으로 사용된다.

대부분의 수리에서는 손상 주위 지역에서 사용하는 것과 같은 리벳 간격과 연거리를 적용해야 한다. 이러한 원칙 외에 리벳 간격에 대한 특정한 제한은 없지만, 최소한의 필요조건은 다음과 같다.

    (1) 리벳 열 사이의 리벳 연거리 및 리벳 간격은 본래 장착되었던 것과 같아야 한다.

    (2) 새로운 부분이 추가될 경우, 리벳의 중심에서부터의 연거리는 리벳 직경의 2

배보다 커야 한다. 리벳 간 거리나 피치 거리 등은 리벳 직경의 최소 3배이다.

또한, 리벳의 열간 거리는 리벳직경의 2.5배 이상이어야 한다.

1.3.5 연거리

연거리는 첫 번째 리벳의 중심에서 판재의 가장자리까지의 거리를 의미한다. 연거리는 리벳 직경의 2~4배 이다.

유니버셜 리벳의 최소 연거리는 리벳 직경의 2배이고, 접시머리 리벳의 최소 연거리는 리벳 직경의 2.5배이다. 만약 리벳이 판재의 가장자리에서 너무 가깝게 놓였다면, 판재는 균열이 발생하거나, 판재로부터 리벳이 빠져나갈 수 있다. 또한 리벳이 판재의 가장자리에서 너무 멀다면, 판재의 가장자리 부분이 들뜨게 될 것이다.

가장자리로부터 리벳을 약간 더 멀리 배치하는 것이 좋으며 최소 연거리를 준수하고 리벳홀을 더 크게 할 수 있다. 최소 연거리에 1/16 인치를 더하거나 리벳 직경을 한 치수 큰 것으로 사용하는 연거리를 결정한다.

연거리를 얻기 위해 사용되는 방법에는 다음의 두 가지가 있다.

(1) 돌출머리 리벳의 리벳 직경은 3/32 인치이다. 최소 연거리를 얻기 위해서 3/32 인치에 2배를 한다. 선호되는 1/4 인치의 연거리를 산출하기 위해 2배인 값(3/16 인지)에 1/16를 더해준다.

(2) 돌출머리 리벳의 리벳 직경은 3/32 인치이다. 한 치수 큰 1/8 인치 리벳을 선택한다. 1/4 인치를 얻기 위해 1/8 인치에 2배하여 연거리를 계산한다.

1.3.6 리벳 피치

리벳 피치는 같은 리벳 열에서 리벳들의 중심 간의 거리를 의미한다. 최소 리벳 피치는 리벳 직경의 3배이다. 평균 리벳 피치는 보통 리벳 직경의 4~6배의 범위를 가진다. 그러나 경우에 따라서 리벳 직경의 10배를 가지는 것도 있다. 굽힘 모멘트가 작용하는 곳의 부품의 리벳 간격은 종종 리벳 사이의 외판이 휘는 것을 방지하기 위해 간격을 더 좁히는 경우도 있다. 최소 피치는 리벳 열의 수에 따른다. 1열과 3열의 리벳 배치에서는 리벳 직경의 3배의 최소피치를 갖으며, 2열의 리벳 배치에서는 리벳 직경의 4배의 최소피치를 갖는다. 또한, 접시머리 리벳에 대한 피치는 유니버셜 리벳에 대한 것보다 더 크다.

표 2-1과 같이, 만약 리벳간격이 최소보다 적어도 1/16 인치 더 크게 만든다면, 최소 리벳 간격의 필요조건에 위배되지 않고 리벳 홀을 더 크게 할 수 있다.

표 2-1 리벳 간격

리벳 간격	최소 간격	적정 간격
1열과 3열 돌출머리 리벳 배치	3D	3D + 1/16 in
2열 돌출머리 리벳 배치	4D	4D + 1/16 in
1열과 3열 접시머리 리벳 배치	3.5D	3.5D + 1/16 in
2열 접시머리 리벳 배치	4.5D	4.5D + 1/16 in

1.3.7 열간 거리

열간 거리는 리벳 열 사이의 수직 거리를 의미한다. 이 열간 거리는 리벳 피치의 75%에 해당하는 거리이다. 허용되는 최소 열간 거리는 리벳 직경의 2.5배이다. 리벳 피치와 열간 거리는 종종 동일한 치수를 갖는다.

1.3.8 리벳 장착 공구

리벳을 두드려 박거나 단압하는 정상적인 순서에서 필요한 여러 가지의 공구는 드릴, 리머, 리벳 절단기, 버킹바, 리벳해머, 드로우 세트, 접시머리 장비, 리벳건, 압착 리벳터(리벳 조임쇠) 등이 있다.

(1) 리벳 커터

그림 2-2와 같이 리벳 커터는 리벳이 요구되는 길이가 없는 경우나 리벳의 길이가

너무 길 때 사용된다. 또한 리벳의 불필요한 부분을 다듬는 경우에도 사용된다.

 회전식 리벳 커터를 사용하기 위해 리벳의 크기에 맞는 홀을 선택하여 리벳을 삽입하고, 리벳 머리 아래쪽에 필요한 수만큼의 끼움쇠를 넣고 플라이어를 눌러 커터를 압착한다. 평원반이 회전하면서 원하는 리벳의 길이를 얻게 된다. 리벳의 절단 길이는 리벳 머리 아래쪽에 끼워 넣는 끼움쇠의 수에 의해 결정된다. 큰 리벳 커터를 사용할 경우에는 바이스에 큰 리벳 커터를 물리고 리벳 크기에 맞는 홀을 선택해 리벳을 홀에 삽입하고, 리벳을 잘라내는 핸들을 잡아당김으로써 절단되게 된다. 규정된 리벳 커터가 없다면 커팅 플라이어를 사용하여 절단한다.

그림 2-2 리벳 커터

(2) 버킹 바

 버킹 바는 장착 중에 올바른 리벳 장착을 위해 사용되는 강철 재질의 무겁고 두꺼운 조각이다. 버킹 바는 다양한 모양과 크기가 있으며, 무게 범위는 8~10 파운드 이다. 버킹 바를 선택할 때 가장 먼저 고려해야 할 사항이 모양이다. 정확한 모양만이 올바른 리벳 머리를 성형할 수 있다. 버킹 바의 무게도 고려사항에 포함이 된다. 버킹 바의 무게가 너무 가볍다면 버킹 바에 무게를 주지 못해 리벳의 샵 헤드가 부풀어 오를 수 있다. 반면 버킹 바의 무게가 너무 무겁다면, 버킹 바의 무게와 흔들리는 힘이 재료를 샵 헤드에서부터 멀리 부풀어 오르게 할 수 있다.

(3) 수동 리벳 세트

리벳 세트는 리벳 머리의 각 크기와 모양을 맞추어서 사용할 수 있는 것이다. 보통 의 세트는 두께가 1/2인치이고, 길이는 약 6인치 정도의 탄소강으로 만들어지고 손 에서 미끄러지는 것을 방지하기 위해 핸들에는 널(표면이 깔쭉깔쭉한 것)이 있다. 유 니버설 리벳을 위한 세트는 리벳 머리에 맞게 홈이 파여 있거나 컵 모양으로 되어있 다. 세트를 선택 시에는, 세트와 리벳 머리 측면 사이의 간격, 세트와 판재 표면 사이 의 간격 등이 적절한지 확인해야 한다. 접시머리 리벳이나 납작머리 리벳에 사용하기 위해 동일 평면 또는 납작 평면 세트도 포함된다. 접시머리 리벳을 적절히 안착시키 기 위해 동일 평면세트의 직경이 최소 1인치 이상이어야 한다.

리벳의 벅테일을 만들기 전에 판재 사이가 벌어지는 것을 방지하기 위해 판재를 들어 올리는 특수 드로어 세트가 사용된다.

드로어 세트는 그것이 만들어지는 리벳 직경보다 1/32 인치 더 큰 홀을 갖는다. 일부의 경우에는 드로어 세트와 리벳 헤더는 1개의 공구로 통합되는 경우도 있다. 헤 더부분은 해머로 칠 때, 세트가 리벳과 리벳 머리를 팽창시키기에 충분히 얕은 홀로 구성된다.

(4) 카운터 싱크 공구

카운터 싱크(접시형 홀 드릴)는 리벳이 외판의 표면에 매끄럽게 일치하도록 하기 위해 리벳 홀 주위에 원뿔형식으로 절삭하는 공구이다. 카운터 싱크는 접시머리 리벳 의 머리 각도에 맞는 각도로 만들어졌다. 그림 2-3과 같이, 접시형 홀 드릴의 표준 각도는 100°이다.

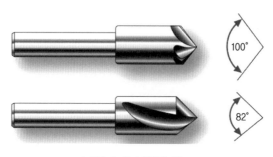

그림 2-3 카운터 싱크

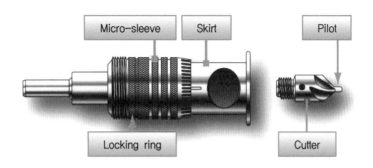

그림 2-4 마이크로 스톱 카운터 싱크

그림 2-4와 같이 일반적인 마이크로 스톱 카운터 싱크 드릴은 필요한 깊이로도 조절될 수 있고 다양하게 만들어지는 접시형 각도와 함께 교체할 수 있는 홀을 가능하게 하는 절단기를 가지고 있다. 일부의 마이크로 스톱 카운터 싱크는 절삭하는 깊이를 조절하기 위해 0.001 인치씩 증가하는 기계장치도 가지고 있다.

(5) 오목성형 틀(Dimpling Dies)

오목 성형 틀은 숫 형틀과 암 형틀로 작업된다. 숫 형틀은 리벳 홀의 크기와 리벳 머리처럼 입구를 넓힌 홀의 동일한 각으로 유도장치를 가지고 있다. 암 형틀은 숫 유도장치가 들어가서 맞을 수 있게 일치하는 카운터 싱크 드릴 같이 있는 홀을 가진다.

(6) 공기압 리벳건

공기압 리벳 건은 기체 수리에 일반적으로 가장 많이 사용하는 리벳 단압 공구이다. 단압 공구라 함은 망치나 압력 등을 가해서 끝을 뭉뚝하게 만드는 공구를 말한다. 그림 2-5와 같이 리벳 건은 다양한 크기와 유형으로 이용할 수 있다. 공기압 리벳건의 공기압은 보통 90~100psi 의 압력이 사용되며, 서로 호환이 가능한 리벳세트와 함께 결합하여 사용한다.

그림 2-5 리벳 건

그림 2-6과 같은 가장 일반적인 리벳 건은 1분에 900~2,500회를 타격하는 천천히 치는 리벳 건이다. 속도는 느리고 타격 시 강한 타격을 발생하여 제어하기가 쉽다.

리벳 건은 판재의 표면과 수직이 유지되어야 하고 리벳 머리를 향하여 꼭 맞게 겨눠야 한다. 그리고 적당한 무게의 버킹 바를 반대쪽 끝에 대준다. 리벳 건의 힘이 버킹 바로 흡수되어야 한다. 리벳 건의 방아쇠를 당기면 리벳 건의 타격과 함께 리벳 성형 머리가 형성된다.

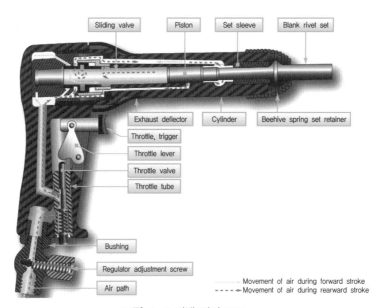

그림 2-6 리벳 건의 구조

(7) 리벳 세트와 헤더

리벳 세트의 몸은 리벳 건 속에 맞게 설계되어 있다. 리벳 헤더는 사용하는 리벳에 정확히 맞아야 한다. 리벳 헤더는 강하고 부서지지 않도록 단조강에 열처리하여 제작한다. 접시머리형 리벳 헤더는 다양한 크기가 있다.

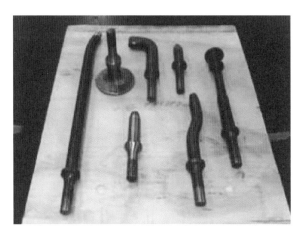

그림 2-7 리벳 헤더

리벳 헤더가 작을수록 좁은 지역에서 힘을 집중시킬 수 있지만, 크기가 클수록 넓은 지역에 힘을 분산시키며, 이는 얇은 외판의 리벳 작업에 사용된다.

접시머리형이 아닌 리벳 헤더는 2/3 지점 중심에 닿도록 해야 한다. 항상 리벳의 크기에 맞는 리벳 헤더를 선택하는데 주의해야 한다. 리벳보다 너무 작은 리벳 헤더는 리벳의 표시를 남기게 되고, 너무 큰 것은 판재에 표시를 남기게 된다.

그림 2-7과 같이 리벳 헤더는 다양한 모양으로 만들어진다.

(8) 압축 리벳팅(Compression Rivetting)

압축 리벳팅은 조건이 허락되고, 리벳 압축기의 유효범위가 충분히 낮은 데까지 달하는 곳에서 판재 또는 어셈블리의 가장자리 위쪽에서만 사용된다.

수동리벳 압축기, 공기압리벳 압축기, 공기압, 유압 리벳 압축기 등 세 가지 유형으로 분류된다. 이 세 가지 유형의 리벳 압축기는 근본적으로 동일한 원리를 가지고 있다. 하지만 압력의 공급 측에서 차이가 있다. 수동리벳 압축기는 손압력에 의해, 공기압리벳 압축기는 공기압에 의해, 공기압·유압 리벳 압축기는 공기압, 유압의 결합에 의해 공급된다. 리벳 압축기는 2개의 조(jaw)로 구성되며, 2개의 조 중에 한 개는 버킹 바의 역할을 위해 고정되고, 다른 한 개는 움직일 수 있는 것으로 리벳을 단압시키는데 사용된다. 리벳 압축기를 이용한 리벳 작업은 혼자서도 가능한 신속한 방법이다.

그림 2-8 리벳 압축기

(9) 마이크로 쉐이버

마이크로-쉐이버는 외피나 판재 등에 사용되는 접시머리 리벳이 규정된 한계치 이내로 접합할 수 있게 하는 곳에 사용된다.

그림 2-9와 같이 이 공구는 절삭기, 스톱(stop), 버팀대, 안전장치 등으로 구성되고, 절삭부분은 스톱(stop)의 안쪽에 있다. 절삭의 깊이를 조절할 수 있는 스톱(stop)은 0.0001인치의 조절이 가능하며, 주위의 재료 손상 없이 0.0002인치 이내로 접시머리 리벳의 머리를 절삭할 수 있다.

그림 2-9 마이크로-쉐이버

1.4 작업 안전 사항

(1) 리벳 작업 전 주의 사항은 다음과 같다.

① 항상 정확한 리벳 헤더와 유지스프링이 장착되었는지 확인한다.

② 목재 조각 등 리벳 건을 시험하고 작업자가 불편함이 없도록 공기 밸브를 조절한다. 리벳 건의 힘은 손잡이 부분에 설치된 니들밸브에 의해 조절가능하다.

③ 리벳의 헤더 손상을 피하기 위해 리벳 건 시험 시 목재보다 더 단단한 물건에 시험해서는 안 된다.

④ 만약 리벳 건의 힘 조절 시 적절한 힘을 만들지 못한다면, 다른 크기의 리벳 건을 사용해야 한다. 리벳 건의 힘을 너무 강력하게 하면 리벳 건의 제어가 힘들고, 작업에 대한 손상을 발생시킬 수 있다. 또한 리벳 건의 힘을 너무 약하게 한다면 머리가 완전히 성형되기 전에 리벳이 가공경화 될 것이다.

리벳 작업 시 리벳팅 동작은 천천히 하되 연속적으로 격발되어야 한다. 만약 너무 빠르게 시작된다면 리벳 헤더는 리벳을 벗어나고 리벳, 판재 등을 손상시킬 수 있다. 반대의 경우에는 리벳이 가공경화 할 것이기 때문에 3초 이내에 작업하도록 한다.

다음은 리벳 건을 사용할 때 준수해야 하는 사항 중 일부 예방책이다.

① 어떤 경우라도 사람에게 리벳 건을 겨누어서는 안 된다. 리벳 건은 리벳을 장착하거나 제거 시에만 사용해야 한다.

② 리벳 세트가 리벳이나 목재 등에 단단히 닿아 있지 않다면, 절대로 방아쇠를 당기지 않는다.

③ 리벳 건을 장시간 사용하지 않을 때는 리벳 건에서 공기 호스를 항상 분리해야 한다.

(2) 보강판을 사용할 경우 보강판의 재료는 수리해야 할 부분과 같은 재료를 사

용하며, 두께는 같거나 조금 더 두꺼운 것을 사용해야 한다.

(3) 리벳을 제거할 경우 원래의 리벳 구멍보다 더 커지지 않도록 주의해야 한다.

(4) 판재를 굽힐 경우 한쪽 면만 해머로 쳐서는 안 된다.

2. 패치 작업

패치 작업에 사용되는 판재의 크기와 모양은 보통 수리에 필요한 리벳의 수로 결정된다. 다른 규정이 없다면 리벳 공식을 이용한 필요 리벳 개수를 산정해야 한다. 패치(patch)에 사용되는 판재의 두께는 원판의 두께와 같거나 더 큰 두께의 판재를 이용해야 한다.

필요한 리벳 개수를 산정하는 리벳 공식은 다음과 같다.

$$N(리벳수) = \frac{4LT\delta}{\pi D^2 \tau} \times 1.15$$

    L : 접합부의 길이

    D : 리벳의 지름

    T : 판의 두께

    δ : 판의 인장응력

    τ : 리벳의 최대 전단응력

패치 작업은 Lap patch와 Flush Patch 두 가지 유형으로 구분할 수 있다.

Lap patch는 판재와 외피가 서로 중복되어 작업하는 유형으로 그림 2-10과 같이 판재의 가장자리와 외피가 서로 중복되고 중복되는 곳에는 리벳이 작업된다. 이 작업은 공기에 대한 저항이 발생하게 됨으로 공기역학적으로 유선형 설계가 필요한 부분에는 사용되지 않는다.

그림 2-10에서와 같이 균열의 경우 작업 절차는 다음과 같다.

   (1) 균열의 양쪽 끝부분에 스톱 홀을 뚫는다. (stop hole은 응력을 경감시키고 균열이 더 진전되지 않도록 막아주는 역할을 한다.)

   (2) 필요한 만큼의 리벳 수를 장착할 수 있을 정도의 크기로 판재를 절단한다.

   (3) 만약 절단된 판재의 모양이 정사각형이나 직사각형이 되었다면, 모서리는 최소 0.25inch 반지름으로 둥글게 다듬어야한다.

   (4) 가장자리는 재료의 두께의 0.5배로서 45°의 각도에서 모서리를 약간 둥글게 해야 한다. (그림 2-11 참조)

(5) 판재의 가장자리는 밀폐를 위해 연거리 상에서 5° 아래쪽으로 구부린다.

(6) 패스너를 사용하여 판재를 손상된 부분에 고정시킨다.

(7) 리벳 작업을 한다.

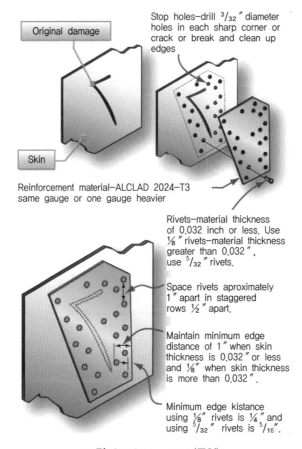

그림 2-10 Lap patch(균열)

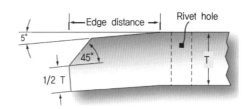

그림 2-11 Lap patch 끝부분

Flush Patch는 외피와 판재가 동일한 평면을 얻기 위한 패치 작업이다. 이것은 외피 안쪽에 보강재를 설치하여 지지하고 리벳 작업된다.

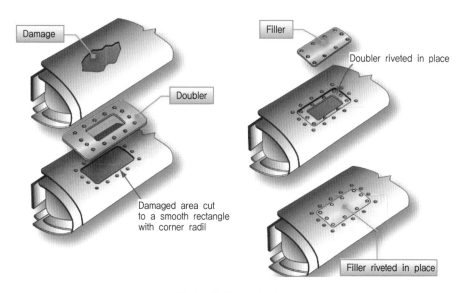

그림 2-12 Flush Patch

(1) 손상된 부위를 제거한다.
(2) 보강재를 제작한다.(0.5인치의 최소반경으로 판재의 모든 모서리를 둥글게 한다.)
(3) 외피의 안쪽에 설치하여 리벳 작업한다.(최소 연거리는 리벳 직경의 2배이며, 리벳 간격은 리벳 직경의 4~6배이다.)
(4) 외피의 손상된 부분을 제거하면서 생긴 구멍에는 필러(filler)를 리벳 작업으로 장착한다.

재료는 손상된 외피와 동일한 재료로 해야 하며, 손상된 외피보다 한 치수 큰 두께를 사용한다. 보강재의 크기는 연거리와 리벳 간격에 따라 결정된다.

3. 여압 부분의 수리

그림 2-13과 같이 항공기의 외피는 비행 시 압력에 의해 높은 응력을 받는다. 여압 부분의 수리는 비 여압 부분의 수리에 비해 더 많은 리벳을 필요로 한다.

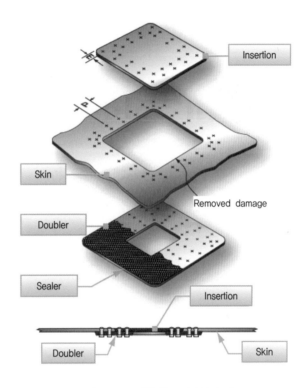

그림 2-13 여압되는 표면의 수리

여압 부분의 수리 절차는 다음과 같다.

(1) 외피의 손상된 부분을 제거한다.

(2) 모든 모서리는 최소 직경이 0.5 인치로 둥글게 다듬는다.

(3) 동일한 재료로 사용하되 외피보다 한 치수 더 큰 두께로 보강재를 장착한다.
(보강재의 크기는 리벳 열의 수, 연거리, 리벳 간격 등에 따라 결정된다.)

(4) 손상된 외피와 농일한 재료, 동일한 두께의 삽입물(insertion)을 장착한다.(삽

입물과 외판사이의 간격은 일반적으로 0.015~0.035 인치이다.)

(5) 보강재와 삽입물 그리고 원래 외피를 통과하는 홀을 드릴링(drilling)한다.

(6) 보강재에 말폐제를 얇게 바르고, 패스너를 이용해서 외피에 보강재를 고정한다.

(7) 외피에 보강재를 장착하고, 보강재에 삽입물을 장착한다. 장착하기 전에 모든 리벳은 밀폐제를 발라준다.

4. 스트링거의 수리

동체의 스트링거(stringer)는 항공기 기수부분에서 꼬리부분까지 분포되고, 날개의 스트링거는 동체에서 날개 끝 부분까지 분포되어 있다. 그 외에 조종면 등에 사용되는 스트링거는 보통 조종면의 길이를 연장한다. 이러한 스트링거들은 진동, 부식, 충돌 등에 의해 손상되며, 다양한 형태로 만들어진 스트링거는 수리절차도 각기 다르다. 다음은 스트링거의 각기 다른 손상에 따른 다양한 수리 절차를 설명한다.

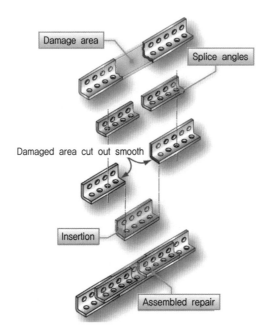

그림 2-14 삽입물을 이용한 손상된 스트링거의 수리

그림 2-14는 스트링거의 손상이 오직 하나의 스트링거에만 영향을 주고 길이가 12 인치를 초과할 경우 삽입물을 이용하여 수리하는 방법을 보여주고 있다.

손상이 12인치를 초과한 경우 삽입물을 이용한 스트링거의 수리 절차는 다음과 같다.

(1) 손상의 규모를 판단하고 주위의 리벳을 제거한다.

(2) 톱이나 드릴, 줄 등을 사용해서 손상 부분을 제거한다.

(3) 제거된 스트링거의 위치에 미리 제작된 스플라이스 앵글(splice angle)을 위치시킨다.(스플라이스 앵글을 위치시킬 경우 해당 구조수리 매뉴얼을 참고하여 스트링거의 안쪽에 또는 바깥쪽에 스플라이스 앵글을 위치시켜야 한다.)

(4) 드릴링 작업으로 홀을 낸 후 스플라이스 앵글을 스트링거에 리벳 작업한다.

(5) 미리 성형된 삽입물이나 필러를 제거 부위에 위치시킨다.(굴곡진 스트링거를 수리할 경우에는 원래의 윤곽에 맞도록 삽입물이나 필러 등을 만들어야 한다.)

(6) 스플라이스 앵글에 삽입물이나 필러를 리벳 작업한다.

또한, 그림 2-15는 손상이 한쪽 변의 폭에 2/3를 초과하지 않고, 길이가 12 인치를 넘지 않을 경우 부분 수리를 보여주고 있다.

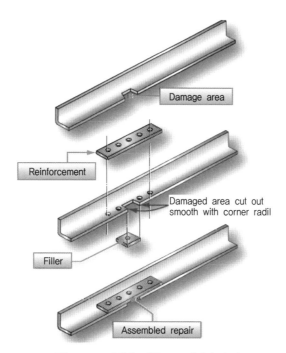

그림 2-15 판재에 의한 스트링거의 수리

부분 손상에 의한 부분 수리의 절차는 다음과 같다.

(1) 손상된 부분을 확인하고 톱이나 드릴, 줄 등을 이용하여 손상부위를 제거한다.

(2) 보강재를 제거된 부분에 위치시킨다.

(3) 드릴링 작업으로 홀을 뚫고, 패스너 등을 이용하여 보강재를 고정한다.

(4) 스트링거에 보강재를 리벳 작업하여 장착한다.

(5) 삽입물이나 필러를 제거된 부분에 위치시킨다.

(6) 삽입물이나 필러를 보강재에 리벳 작업으로 장착시킨다.

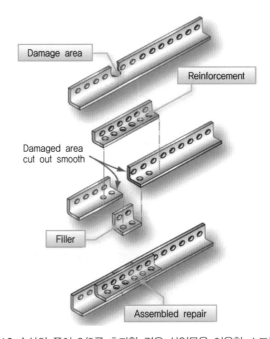

그림 2-16 손상의 폭이 2/3를 초과할 경우 삽입물을 이용한 스트링거의 수리

그림 2-16은 손상된 변의 폭이 2/3을 초과하는 부분에서는 스트링거 중 일부분을 제거한 뒤 삽입물을 이용해서 수리하는 방법을 보여주고 있다.

손상의 폭이 2/3를 초과할 경우 삽입물을 이용한 스트링거의 수리절차는 다음과 같다.

(1) 손상 부위를 톱이나 드릴, 줄 등을 이용해서 제거한다.

(2) 보강재를 스트링거의 제거된 부분의 안쪽이나 바깥쪽에 위치시킨다.

(3) 드릴링 작업으로 홀을 뚫고, 패스너 등을 이용하여 보강재를 고정한다.

(4) 스트링거에 보강재를 리벳 작업으로 장착한다.

(5) 삽입물이나 필러를 제거된 부분에 위치시킨다.

　(6) 보강재에 삽입물이나 필러 등을 리벳 작업으로 장착한다.

　마지막으로, 그림 2-17에서와 같이 손상이 1개 이상의 스트링거에 영향을 줄 경우 삽입물에 의해 수리하는 방법을 보여주고 있다.

　(1) 손상된 스트링거 부분들을 톱이나 드릴, 줄 등을 이용해서 제거한다.

　(2) 보강재를 스트링거의 제거된 부분의 안쪽이나 바깥쪽에 위치시킨다.

　(3) 드릴링 작업으로 홀을 뚫고, 패스너 등을 이용하여 보강재를 고정한다.

　(4) 스트링거에 보강재를 리벳 작업으로 장착시킨다.

　(5) 삽입물이나 필러를 제거된 부분에 위치시킨다.

　(6) 보강재에 삽입물이나 필러 등을 리벳 작업으로 장착한다.

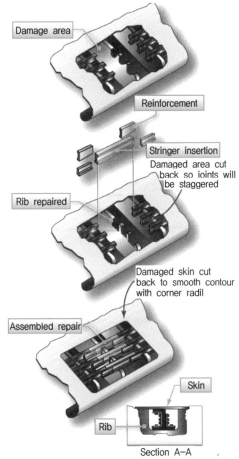

그림 2-17 한 개 이상의 스트링거의 손상 시 삽입물을 이용한 스트링거 수리

5. 벌크헤드의 수리

그림 2-18과 같이 벌크 헤드의 대표적인 수리 절차는 다음과 같다.

(1) No.40 크기 드릴로 균열의 끝에 스톱 홀을 뚫는다.
(2) 동일한 재료로 하되 두께는 수리하는 부분보다 한 치수 더 두꺼운 판재를 보
강재로 사용한다. 보강재의 크기는 리벳의 연거리, 리벳 간격, 리벳 열의 수
등에 의해 결정된다.(최소 연거리 : 0.5 인치, 리벳 간격 : 1 인치)
(3) 클램프 등을 이용하여 보강재를 벌크 헤드에 부착시키고 드릴링 작업으로 홀
을 뚫는다.
(4) 리벳을 장착한다.

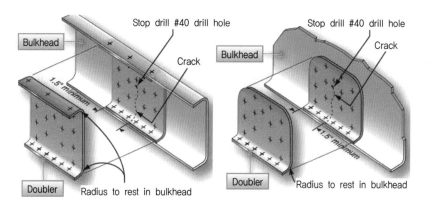

그림 2-18 벌크 헤드의 수리

예비 부품을 사용할 수 없으면 대부분 벌크 헤드 수리는 평판 원료로 만든다. 평판
으로 수리 시는 대체 재료가 원래 재료와 동등한 인장, 압축, 전단, 그리고 지압강도
등을 받는 것을 주지해야 한다. 대체 재료는 원래 재료보다 단면적이 작거나 얇은 것
을 절대로 사용해서는 안 된다.

6. 세로대 수리

일반적으로 세로대(longeron)는 스트링거와 대략 같은 기능을 갖지만 스트링거에 비해 무거운 부재이다. 따라서 세로대의 수리는 스트링거와 유사하다. 세로대는 스트링거에 비해 무겁고, 많은 힘이 필요하므로 무거운 리벳이 사용된다.

세로대의 수리에는 보통 볼트를 사용하지만 리벳에 비해 많은 시간이 요구된다. 세로대의 수리에 리벳이 사용될 경우에는 스트링거의 수리 경우와 유사하지만 리벳 피치를 리벳 직경의 4~6배로 유지해야 한다.

7. 날개보 수리

날개보(spar)는 날개의 주요 지지부재이며, 날개를 구성하는 구조재 중 가장 중추적인 역할을 한다. 날개보에 걸리는 하중 때문에 수리 시에는 구조물의 원형강도를 손상시키지 않도록 해야 한다.

그림 2-19는 날개보의 대표적인 수리를 보여주고 있다. 날개보의 웨브에서 손상은 원형이나 직사각형 보강재로서 수리할 수 있다. 보강재를 선정은 1인치를 기준으로 1인치보다 작은 손상의 경우에는 원형 보강재로 수리하고, 1인치보다 큰 손상의 경우에는 직사각형 보강재로 수리한다.

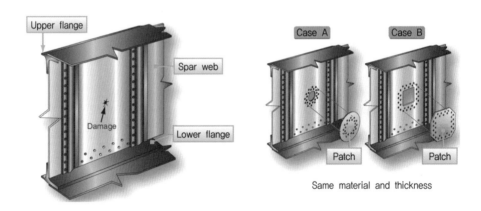

그림 2-19 날개보(spar) 수리

(1) 톱이나 드릴, 줄 등을 이용해서 손상부위를 제거한다.

(2) 제거된 부위의 모든 모서리를 최소 반지름 0.5인치로 둥글게 다듬는다.

(3) 동일한 재료와 두께를 가진 보강재를 위치시킨다.(보강재의 최소 연거리는 리벳 직경의 2배이고, 리벳 간격은 4~6배이다.)

(4) 원판재와 보강재를 관통하도록 드릴링 작업으로 홀을 내고 패스너를 이용해 보강재를 고정시킨다.

(5) 리벳 작업으로 보강재를 장착한다.

7.1 평가

순번	평가항목	A	B	C	D	비고
1	작업이해도					
2	리벳의 배치와 선택 방법					
3	리벳의 적절한 간격					
4	손상 부분의 수리 방법 및 절차					
5	리벳 머리와 벅테일의 성형 상태					
6	작업 후 정리 정돈 상태					

8. 리벳 제거 작업

리벳을 제거하고 다른 리벳으로 교환 할 경우 원래의 리벳 구멍의 지름과 모양을
유지해야 하며, 교환되는 리벳의 지름이 크지 않도록 주의해야 한다.

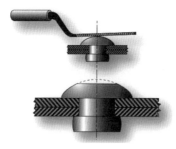

(1) 리벳의 머리를 줄로 평평하게 잘 갈아준다.

(2) 평평하게 된 리벳 머리의 중심에 센터 펀치 작업을 한다.

(3) 평평하게 줄질 된 리벳 머리 중간에 드릴 작업을 한다. 일반적으로 드릴날
은 리벳 지름보다 1/32in 작은 치수를 선택해야 한다.

(4) 리벳 머리를 핀 펀치를 이용하여 제거한다.

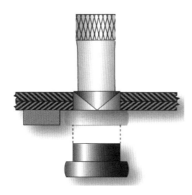

(5) 생크 부분에 핀 펀치를 대고 해머로 두들겨 리벳 몸체를 제거한다.

8.1 평가

순번	평가항목	A	B	C	D	비고
1	작업이해도					
2	리벳 제거 후 판재의 손상 여부					
3	정확한 위치에 센터 펀치 작업					
4	올바른 드릴 작업 자세					
5	작업 후 정리 정돈 상태					

제3장 항공기 무게와 평형

1. 항공기 무게 측정 및 평형

1.1 학습목표

항공기 무게 측정에 관한 용어를 이해하고 무게 측정 방법을 학습한다.

1.2 실습재료

솔벤트, 항공기 잭, 수직 추, 종이테이프 또는 분필, 강철 줄자, 항공기 무게 측정용 저울, 수평 수준기

1.3 관련지식

1.3.1 용어 정의

(1) 기준선

항공기 세로축에 직각인 가상의 수직평면을 말한다. 기준선(datum line)은 평형을 목적으로 취해지는 모든 수평 거리를 말하는 가상의 수직면이다. 오른 각에서 항공기의 세로축으로의 면이다. 기준선의 위치가 바뀌는 것은 없다. 대부분의 경우 항공기의 앞부분(nose)에 위치하거나 항공기 기체 위에 위치한다. 가끔은 항공기 앞부분에서 일정한 거리 앞부분에 위치한다. 제조사는 가장 편한 측정거리, 장비위치, 무게와 평형 측정에 따라 기준선을 선택하며, 대부분 항공기 명세서에 제시되어 있다. 한번 기준선이 선택되면 확실히 하여 누가 보더라도 기준선에 대해 의혹을 가지게 해선 안 된다. 항공기 위치 표시를 위한 가이드로는 동체 위치선(fuselage station), 수위선(water Line) 및 버턱선(buttock Line)이 사용된다. 예를 들면, Boeing 747-400의 기준선 위치는 앞부분 레이돔(nose Radome) 90인치 전방에 위치하고 MDC MD-11은 앞부분 레이돔(nose Radome) 239인치 전방에 위치하고 있다.

(2) 거리

거리(Arm)는 기준에서부터 장비가 위치한 수평거리를 말한다. 거리의 길이는 항상 인치로 써서 주어져 있고 기준을 정확히 0으로 기준하여 +, -의 대수기호로 나타낸다. +부호는 기준에서의 뒷부분을 -부호로 앞부분을 나타낸다. 만약 제작자가 기준의 위치를 항공기의 머리끝부분이나 또는 여기서 앞 방향으로 얼마나 떨어진 곳에 정했다면 모든 거리들은 +가 될 것이고, 항공기 위의 어떤 다른 점에 정했다면 기준의 앞부분은 -의 거리가, 뒷부분은 +의 거리가 될 것이다.

각 항목의 거리는 비행기에 대한 명세서에 각 항목의 이름이나 무게의 바로 다음에 괄호를 사용하여 seat(+23)과 같이 나타낸다. 이러한 표시가 되어 있지 않다면 직접 측정에 의해 구해야 한다. 기준, 거리, 무게 중심 등이 그림3-1에 나타나 있다.

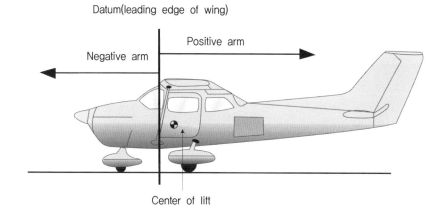

그림 3-1 기준선과 음(-), 양(+)의 거리

(3) 모멘트(Moment)

모멘트는 무게와 거리의 곱으로 정의된다. 기준에 대한 어떤 항의 모멘트는 그 항의 무게에 기준에서의 수평거리를 곱함으로써 얻어진다. 이와 마찬가지로 무게중심에 대한 어떤 항의 모멘트는 그의 무게에 C.G에서의 수평거리를 곱한 것이다. 200파운

드 무게가 기준에서 25 인치되는 곳에 있다면, 200×25(lb-in)의 모멘트를 갖게 될 것이다. 5000(lb-in)의 값이 +인가 아닌가를 무게의 증감과 기준에 대한 위치에 관계된다.

기준(datum)의 어느 한쪽에 증가된 무게는 +무게이며, 제거된 무게는 -무게이다. 무게가 거리와 곱해질 때 만약 부호가 서로 같다면 모멘트는 +가 되고 부호가 서로 다를 때 -가 된다.

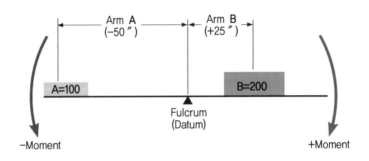

그림 3-2 모멘트의 합이 0일 때 지렛대의 평형상태

그림 3-2에서와 같이 시계방향으로 돌리려는 모멘트와 반시계 방향으로 작용하는 모멘트가 같을 때 평형상태가 된다. 그림 3-2에서 받침점에서 좌측 50인치 거리에 100파운드 중량이 작용하고 있고, 받침점에서 우측 25인치 거리에 200파운드 중량이 작용하고 있다. 이들 양쪽 모멘트의 합은 "0"이 된다. 이것은 지렛대의 법칙으로 시계방향으로 돌리려는 모멘트와 반시계방향으로 돌리려는 모멘트가 같아 지렛대가 평형을 이룬다.

(4) 무게 중심(Center of Gravity)

항공기의 c.g는 앞부분의 중량과 뒷부분의 중량에 의한 모멘트의 크기가 같은 점이다. 즉, 항공기가 기울어짐 없이 어느 한 점에서 균형을 이루는 점을 말한다. 이 점은 항공기의 무게가 집중되어 있는 점이므로 이 점에 지지된 항공기는 위로 기울거나 아래로 기우는 자세로 회전하려는 경향이 나타나지 않는다.

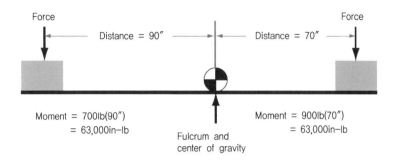

그림 3-3 무게중심과 지렛대

(5) 평균공력시위(MAC)와 %MAC

　평균공력시위는 항공기 날개의 공기역학적 특성을 대표하는 시위로 항공기의 무게 중심을 대표하는 기본단위로 쓰이기도 한다. 한쪽 날개 평면의 도심을 지나는 시위이다. 항공기의 무게중심 위치는 비행안정성을 위해 MAC상 풍압중심의 전방에 위치한다. MAC 위의 어떤 점이나 기준선을 나타낼 때 기준선에서 미터 단위로 표기할 수도 있지만 중량과 평형에서는 MAC 길이의 백분율로, 즉 %MAC으로 나타낸다. 만약 날개 길이가 1m이고, 항공기의 무게중심이 MAC 위의 30cm에 있다면, 30%MAC에 무게중심이 있다고 한다. MAC은 항공기 날개의 면적을 날개 span의 길이로 나누어 구한다.

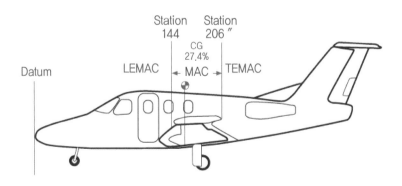

그림 3-4 항공기 무게와 평형

그림 3-4에서 기준선에서부터 CG까지가 160in일 때

MAC = 206 - 144 = 62 inches

LEMAC = station 144

CG = 160 -144 = 16.0 inches

CG in % MAC = (16×100)/62 = 25.8 (% MAC)

(6) 최대 무게(Maximum Weight)

최대무게는 항공기에 인가된 최대무게이며, 이에 대한 자세한 내역이 항공기설계명세서 또는 형식증명자료집에 기재되어 있다. 많은 항공기에 있어서 비행의 목적이나 비행중의 조건에 따라 최대허용무게 변화가 있다. 예를 들면 어떤 항공기는 정상영역(normal category)에서 비행할 때 최대총무게(maximum gross weight)가 2750파운드로 되어 있으나 유효영역(utility category)에서 비행할 때는 최대허용 총무게는 2175파운드가 되는 것이다.

(7) 자기 무게(Empty weight)

항공기의 자기무게는 항공기내의 고정위치에 실제로 장착되어 있는 모든 작동시설을 포함한다. 여기에는 기체, 동력장치, 필요장비, 선정 장비 혹은 특수 장비 고정밸러스트(fixed ballast), 유압유체, 잔여연료와 오일(oil)의 무게를 포함하고 있다. 잔여연료와 오일은 연료관, 오일관, 탱크들에 들어 있어 완전히 제거될 수 없기 때문에 항공기의 자기무게에 포함되어져야 한다. 자기무게에 포함되는 항공기 계통내의 잔여유체에 관한 자료는 Aircraft Specification에 표시되어 있다.

(8) 유효 하중(Useful Load)

유효하중은 최대허용 총무게에서 자기무게를 뺀 것을 의미한다. 정상영역과 유효영역에서 인가된 항공기에 있어서는 무게와 평형기록에 두 개의 유효하중이 기재되어 있다. 만약 정상영역의 최대무게가 1750파운드일 때 900파운드의 자기무게를 갖는 항공기는 850파운드의 유효하중을 갖게 된다. 그러나 항공기가 유효영역에서 운항할

때 최대허용무게는 1500파운드로 감소되어 여기에 따르는 유효하중도 600으로 줄어들게 된다. 어떤 항공기는 인가된 영역에 무관하게 똑같은 유효하중을 갖는다.

유효하중에는 오일, 연료, 승객, 화물, 조종사, 부조종사, 승무원들이 포함된다. 무게의 변화는 항공기가 비행하는 영역에 따라 허용된 최대 무게 내에 있을 때만 가능한 것이다. 이러한 무게의 분포를 결정하는 것을 무게점검이라 한다.

(9) 자기무게의 무게중심(Empty weight center of gravity)

항공기 자기무게중심은 자중조건에 있을 때 무게중심을 이룬 지점을 중심으로 평형을 이루게 된다. 항공기를 무게 측정을 하는 이유는 이 자기무게중심을 알고자 함이다. 비행을 위해 항공기에 승객 탑승, 화물의 탑재, 장비 장착이나 장탈로 무게중심 변화를 계산하는 점검 등 중량과 평형 계산은 알고 있는 자기무게와 자기무게중심에서 시작된다.

(10) 영 연료 무게(Zero fuel weight)

영 연료무게는 연료를 제외한 적재된 항공기의 최대 허용무게로써 여기에는 화물, 승객, 승무원의 무게가 포함된다. 영 연료무게를 초과한 모든 무게는 사용되는 연료무게가 된다.

(11) 최소 연료(Minimum Fuel)

최소연료란 말은 항공기를 비행하는데 소요되는 최소량의 연료를 의미하는 것으로 해석되어서는 안 된다. 무게와 평형에 적용될 시의 최소연료란 항공기가 최대조건점검(extreme-condition check)에서 적재되었을 때의 무게와 평형보고서에 나타난 연료의 양을 말한다.

평형의 목적을 위하여 왕복 엔진을 갖는 소형 항공기의 최소연료하중이란 엔진 마력 당 12분의 1 갈론을 말한다.

이것은 METO(maximum-except-take off) 마력으로 계산되며, 조사되는 c.g한계점에서 최대임계하중을 얻을 수 있도록 연료하중이 감소되어져야 할 때 사용되는 숫자다. 파운드로 최소연료를 결정하기 위하여 전체 METO마력을 2로 나눈다. 만약 METO마력이 1300이라면 2로 나누어진 650이 앞 방향 또는 뒷방향의 무게점검 (Weight check)에 대한 연료의 최소 파운드가 될 것이다. 터빈엔진 항공기의 최소 파운드가 될 것이다. 터빈엔진 항공기의 최소연료하중은 항공기 제작자에 의해서 규정되어 진다. 계산에 의하여 영향을 받는 c.g한계와 관계있는 연료탱크 위치는 최소 연료의 사용을 결정한다.

예를 들면, 전방의 무게점검이 끝났을 때, 만약 연료탱크들이 앞 c.g한계점의 앞에 위치한다면 연료탱크들이 가득 찬 것으로 간주되고 앞 c.g한계점의 뒤에 위치한다면 텅 빈 것으로 간주된다. 만약 특수한 비행기에 필요한 최소연료가 앞 c.g 한계의 앞에 있는 탱크들의 용량을 초과한다면, 초과연료는 앞 c.g한계의 뒤에 있는 탱크에 적재되어야 한다. 뒤쪽의 무게검토가 이루어졌을 때 연료적재 조건들은 전방무게검토에서 사용된 것과 반대이다.

(12) 테어 무게(Tare weight)

항공기를 저울 위에 놓고 무게를 측정할 때에 항공기를 고정하는 보조 장치가 필요하다. 예를 들어, 항공기 꼬리날개 쪽이 쳐진 항공기는 수평 자세를 확보하기 위해 잭(jack)으로 받쳐야 하고, 잭은 저울 위에 위치된다. 잭의 무게가 항공기 무게에 포함되어 측정된다. 이 여분의 잭 무게는 테어 무게라 하고 특정된 중량에서 제외하여야 정확한 항공기 무게가 측정된다. 테어 무게의 예는 저울 위에 놓여있는 버팀목 (wheel chock)과 착륙장치의 고정 핀(ground lock pin)등이다.

1.3.2 무게측정을 위한 항공기 준비

항공기가 수평고도에서 측정기가 0이 되도록 연료계통을 비워야 한다. 만약 연료가 탱크에 남아 있다면 항공기는 더 무거워질 것이고 유효하중에 대한 그 이후의 모든 계산과 평형이 영향을 받게 될 것이다. 단지 사용될 수 없는 연료(잔여연료)는 항공 기의 자기무게의 일부로 취급된다. 연료탱크 뚜껑들은 무게분포가 정확히 되도록 탱 크위에 있거나 그들의 정확한 위치에 될 수 있는 한 가깝게 놓여 있어야 한다. 특별한 경우로써 만약 연료의 정확한 무게의 측정방법이 가능하다면 연료가 가득 찬 상태에서 측정되어 질 수도 있다. 특수기형 항공기가 연료가 가득 찬 상태에서 측정될 것이냐의 결정은 항공기 제작자의 지시를 고려해야한다. 가능하다면 계통의 모든 배유밸브가 열린 상태에서 오일 탱크의 전 엔진오일을 배유시켜야 한다. 이러한 조건 하에서 오일 탱크와 송관, 엔진에 남아있는 오일 량은 잔여 오일로써 자기무게에 포함된다. 만약 배유하기가 불가능한 상태라면 오일 탱크가 완전히 채워진 상태이어야 한다.

스포일러(spoiler), 슬랫(slat), 헬리콥터 로터(helicopter rotor)장치들의 위치가 항공기 무게측정 시 주요한 요소가 된다. 항상 이러한 항들의 정확한 위치에 대해 제작자의 지시에 유의해야 한다.

항공기 명세서나 제작자의 지시서에 기록되어져 있지 않을 때 유압저장탱크(hydraulic reservoir)와 그 계통은 채워진 상태에서, 음료와 세척용수 저장탱크와 세면실용 탱크는 배수된 상태에서, CSD(Contant Speed Drive)의 오일 탱크는 채워진 상태라야 한다.

허가된 자기무게에 포함되어 있는 모든 항들이 정확한 위치에 있는지 조사해야 한다. 비행 시에 정규적으로 탑재되지 않는 항들은 모두 제거해야 한다. 또한 화물 적재실이 비어 있는지도 확인해야 한다. 모든 점검판, 오일과 연료탱크의 뚜껑, 정션 박스 덮개(junction box cover), 엔진덮개(cowling), 문, 비상구 등과 이미 제거되었던 다른 항들은 재 장치해야 한다. 모든 문과 창문, 미끄럼 캐노피(sliding canopy)등이 정상비행위치에 있는지 확인한다. 과도한 먼지, 기름, 습기는 항공기에서 제거되어야 한다.

정확히 0으로 눈금을 맞추고 제작자의 지시에 따른 무게눈금을 사용해야 한다. 어떤 항공기는 바퀴를 척도위에 두고 측정하지 않고 받침점이나 특별한 무게점에 둔 척도로 측정을 한다. 항공기의 철도 위에서 측정되었는지 받침점 위에서 행하여졌는지에 관계없이 그것이 떨어지거나 옆으로 기울어져, 이 때문에 항공기 장비가 파손되지 않게 주의해야 한다. 척도위에 바퀴를 둔 상태에서 측정할 때 척도위의 옆 하중에 의해서 부정확한 관측의 가능성을 배재하기 위하여 브레이크를 풀어줘야 한다.

모든 항공기는 수평점과 돌기(lug)를 갖고 있으며 항공기를 수평으로 하는데 세심한 주의가 필요하다. 특히 세로축에 대해서는 더욱 많은 주의를 해야 한다. 가벼운 고정날개를 가진 항공기는 가로방향의 수평이 무거운 비행기에서처럼 힘들지 않으나, 가로축에 대하여 수평으로 하는 데는 많은 노력이 필요하다.

1.3.3 무게와 평형 측정

(1) 저울

항공기 무게를 측정하는 저울은 기계식과 전자식이 있다. 기계식 저울은 균형추와 스프링 등으로 구성되어 기계적으로 동작된다. 전자식 저울은 로드셀(load cell)이라고 부르는 것으로 전기적으로 동작하는 것이다. 전자저울은 착륙장치 아래에 놓고 측정하는 플랫폼형과 잭의 상부에 부착하는 잭 부착형 으로 나뉜다. 플랫폼 위에 착륙장치를 올려서 측정하는 플랫폼형 저울은 내부에 무게를 감지하여 전기적 신호를 발생시키는 로드셀이다. 로드셀 내부에는 가해진 무게를 전기 저항으로 변화하는 전자 그리드(electronic grid)가 있고, 이 저항 값은 케이블에 의해 지시계기로 전달되며, 지시계기는 저항의 변화량을 디지털 숫자로 지시하게 된다.

그림 3-5는 경항공기의 무게를 휴대용 플랫폼 저울로 측정하고 있다. 항공기 수평비행 자세 유지를 위해 노즈(nose) 타이어의 압력은 제거되어야 한다. 이 저울은 이동이 쉽고, 가정용 전기 또는 내장된 배터리로 작동이 가능하다.

그림 3-5 휴대용 플랫폼을 이용한 경항공기의 무게 측정

(2) 수평 측정기

정확한 무게 측정값을 얻기 위해 항공기가 수평 비행자세에 있어야 한다. 항공기 수평 상태 확인에 사용하는 방법은 수평측정기로 수평 상태를 확인하는 것이다. 그림 3-6에서는 수평 측정기를 이용해 항공기 수평 비행자세를 확인하는 작업을 보여주고 있다.

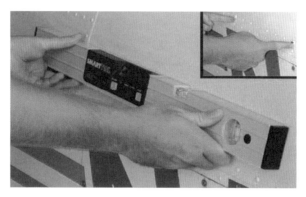

그림 3-6 수평 측정기

(3) 측량 추

측량 추는 무겁고 날카로운 원추형 추를 줄에 매달아 놓은 형태로 만약 날개의 앞전이 기준점이었다면, 날개의 앞전 기준점에서 줄을 고정하고 추의 끝이 지면에 거의 닿을 정도로 늘어트려서 추 끝이 닿는 지면과 줄의 고정된 곳이 직각이 된다. 추가 닿는 지면에 표시를 하고, 또 다른 측량 추를 이용해서 주 착륙상치의 바퀴 축 중심에서 줄을 내려트려 닿는 지면에 표시를 하고 줄자를 이용해서 이 두 지점 사이의 거리를 잰다면 기준점에서 주 착륙장치까지의 거리를 구할 수 있다. 여기서 측량 추는 항공기의 수평을 유지하는데 사용할 수 있다.

(4) 비중계

항공기 연료탱크에 연료가 가득 찬 상태로 중량을 측정하는 경우에는 연료를 산술적으로 저울의 지시중량에서 연료중량을 제외하여야 실제 항공기의 무게가 될 것이다. 따라서 연료량을 중량으로 환산해야 한다. 표준 중량은 항공용 가솔린 6.0

lb/gal, 제트 연료는 6.7 lb/gal 으로 정해져 있으나, 비중은 온도에 영향을 크게 받으므로 항상 이 표준중량을 사용할 수는 없다. 예를 들어 기온이 높은 여름철에 비중계로 측정한 항공용 가솔린 중량은 5.85~5.9 lb/gal 정도이다. 100gal의 연료를 탑재하고 중량이 측정되었다면 표준중량으로 환산한 연료의 중량의 차이는 10~15 lb 정도 차이가 발생한다. 갤런 당 연료의 중량은 비중계로 점검한다.

1.3.4 무게 중심의 범위

항공기 무게중심범위는 수평비행 상태에서 무게중심이 이 범위 안에 유지되어야 하는 한계로 전방한계와 후방한계로 구별된다. 항공기의 연료, 승무원, 승객, 탑재물, 연료 소모량 등에 따라 항공기의 무게중심도 앞뒤로 이동하게 된다. 그러므로 항공기가 안전하게 비행할 수 있는 중심의 이동 범위도 MAC 위에서 어떤 기준이 되는 중심 위치에 대하여 전방, 후방 한계를 정하는 것이다.

1.3.5 표준무게

무게와 평형에서 사용되는 표준무게는 다음과 같다.

표 3-1 표준무게

가솔린	6.0 lb/gal
터빈 연료	6.7 lb/gal
오일	7.5 lb/gal
물	8.35 lb/gal
승객 및 승무원	170 lb/명

1.4 작업 안전 사항

(1) 항공기의 무게를 측정할 경우 가능하다면 바람의 영향이 거의 없는 곳에서

측정해야 한다.

(2) 항공기를 잭으로 들어 올릴 때는 작업자 이외의 사람은 항공기로부터 떨어져 있어야 한다.

(3) 항공기 무게를 측정할 경우 저울 눈금에 불필요한 하중이 계산되는 것을 방지하기 위해 브레이크를 풀어야 한다.

(4) 항공기가 수평을 유지할 수 있도록 주의해야 한다.

(5) 전자식 무게 측정 장비는 정밀한 것이므로 떨어뜨려 충격을 주거나 다른 목적으로 사용해서는 안 된다.

(6) 밸러스트로 사용하는 납봉은 무거우므로 주의해서 다루어야 한다.

1.5 항공기 무게 중심의 측정 작업

(1) 격납고 안에 항공기를 위치시킨다.

(2) 항공기의 잔류된 연료를 모두 배유한다.

(3) 윤활유 탱크에 남은 윤활유를 모두 배유하고, 계통 내에 남은 윤활유는 빈 무게에 포함시킨다.

(4) 항공기의 내부와 외부를 깨끗이 세척한다.

(5) 스포일러, 슬랫, 플랩 등은 적절한 위치에 고정한다.

(6) 유압 탱크와 그 계통에 작동유를 채운다.

(7) 항공기에 음료 탱크, 세척용 물탱크, 화장실용 물탱크가 있는 경우 완전히 비워 둔다.

(8) 항공기 빈 무게에 포함되는 모든 항목들이 원위치에 놓여 있는지를 확인한다.

(9) 만약, 연료 탱크, 윤활유 탱크, 카울링, 도어, 비상구 등이 장탈된 상태라면 장탈 부품을 원위치에 장착한다.

(10) 저울을 항공기 바퀴 옆 격납고 바닥에 설치한다.

(11) 저울 위에 잭을 설치한 다음, 항공기의 평형을 유지하면서 들어올린다.(주 바퀴가 저울면에서 3cm 정도 떨어지게 한다.)

표 3-2 무게 측정표

형식 :	모델 :		번 호 :		
기준선 위치 :					
1. 기준선으로부터 주 바퀴까지의 거리 : ( ) cm					
2. 기준선으로부터 앞바퀴까지 또는 뒷바퀴까지의 거리 : ( ) cm					
측정 지점	눈금 측정값	테어 무게	테어 무게를 뺀 측정값	기준선으로부터의 거리	모멘트(kg-cm)
좌측 주바퀴					
우측 주바퀴					
앞/뒷 바퀴					
총 무게					
위의 항목 외에 계산을 위한 공란					
필요한 측정무게	무게		기준선으로부터의 거리		모멘트(kg-cm)
항공기 빈 무게와 무게 중심					

(12) 항공기의 평형 상태를 확인하고, 각 저울의 눈금을 확인하여 항공기의 빈 무게를 측정한다.

(13) 측정한 저울의 측정값을 표 3-2에 기록한다.

(14) 항공기에서 수직추를 바닥까지 늘어뜨려 기준선을 잡는다.

(15) 기준선과 평행이 되도록 2개의 주바퀴를 연결하는 선을 분필이나 종이테이프를 이용해 긋는다.

(16) 기준선으로부터 무게를 측정한 지점까지의 거리를 분필이나 종이테이프를 이용해 정확히 긋는다.

(17) 줄자를 이용하여, 기준선에서 3개의 측정 지점까지의 거리를 측정한다.

(18) 남아 있는 윤활유의 양을 계기로 확인하고, 윤활유 탱크의 위치를 찾아 무게 측정표에 기록한다.

(19) 연료량과 연료 탱크의 위치를 무게 측정표에 기록한다.

(20) 무게 중심을 계산한다.

(21) 평균 공력 시위선의 퍼센트로 무게 중심 위치를 계산하여 비교한다.

1.6 평가

순번	평가항목	A	B	C	D	비고
1	작업이해도					
2	항공기 무게 측정에 관련된 용어의 이해					
3	무게 측정의 정확성					
4	무게 측정 장비의 올바른 취급					
5	작업 후 정리 정돈 상태					

2. 무게 중심의 한계

2.1 학습목표

항공기 무게 중심 계산 방법과 무게 변화에 따른 무게 중심 계산 방법을 학습한다.

2.2 실습재료

항공기 잭, 모래주머니, 나무 블록, 솔벤트, 항공기 무게 측정용 저울, 수직 추

2.3 관련지식

2.3.1 무게 중심의 계산

받침점을 기준으로 한 쪽에 놓인 무게와 받침점에서 거리를 곱한 값은 반대쪽에 놓인 무게와 받침점에서 거리를 곱한 값은 같아 평형을 이룬다는 것이다. 지렛대의 양쪽 모멘트 합이 대수적으로 "0"일 때 평형상태가 된다.

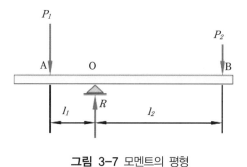

그림 3-7 모멘트의 평형

$$\Sigma M_0 = -P_1\ l_1 + P_2\ l_2 + R \times 0 = 0$$

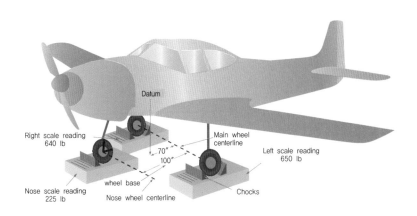

Datum

Right scale reading
640 lb

Main wheel
centerline

70″
100″

Left scale reading
650 lb

Nose scale reading
225 lb

wheel base

Nose wheel centerline

Chocks

그림3-8 플랫폼(platform)을 이용한 항공기 무게측정

(1) 평형 계산(Balance Computation)

하중을 가진 항공기의 총무게와 c.g 위치를 알기 위하여 먼저 자기무게와 EWCG(Empty Weight Center of Gravity : 자기무게의 무게중심)의 위치를 먼저 정해야 한다. 이것을 알 때 연료, 승무원, 승객, 화물 등의 가중된 무게나 소모되는 무게들을 계산하는 것은 쉽다. 이것은 모든 무게의 합계, 부과된 항들의 모멘트 합계, 적재된 하중에 대한 c.g의 재계산으로 구해진다.

(2) 자기무게

항공기의 자기무게는 각 무게점에 순 무게(net weight)를 가산하여 구해진다. 순무게는 테어 무게(tare weight)를 제외하고 실제의 측정치가 된다.

무게 측정점	측정치(lbs.)	테어무게(lbs.)	순무게(lbs.)
좌측 주바퀴	650.00	-5.00	645.00
우측 주바퀴	640.00	-5.00	635.00
앞 바퀴	225.00	-4.00	221.00
계			1,501.00

각 무게 측정점에서 측정된 무게는 테어 무게가 포함된 무게이므로 테어 무게를 제외한 순 무게의 합은 1,501파운드가 된다.

(3) C.G 거리

c.g 위치는 두 공식을 연속적으로 사용하여 구할 수 있다. 처음의 계산식은 각 지점의 모멘트를 계산하고, 두 번째로 총 모멘트의 합을 총무게로 나누어 기준선에서 c.g까지의 거리를 계산할 수 있다.

모멘트 = 길이 × 무게

$$c.g = \frac{총 \, 모멘트}{총 \, 무게}$$

무게점	순무게(lbs.)	거리(in.)	모멘트(lb-in)
좌측 주바퀴	645.00	70"	45,150.00
우측 주바퀴	635.00	70"	44,450.00
앞 바퀴	221.00	-30"	-6,630.00
계	1,501.00		82,970.00

c.g까지의 거리를 계산해야 하므로

$$c.g = \frac{총 \, 모멘트}{총 \, 무게} = \frac{82,970}{1,501} = 55.28$$

결과적으로 무게측정에서 c.g는 기준에서부터 55.28in에 있다. 만약 이 항공기에 사용가능한 연료가 연료탱크(기준선으로부터의 거리가 +95in)에 30gallon이 들어있다고 가정한다면, 연료탱크내의 사용가능한 연료도 무게에 측정되었으므로 자기무게 c.g를 구하기 위해서는 사용가능한 연료의 양은 제거해야만 한다.

연료의 표준무게는 표 1-2에 있듯이 6.0lb/gal으로 산정되어 있다.

항	순무게(lb.)	거리(in.)	모멘트(lb-in.)
측정된 항공기 총 무게	1,501.00	55.28	82,970.00
30Gal 연료제거(6lb/gal)	-180.00	95	-17,100.00
항공기 순 무게와 모멘트	1,321.00		65,870.00

다시 공식을 사용하여 계산하면

$$c \cdot g = \frac{총 \ 모멘트}{총 \ 무게} = \frac{65,870.00}{1,321.00} = 49.86 \ 이 \ 되며,$$

따라서, 항공기의 EWCG(자중의 무게중심)은 기준(datum)으로부터 후방 49.86in에 위치한다.

2.3.2 무게와 평형의 양극단 상태

무게와 평형의 양극단상태 점검은 가능한 한 기수방향으로 무겁게 또는 그 반대방향(미익방향)으로 무겁게 하여 무게 중심이 허용 한계 이내인지 계산하여 점검하는 것이다. 무게중심 전방한계의 앞쪽에 모든 유용하중이 탑재되고 그 뒤쪽은 비워둔 상태로 점검하는 것을 무게 중심전방극단 상태점검이라고 한다. 만약 무게중심 전방한계의 앞쪽에 2개의 좌석과 수하물 실이 있다면, 170 lb 무게 두 사람은 좌석에 앉고, 최대허용 수화물을 탑재한다.

무게중심 전방한계 뒤쪽에 좌석 또는 수하물 실은 비워둔다. 만약 연료가 무게중심 전방한계 뒤쪽에 위치했다면, 최소연료 무게를 고려해야 한다. 최소연료는 엔진의 METO마력을 2로 나누어 계산한다. 무게중심 후방한계의 앞쪽에 모든 유용하중이 탑재되고, 그 뒤쪽은 비워둔 상태로 점검하는 것을 무게중심 후방극단상태 점검이라고 한다.

무게중심 후방한계 뒤쏙에 모든 유용하중이 탑재되고 그 앞쪽은 빈곳으로 남긴다. 비볼 조종사의 좌석이 무게중심 후방한계의 앞쪽에 위치하겠지만, 조종사의 좌석은 빈곳으로 남겨둘 수가 없다. 만약 연료탱크가 무게중심 후방한계의 앞쪽에 위치했다면 최소연료로 계산해야 한다.

2.3.3 밸러스트의 사용

밸러스트는 항공기의 평형을 얻기 위해 사용된다. 보통 무게중심 한계 이내로 무게 중심이 위치하도록 최소한의 무게로 가능한 전방에서 먼 곳에 위치시킨다. 영구적 밸러스트는 장비제거 또는 추가 장착에 대한 보상 무게로 장착되어 오랜 기간 동안 항공기에 남아있는 밸러스트이다. 이것은 일반적으로 항공기 구조물에 볼트로 체결된 납봉이나 납판이다. 빨간색으로 "PERMANENT BALLAST DO NOT REMOVE"라고 표시된다. 대부분의 경우에는 영구 밸러스트는 항공기의 자기무게를 증가시킨다.

임시 밸러스트는 "BALLAST LBS. REMOVE REQUIRES WEIGHT AND BALANCE CHECK"라고 표시된다. 보통 임시 밸러스트의 설치 장소로 수하물 실이 이용된다. 밸러스트는 항상 인가된 장소에 위치해야 하고, 적절히 고정되어야 한다. 영구 밸러스트를 항공기 구조물에 장착하려면 사전에 그 장소가 밸러스트 장착을 위해 설계된 곳으로 승인된 장소이어야 한다. 대 개조 사항으로 감항당국의 승인을 받아야 한다. 임시 밸러스트는 항공기가 난기류나 비정상적 비행 상태에서 쏟아지거나 이동되지 않게 고정되어야 한다. 필요한 밸러스트의 무게는 다음과 같다.

$$필요 밸러스트의 무게 = \frac{적재 시 항공기 무게 \times 한계점에서의 거리}{여러 무게점에서 관계된 한계점까지의 거리}$$

밸러스트의 장착에 대한 다음 사항을 고려해야 한다.

(1) 무게중심이 한계를 벗어났을 경우 어떻게 측정하였는가를 고려한다.
(2) 무게중심이 한계를 벗어난 간격은 무게중심 위치와 무게중심 한계위치의 차이다.
(3) 영향을 받는 한계는 초과된 무게중심 한계이다.
(4) 후방한계와 밸러스트 사이의 거리가 이 식의 분모이다.

2.4 무게 중심의 한계 측정

(1) 항공기에 연료와 윤활유를 가득 채운다.
(2) 3kg의 모래 주머니를 날개의 앞전에 각각 하나씩 설치한다.
(3) 기준점에서 세 곳의 반응점 무게를 측정하여 무게 측정표에 기록한다.
(4) 반응점의 거리를 측정하여 기록한다.
(5) 무게와 거리를 곱하여, 각 반응점의 모멘트를 계산하고 기록한다.
(6) 조종사의 무게는 170 lbs(77kg)을 기준으로 하고, 조종사의 위치를 명세서에

서 찾아 무게 측정표에 기록한 다음, 모멘트를 계산한다.

(7) 세 곳의 반응점에 대한 모멘트와 조종사의 모멘트를 합하여 총 모멘트를 계산한다.

(8) 총 모멘트를 총 무게로 나누어 무게 중심을 계산한다.

(9) 항공기 빈 무게의 무게 중심과 (8)항에서 구한 무게 중심을 비교하여 무게 중심의 한계를 넘었는지 확인한다. 무게 중심의 한계를 넘었을 경우에는 다음의 과정을 계속한다.

(10) 무게 중심이 전방 한계 무게 중심으로부터 초과한 거리를 구한다.

(11) 전방 한계 무게 중심에서 꼬리 날개까지의 거리를 측정한다.

(12) 항공기의 총 무게와 (10)항에서 구한 거리를 곱하고, (11)항에서 구한 거리로 나눈다. 이 값이 밸러스트의 무게가 된다.

(13) 밸러스트를 꼬리 날개의 양쪽에 설치한 다음, 임시 밸러스트의 표지를 써 놓는다.

(14) 위와 같은 방법으로 무게 중심을 다시 구하여 무게 중심이 한계점 내에 있는지를 확인한다.

(15) 측정 장비를 제거하고, 장비 및 공구를 정리한다.

2.5 평가

순번	평가항목	A	B	C	D	비고
1	작업이해도					
2	항공기 평형의 원리 이해					
3	무게 중심 계산법의 숙지 상태					
4	항공기 무게 변화에 따른 무게 중심의 계산					
5	적절한 밸러스트 설치 방법					
6	적절한 기준선의 설정					
7	기준선에서 측정 지점까지 올바른 측정					
8	작업 후 정리 정돈 상태					

제4장 항공기 착륙 장치

1. 착륙 장치 완충 버팀대의 서비싱 작업

1.1 학습목표

착륙 장치에 대하여 이해하고, 완충 버팀대의 서비싱 방법에 대하여 학습한다.

1.2 실습재료

항공기용 잭, 공기 압축기, 바퀴용 잭, 오픈 렌치 또는 박스 렌치

1.3 관련지식

1.3.1 착륙 장치 역할

착륙장치는 지상에서 무게를 지탱하는 것 외에 항공기가 저속 또는 고속으로 움직일 경우 제동하기 위한 제동 계통과 이동 시에 필요한 조향 계통 등이 함께 설치되어 있다. 지상에서의 이동을 위해 바퀴가 사용되며, 바퀴를 대신해 스키드 형태와 스키 형태, 호수에서 사용 가능한 플로트 형태 등 항공기의 형태에 따라 다양하게 설치되어 있다.

1.3.2 착륙장치의 배열

착륙장치는 장착 위치에 따라 후륜식, 종렬식, 전륜식 등으로 나눈다.

후륜식의 경우 초기 항공기의 기어형식으로 사용되었으며, 착륙속도가 느린 항공기에 도움이 되고 방향 안정성을 줄 수 있다.

전륜식의 경우 가장 일반적으로 사용되는 배열로써, 이것은 앞 착륙장치와 주 착륙장치로 구성되어 있다.

후륜식 착륙장치에 비해 전륜식 착륙장치가 갖는 이점은 다음과 같다.

(1) 착륙 시 전복위험이 없이 큰 제동력을 낼 수 있다.

(2) 착륙 시나 지상 이동 시에 조종사의 시계가 좋다.

(3) 항공기의 무게 중심이 주 착륙장치의 앞에 위치하므로 착륙 활주 중에 지상 루핑(ground looping)의 위험이 없다.

그림 4-1 후륜식 착륙장치

그림 4-2 전륜식 착륙장치

1.3.3 고정식/접개들이식 착륙장치

항공기 착륙장치는 장착 방법에 따라 고정식과 접개들이식 등 두 가지로 나눌 수 있다. 접개들이식 착륙장치는 항공기의 속도가 증가할 때 유해항력을 제거하기 위해 착륙장치를 동체 격실이나 날개 격실 안으로 접어 들이는 방식으로 유해항력을 제거할 수 있으나 무게가 증가되고 구조가 복잡해지는 단점을 가진다. 따라서 소형 항공기나 경항공기처럼 저속 항공기에는 항공기 속도 증가 시 착륙장치에 의해 항력이 커짐에도 불구하고 고정식 착륙장치를 사용한다. 이러한 착륙장치에 의해 발생하는 유해 항력을 줄이기 위해 기어에 공기역학적으로 유선형 덮개나 바퀴 씌우개 등을 추가해 줄 수 있다. 상대풍으로부터 유선형의 매끄러운 외형은 착륙장치에 작용하는 유해항력을 크게 줄일 수 있다.

1.3.4 착륙장치의 충격흡수

지상 활주 시 항공기 하중 지지와 착륙 시 지면 충격의 힘은 착륙장치에 의해 조절되어야 한다.

(1) 판 스프링형 착륙장치

그림 4-3과 같이, 착륙장치는 처음에 하중에 의해 휘어지고, 재료의 탄성에 의해 원위치로 복원된다. 이러한 판 스프링 형식은 고정식 착륙장치에 가장 일반적인 형태이다. 이것의 재질로는 강관, 알루미늄, 복합소재 등을 이용해서 제작되며 복합소재로 제작된 착륙장치 버팀대는 더욱 유연하고 가벼우며 부식에 대한 저항성이 매우 높다.

그림 4-3 판 스프링형 착륙장치

(2) 경식 용접 강관

경식 용접 강관은 착륙장치에 적용된 충격하중은 기체로 전달되도록 만들어졌다. 타이어의 사용은 충격하중을 완화하는데 도움이 되고, 스키드형의 착륙장치를 사용하는 항공기는 경식 착륙장치를 사용한다. 대표적으로 경식 착륙장치를 사용하는 항공기는 회전익항공기 등을 예로 들 수 있다. 충격을 최소화 하여 착지함으로써 스키드의 최소화된 충격을 기체로 전달시켜 준다.

(3) 완충 버팀대

정확한 충격흡수는 완충 버팀대(shock strut) 착륙장치의 경우와 같이 지면에 접지에 의한 충격의 충격에너지가 열에너지로 전환되었을 때 일어난다. 완충 버팀대는 독립식 유압장치로서 지상에서 항공기를 지지하고 착륙 시 충격으로부터 구조를 보호해 준다. 착륙 시 충격에 의한 하중을 흡수하고 완화시키기 위해 공기와 유압유를 사용한다.

대표적인 공기/유압 완충 버팀대(oleo strut)는 그림 4-4와 같이 두 개의 실린더로 구성되어 있으며, 위쪽의 실린더에는 공기 압력이 아래쪽의 실린더에는 작동유가 항상 채워져 있다.

실린더 내부에는 오리피스(orifice)와 미터링 핀(metering pin)이 장착되어 오리피스 중앙에 구멍을 통해 미터링 핀이 위, 아래로 움직일 수 있도록 설계되어 있다. 오리피스의 중앙 구멍은 피스톤이 압축행정에서 미터링 핀이 위로 움직일 때 미터링 핀에 의해 오리피스 구멍이 좁아지면서 아래쪽의 작동유가 위쪽으로 흐를 때의 양이 조절되어 완충효과를 얻어낸다. 또한, 일부의 완충 버팀대에서는 그림 4-5와 같이 오리피스를 사용하지 않고 미터링 튜브를 사용하기도 한다.

작동 방법은 압축 시 아래쪽의 작동유가 위쪽으로 흐름으로써 이 흐름을 조절하는 미터링 튜브와 튜브에 있는 구멍을 통해 함께 움직이는 미터링 핀에 의해 작동유의 양을 조절함으로써 완충한다. 완충 버팀대의 신장 시에도 급격한 신장에 의한 충격, 그로 인한 손상 등을 방지하기 위해 피스톤에 반동 밸브(recoil valve)나 반동 관(recoil tube)이 작동유의 흐름을 제한하여 움직임을 둔화시킨다.

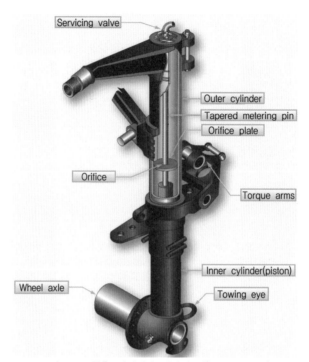

그림 4-4 완충 버팀대와 미터링 핀(metering pin)

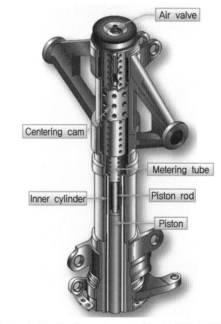

그림 4-5 미터링 튜브(metering tube)를 사용하는 완충 버팀대

 그림 4-6과 같이 대부분의 완충 버팀대는 착륙장치를 기체에 부착하기 위해 상부 실린더에는 마운트가 장치되어 있으며, 하부 실린더에는 바퀴의 장착을 위해 일체형 차축을 갖추고 있다.

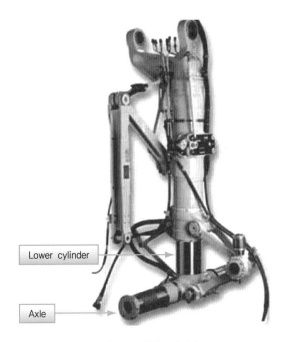

그림 4-6 완충 버팀대

 완충 버팀대의 유압유를 채우거나 압축공기 또는 질소 등을 팽창시키기 위해 완충 버팀대 상부 실린더에는 밸브 피팅 어셈블리를 갖추고 있다. 또한 피스톤과 바퀴의 올바른 정렬을 위해 대부분의 완충 버팀대에는 토크 링크(torque link) 또는 토크 암 (torque arm)을 갖추고 있다. 토크 링크나 토크 암은 한쪽 끝은 고정된 상부 실린더 에 장착되고, 다른 한쪽 끝은 하부 실린더에 장착되어 하부 실린더가 회전할 수 없도 록 한다.

 앞 착륙장치의 완충 버팀대에는 센터링 캠이 장착되어 있어서 완충 버팀대가 완전 하게 펴진 상태에서 바퀴, 차축 어셈블리 등이 항공기의 기축과 일직선이 되도록 정 렬시켜 준다. 이것은 앞 착륙장치가 바퀴 실로 접혀 들어갈 때 항공기 구조상의 손상 을 방지할 수 있으며, 항공기 바퀴가 지면에 닿기 전에 바퀴를 정렬시켜 준다.

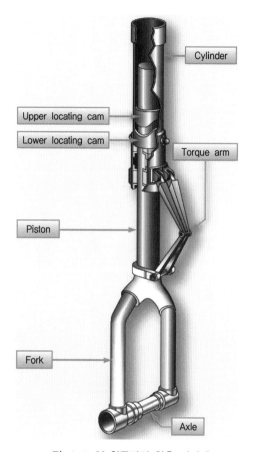

그림 4-7 앞 착륙장치 완충 버팀대

또한, 앞 착륙장치 완충 버팀대는 시미현상을 방지하기 위해 시미 댐퍼의 장착부분을 갖고 있다.

1.4 작업 안전 사항

(1) 항공기가 잭에 의해 받쳐져 있을 경우 조종석의 출입을 제한해야 한다.

(2) 항공기 날개를 받칠 경우 중심 위치를 잘 맞추어야 한다.

(3) 지정된 장비 및 공구만을 사용해야 한다.

(4) 작동유가 바닥에 떨어지지 않도록 주의해야 한다.

1.5 완충 버팀대의 서비싱 작업

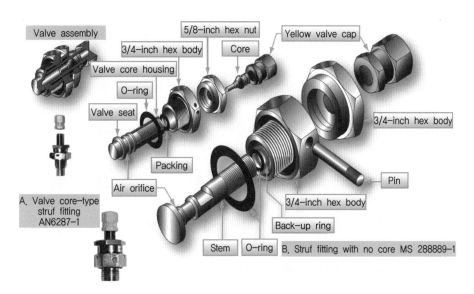

그림 4-8 밸브 코어 타입과 코어 없는 타입

(1) 항공기를 작업하기 안전한 곳에 위치시킨다.(항공기 주위에 작업대나 기타 장비 등으로 인한 손상을 방지하기 위해 항공기 주위는 깨끗이 한다.)

(2) 항공기 잭 포인트에 잭을 위치시키고, 해당 정비 절차에 따라 항공기를 들어 올린다.

(3) 완충 버팀대 상부에 장착된 에어 밸브의 노란색 마개를 장탈한다.

(4) 스위블 너트(swivel nut)를 점검한다.

(5) 그림 4-8과 같이 만약 밸브에 밸브 코어가 있다면, 특수 공구를 이용해서 밸브 코어를 눌러 천천히 공기 압력을 제거한다.

(6) 스위블 너트를 느슨하게 풀어준다.(밸브 코어가 없는 밸브는 스위블 너트를 느슨하게 풀어줌으로 인해 공기가 제거된다.)

(7) 완충 버팀대의 공기가 모두 제거되었을 때, 완충 버팀대는 완전히 압축되어야 한다.

(8) 밸브 코어, 밸브 어셈블리를 장탈한다.

(9) 작동유를 보급한다.(완충 버팀대의 압축을 유지시키며, 보급밸브까지 보급한다.)

(10) 에어 밸브 어셈블리를 다시 장착한다.(장착 시 O-링을 새것으로 교환해 준다.)

(11) 압축 공기나 질소를 보급해서 완충 버팀대를 팽창시킨다. 압축 공기나 질소 보급 시 스위블 너트를 이용해서 공기나 질소의 흐름을 조절하여 완충 버팀 대가 서서히 팽창할 수 있도록 한다.

(12) 완충 버팀대의 팽창이 완료되었다면, 스위블 너트를 조여주고, 주어진 토크 를 준다.

(13) 보급 호스를 제거하고, 밸브의 밸브 마개를 손으로 조여 준다.

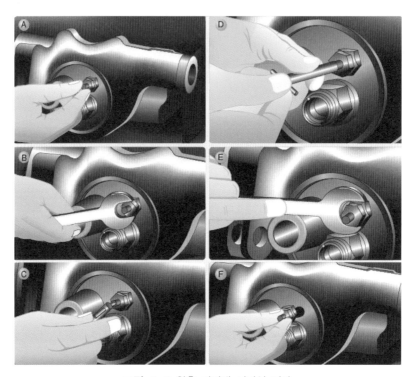

그림 4-9 완충 버팀대 서비싱 절차

1.6 완충 버팀대의 블리딩 작업

완충 버팀대의 작동유의 양을 맞추기 위해 실시되는 작업이다.

(1) 충분한 길이의 블리딩 호스를 준비한다.

(2) 항공기 잭 포인트에 잭을 위치시키고, 완충 버팀대가 완전히 팽창될 때까지 항공기를 들어올린다.

(3) 완충 버팀대로부터 에어 밸브를 이용해서 압축 공기를 제거한다.

(4) 밸브 어셈블리를 장탈한다.

(5) 블리드 호스를 장탈 된 에어 밸브 구멍에 장착하고 작동유가 넘쳐 나올 때까지 보급한다.

(6) 보급구에 블리드 호스의 반대쪽 끝을 작동유의 용기 안에 넣는다.(호스 끝이 작동유에 잠겨야 한다.)

(7) 완충 버팀대의 잭 포인트 아래쪽에 싱글 베이스 잭 등 다른 적당한 잭을 위치시킨다.(잭을 올리고 내림을 반복하여 버팀대를 완전 팽창, 완전 수축시킨다. 작동유 중에 포함된 기포가 모두 나오고 순수한 작동유가 나올 때까지 반복해야 하며, 천천히 잭에 의해 압축시키고, 자중에 의해 팽창하도록 한다.)

(8) 싱글 베이스 잭 등 완충 버팀대를 팽창, 수축 시 사용했던 잭을 제거하고, 항공기를 천천히 내린다.

(9) 항공기로부터 모든 잭을 제거한다.

(10) 완충 버팀대의 보급구로부터 블리드 호스 어셈블리와 피팅을 제거한다.

(11) 공기 보급 밸브를 장착하고, 완충 버팀대를 팽창시킨다.

1.7 평가

순번	평가항목	A	B	C	D	비고
1	작업이해도					
2	착륙 장치의 배열 및 역할 이해					
3	완충 버팀대의 구조 및 역할 이해					
4	완충 버팀대의 서비싱 작업 절차					
5	완충 버팀대의 블리딩 작업 절차					
6	작업 후 정리 정돈 상태					

2. 바퀴의 분해 및 조립

2.1 학습목표

바퀴의 구조를 이해하고, 바퀴의 장탈/장착 및 분해/조립 절차를 학습한다.

2.2 실습재료

고무망치, 공기 압축기, 솔벤트, 그리스, 브러쉬, 바퀴용 잭, 오픈 렌치 또는 박스 렌치, 토크 렌치, 코터 핀

2.3 관련지식

2.3.1 항공기 바퀴

항공기 타이어는 일반적으로 알루미늄 합금이나 마그네슘 합금으로 만들어진다. 초기의 항공기 바퀴는 일체형 구조를 가졌으나, 현재는 대부분 2개의 거의 대칭적인 절반을 가지고 있는 분할형(split type) 구조를 사용한다.

이 분할형 구조는 그림 4-10과 같이 절반의 휠을 볼트로 조여 결합할 수 있으며, 대부분 튜브리스타이어를 사용하기 때문에 림을 밀봉하기 위해 접합면에 홈을 내어 O-링을 장착한다.

그림 4-10 경항공기 분할 휠

또한, 고성능 항공기에는 1개 이상의 열 플러그(thermal plug)가 장착되어 있다. 이 열 플러그는 플러그 중심부에 저용융점 합금으로 채워, 타이어 온도와 바퀴의 온도가 타이어와 바퀴의 파열 지점에 도달하기 전에 일정 온도에 도달 시 중심부가 녹아 타이어의 공기를 빼줌으로써 타이어 및 바퀴 어셈블리의 파열을 방지하는 역할을 한다.

2.3.2 항공기 바퀴 베어링 검사

바퀴의 베어링에 과도한 힘이 가해지거나, 이물질이 들어가서 손상되었는지를 점검해야 한다. 손상되었거나 과도하게 퇴화된 부품은 교환해야 하고 베어링 내부에는 그리스를 충분히 채워줘야 한다.

2.3.3 타이어 등급

항공기 타이어는 형식, 플라이 등급, 튜브의 유무, 그리고 바이어스 형식이나 레이디얼 형식 등 여러 가지의 수단에 따라 분류된다.

(1) 형식에 의한 분류

타이어는 9가지 형식이 있지만, 현재끼지 생신 중인 형식은 Ⅰ, Ⅲ, Ⅶ 그리고 Ⅷ이다.

형식 Ⅰ 타이어는 고정식 기어 항공기에 사용되었으며, 매끄러운 광폭 타이어로 만들어져서 현재는 사용하지 않는다.

그림 4-11과 같은 형식 Ⅲ 타이어는 항공용 타이어로서 160mph이하의 착륙 속도의 경항공기에 사용되며, 작은 림 직경을 갖는 비교적 저압 타이어이다. 형식 Ⅲ 타이어는 두 자리 숫자로 명시되며, 첫 번째 숫자는 타이어의 섹션 폭을 나타내고, 두 번째 숫자는 타이어가 장착되는 림의 직경을 나타낸다.

그림 4-12와 같이 형식 Ⅶ 타이어는 고압 타이어로서 높은 하중을 지지할 수 있는 능력이 있어서 제트 항공기에서 찾아볼 수 있는 고성능 타이어이다.

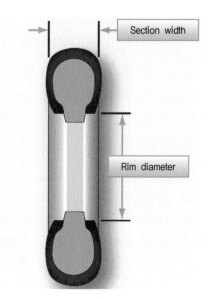

그림 4-11 형식 Ⅲ 항공기 타이어

형식 Ⅶ 타이어는 섹션 폭이 형식 Ⅲ 타이어보다 더 좁다. 형식 Ⅶ 타이어는 두 자리 숫자로 명시되며, 두 자리 숫자 사이에 "X"가 사용된다. 첫 번째 숫자는 타이어의 외경을 나타내며, 두 번째 숫자는 섹션 폭을 나타낸다.

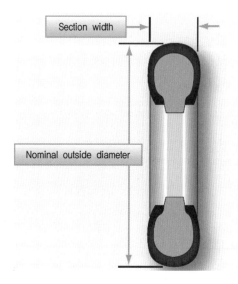

그림 4-12 형식 Ⅶ 항공기 타이어

그림 4-13과 같이 형식 Ⅷ 타이어는 아주 고압 타이어로 고성능 제트 항공기에 사용된다. 이것은 모든 형식의 타이어 중에 가장 최신의 설계이고, 형식 Ⅲ 타이어와 형식 Ⅶ 타이어의 조합된 형태로서 타이어 직경, 섹션 폭, 림의 직경 등을 표시한다.

바이어스 타이어는 "-"로 표시되고, 레이디얼 타이어는 "-"를 대신해서 "R"로서 표시한다.

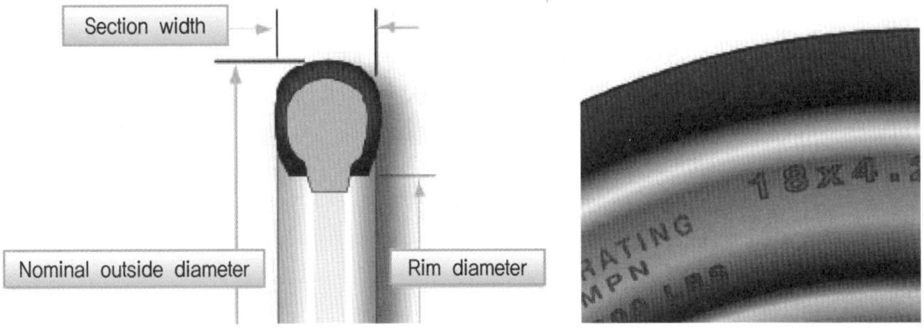

그림 4-13 형식 Ⅷ 항공기 타이어

(2) 플라이 수

플라이(ply)는 타이어의 코어 바디(core body)의 층수를 나타내는 것이다. 2 ply는 1장의 만들어진 직물을 뜻하기 때문에, 타이어의 플라이 수는 반드시 짝수이며, 플라이 수가 많을수록 강도가 강해짐을 나타낸다.

(3) 튜브의 유무

항공기 타이어는 튜브 형과 튜브리스 형으로 나눌 수 있으며, 내부에 공기를 담을 튜브가 없는 튜브리스형의 경우에는 내부에 공기가 누출되는 것을 막기 위하여 내부 라이너를 갖는다. 튜브가 없이 사용되는 타이어는 타이어의 측면에 "tubeless"라는 단어가 명시되어 있다.

(4) 바이어스 형과 레이디얼 형

항공기 타이어를 분류할 수 있는 또 다른 수단은 바이어스 타이어와 레이디얼 타이어로 구분하는 것이다. 이러한 분류는 타이어에 사용된 플라이의 방향에 의해 결정된다. 바이어스 타이어(bias ply tire)는 그림 4-14와 같이 타이어의 회전 방향에 대해 플라이의 각도를 30~60° 사이에 플라이를 엇갈리게 교차하면서 변화를 준다.

그림 4-14 바이어스 플라이 타이어

그림 4-15와 같이 일부 최신의 항공기 타이어는 레이디얼 타이어(radial tire)를 사용한다. 레이디얼 타이어의 플라이는 타이어의 회전 방향에 90°각도로 배치된다. 이런 배치는 측면과 회전 방향에 수직으로 플라이의 신축성이 없는 비신축성 섬유를 배치하여 적은 변형으로 높은 하중을 버틸 수 있게 한다.

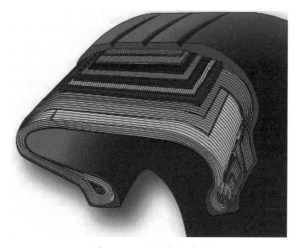

그림 4-15 레이디얼 타이어

2.3.4 타이어의 구조

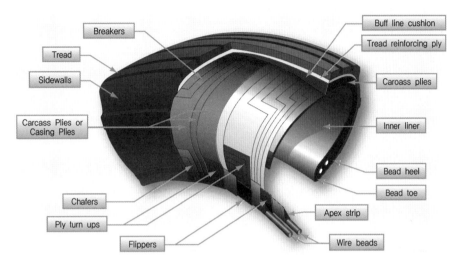

그림 4-16 항공기 타이어의 구조

(1) tread

타이어를 보호하기 위해 두꺼운 고무 층으로 작동 표면에서 항공기를 안정시키도록 설계되었다. 트레드는 지면과 직접 닿는 부분이므로 사용할수록 마모되며, 트레드 홈의 깊이로서 마모 상태를 알 수 있다. 트레드 홈은 미끄럼 방지, 주행 시 열 발산, 절손의 확대 방지 등의 역할을 한다.

(2) carcass ply

코어 바디라고 불리는 카커스는 고무로 코팅된 나일론 섬유 층으로 되어 타이어 강도 및 형태를 유지하고 압력을 견디는 골격에 해당하는 부분, 즉 타이어의 강도를 제공하는 부분이다.

(3) sidewall

사이드 월은 카커스를 보호하도록 만든 고무 층으로 나일론 섬유 천이 손상되거나 노출되는 것을 방지하기 위한 덮개 역할을 한다.

(4) breaker

브레이커는 카커스 플라이를 보호하고 트레드를 보강하기 위해 트레드 고무 아래에 위치해 있으며 타이어 사용 중 발생하는 응력을 분산시키는 역할을 한다.

(5) bead

비드는 고무에 둘러싸인 철사이며, 직접 바퀴 림과 접촉되는 부분이며, 타이어가 림으로부터 빠지지 않도록 하며 바퀴 림으로 하중을 전달하는 역할을 한다.

(6) chafer

체퍼는 타이어 장착이나 장탈 중 카커스의 손상을 최소화 해주는 고무 층으로 이루어진다. 제동 시 발생하는 열로부터 커커스를 보호하고 동적인 움직임에 대해 밀폐 역할을 한다.

(7) tread reinforcement ply

트레드 강화 층은 트레드 홈과 카커스 플라이 사이에 위치하는 나일론 섬유 층이로 고속에서 안정성을 향상시켜주며, 트레드의 변형, 이물질에 의한 타이어 손상 등을 최소화 시켜주는 보호 층의 역할을 한다.

2.4 작업 안전 사항

(1) 작업 전 차륜지 고임목을 사용하여 항공기가 움직이지 않도록 고정해야 한다.

(2) 잭을 이용하여 항공기를 들어 올렸을 경우, 항공기 안에 사람이 탑승하거나,

항공기를 흔들어서는 안 된다.

(3) 타이어의 공기 주입 시 규정된 압력으로 맞추어야 한다.

(4) 바퀴의 장탈 및 장착을 할 경우, 바퀴의 정렬이 흐트러지지 않도록 해야 한다.

(5) 바퀴 분해 및 조립 전 바퀴의 공기를 모두 배출하여야 한다.

(6) 바퀴에 그리스, 솔벤트 및 오일 등이 묻지 않도록 해야 한다.

2.5 바퀴 장탈

(1) 장탈할 바퀴에 싱글 베이스 잭을 사용하여 바퀴를 들어올린다.

(2) 코터 핀을 축 너트로부터 제거하고, 너트를 푼다.

(3) 축으로부터 바퀴를 장탈한다.

(4) 바퀴를 장탈할 때 브레이크 판과 분리하여 장탈한다.

2.6 바퀴 장착

(1) 바퀴의 각종 부품을 검사하여 재사용 여부를 판단한다.

(2) 베어링을 검사한 다음, 그리스를 교환해 준다.

(3) 바퀴의 장탈 순서와 반대로 바퀴를 장착한다.

2.7 바퀴의 분해

(1) 공기 주입구로부터 타이어의 모든 공기를 제거한다.

(2) 휠 장착을 위한 볼트로부터 너트와 와셔를 제거한다.

(3) 바깥쪽 바퀴와 안쪽 바퀴를 분리한다.(무리한 힘을 가하거나, 날카로운 공구에 의해서 바퀴의 표면이 손상되지 않도록 해야 한다.)

(4) 휠 장착을 위한 볼트와 허브 스페이서, 타이어, 튜브 등을 제거한다.

(5) 그리스 리테이너 장착 볼트를 풀고 그리스 리테이너와 개스킷, 테이퍼 롤러 베어링 등을 제거한다.

(6) 안쪽과 바깥쪽에 있는 베어링 하우징을 가열시켜 고무망치 등을 이용하여 빼 낸다.

2.8 바퀴의 조립

(1) 안쪽 및 바깥쪽 바퀴를 가열하고, 동시에 베어링 하우징을 냉각하여 베어링 하우징을 각 바퀴에 장착한다.

(2) 베어링에 그리스를 주입하고 베어링 바깥 부분 및 베어링 하우징 안쪽에 그 리스를 얇게 발라준다.

(3) 안쪽 및 바깥쪽 바퀴에 베어링, 그리스 리테이너 등을 볼트를 이용하여 장착 한다.

(4) 튜브의 공기를 완전히 뺀 다음, 접어서 타이어를 밀어 넣는다.(타이어와 튜브 사이에 이물질이 끼지 않도록 주의해야 한다.

(5) 튜브에 공기를 주입하여 튜브를 적당히 팽창시킨다.

(6) 바깥쪽 바퀴를 공기 주입구가 바깥쪽으로 나오게 하면서, 타이어에 밀어 넣 는다.

(7) 튜브가 바깥쪽 바퀴보다 안쪽으로 부풀려 있는지를 검사한 다음, 허브 스페 이서를 바깥쪽 바퀴에 장착시킨다.

(8) 안쪽 바퀴를 장착한 다음 휠 장착을 위한 볼트를 넣고, 와셔와 너트를 이용 해서 규정된 토크로 조여 준다.

(9) 타이어의 공기를 완전히 빼낸 후, 다시 규정된 압력으로 공기를 주입한다.(공 기를 다시 주입하는 것은 튜브가 꼬이는 것을 방지하고, 타이어와 튜브가 잘 밀착되도록 하기 위한 것이다.)

(10) 타이어와 바퀴 사이의 미끄럼 상태를 확인하기 위해 빨간색으로 폭 1in, 길 이 2in 로 바깥쪽 바퀴와 타이어에 슬립 마크(slip mark)를 표시해 준다.

(11) 공기 주입구의 마개를 씌운다.

2.9 평가

순번	평가항목	A	B	C	D	비고
1	작업이해도					
2	타이어의 구조 및 역할 이해					
3	바퀴의 분해 작업					
4	바퀴의 조립 작업					
5	작업 후 정리 정돈 상태					

3. 브레이크 장치의 분해 및 조립

3.1 학습목표

브레이크의 종류 및 분해/조립 방법을 학습한다.

3.2 실습재료

바퀴용 잭, 두께 게이지, 안전 결선용 와이어, 트위스터, 토크 렌치, 라쳇 핸들, 연장 바, 코터 핀, 고무망치

3.3 관련지식

3.3.1 항공기 브레이크 형식

항공기의 정지 및 제동을 위한 브레이크 장치는 구형의 항공기에 사용되었던 팽창 튜브 브레이크, 소형 경항공기에 사용되는 단일 디스크 브레이크와 이중 디스크 브레이크, 그리고 중, 대형 항공기에 사용하는 멀티 디스크 브레이크, 세그먼트 브레이크 등으로 나눌 수 있다.

(1) 팽창 튜브 브레이크

구형 항공기에 사용하던 팽창 튜브 브레이크는 그림 4-17과 같이 간단한 구조로 되어 있다.

팽창 튜브 브레이크 작동 원리는 조종실의 페달을 작동시키면 팽창 튜브 안으로 작동유가 들어가고 팽창 튜브가 팽창하게 된다. 팽창된 튜브는 귀환 스프링의 힘을 이기며 브레이크 블록을 밖으로 밀어내게 되고, 브레이크 블록과 브레이크 드럼과의 마찰력에 의해 제동력을 발생한다. 팽창된 튜브는 귀환 스프링의 힘을 이기며 브레이

크 블록을 밖으로 밀어내게 되고, 브레이크 블록과 브레이크 드럼과의 마찰력에 의해 제동력을 발생한다.

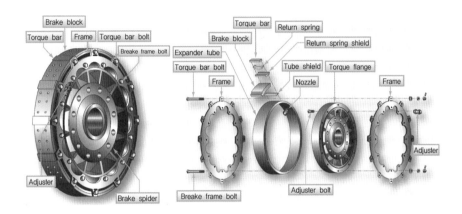

그림 4-17 팽창 튜브 브레이크

(2) 단일 디스크 브레이크

단일 디스크 브레이크는 소형 경항공기에 주로 사용되며, 그림 4-18과 같은 구조로 되어 있다. 조종석의 페달을 작동시키면 브레이크 실린더 내로 작동유가 들어가 피스톤을 밀어준다. 피스톤이 밀리면서 바퀴와 함께 회전하는 회전자를 고정자가 접촉하며 마찰로 인한 제동력을 발생한다.

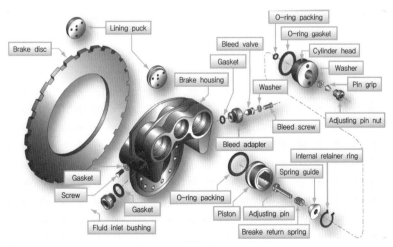

그림 4-18 단일 디스크 브레이크

(3) 이중 디스크 브레이크

이중 디스크 브레이크는 단일 디스크의 제동력이 불충분한 경우의 항공기에 사용된다. 이중 디스크 브레이크는 단일 디스크와 원리는 같으나, 그림 4-19와 같이 브레이크 디스크가 2장으로 구성되어, 단일 디스크에 비해 발생되는 제동력이 더 크다.

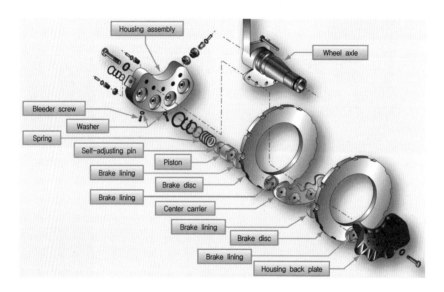

그림 4-19 이중 디스크 브레이크

(4) 멀티 디스크 브레이크

멀티 디스크 브레이크는 중형, 대형 항공기에 사용되며, 그림 4-20과 같이 구성되어 있다. 멀티 디스크 브레이크는 토크 튜브를 중심으로 바깥쪽에 백 플레이트와 반대쪽에 압력판이 설치되고, 그 사이에 바퀴와 함께 회전하는 회전판과 고정된 고정판이 번갈아 설치된다. 회전판은 바퀴의 홈에 고정되어 바퀴와 함께 회전하며, 고정판은 토크 튜브에 고정되어 축 방향으로 움직이지 않는다.

브레이크 페달을 작동하면 브레이크 실린더로 작동유가 가압되어 실린더의 피스톤을 밀어주고 피스톤이 밀리면서 압력판을 백 플레이트 방향으로 누르게 된다. 압력판의 누름은 압력판과 백 플레이트 사이에 위치한 여러 개의 고정판과 회전판을 밀착시켜 판들 간의 마찰력에 의해 제동력을 발생한다. 브레이크 페달을 풀어주면 브레이

크 실린더 안의 유압이 제거되어, 귀환 스프링이 압력판을 원위치로 잡아당기게 된
다. 압력판이 잡아당겨지면서 밀착되었던 회전판과 고정판이 서로 떨어지며 제동력이
제거된다.

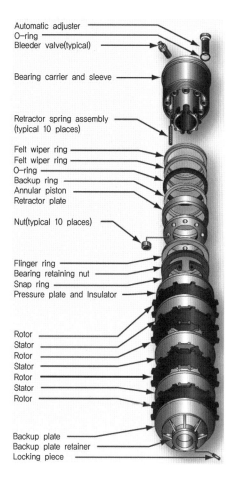

그림 4-20 멀티 디스크 브레이크

(5) 세그먼트 로터 브레이크

대형 항공기에서 제동 시 발생하는 열 문제를 해결하기 위해 개발된 브레이크이며,
세그먼트 로터 브레이크는 멀티 디스크 브레이크와 아주 유사하다. 하지만, 열을 발
산하는데 도움을 주기 위해 회전자를 각각 세그먼트로 만들어 결합한 형태이다.

그림 4-21과 같이 로터 사이의 가늘고 긴 공간을 통해 열을 더 빠르게 발산하게 하고, 회전자의 열에 의한 팽창을 가능하게 하며, 뒤틀리는 것을 방지하는 역할을 한다.

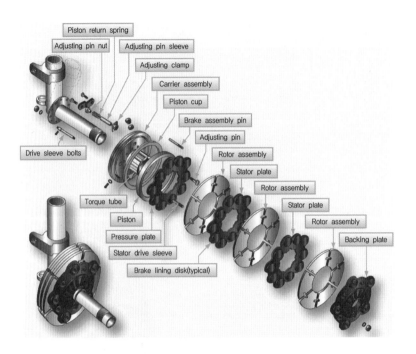

그림 4-21 세그먼트 로터 브레이크

3.3.2 안티 스키드 시스템

안티 스키드 시스템은 항공기가 착륙 후 지상 활주 시, 바퀴의 빠른 회전에 대하여 무리한 제동을 한다면 바퀴의 회전은 멈추게 되지만, 항공기는 앞으로 밀리게 되어 지면에 대하여 미끄럼 현상이 발생하게 된다. 이러한 미끄럼 현상을 스키드(skid)라고 하며, 스키드 현상은 지면과의 마찰로 인해 타이어에 심한 손상을 만들게 된다. 따라서 이러한 손상을 방지하기 위해 안티 스키드(anti-skid) 시스템이 사용된다.

안티 스키드 시스템은 바퀴의 회전 속도를 감지하는 바퀴 속도 감지기와 안티 스키드 제어 장치, 안티 스키드 제어 밸브 등으로 구성된다. 바퀴 속도 감지기는 변환기로서 사용되며, 바퀴의 회전수는 바퀴 회전 속도의 변화율이 바퀴 속도 감지기에 의해 주파수 변조가 되어 감지된다.

안티 스키드 제어 장치는 이러한 바퀴 속도 감지기로부터 받은 신호와 항공기 속도 감지기의 신호를 가지고 바퀴가 미끄러지지 않는 상태에서 최대의 제동 효과를 발생할 수 있도록 안티 스키드 제어 밸브를 통해 제동 압력을 조절한다.

Wheel sensor　　Control unit　　Control valve

그림 4-22 안티 스키드 계통의 구성

안티 스키드 시스템의 작동은 그림 4-23과 같은 조종실 내의 안티 스키드 스위치가 "ON" 되어야 하며, 항공기가 착륙 후 조종사가 브레이크 페달에 압력을 가하면 항공기의 속도가 약 20mph로 떨어질 때까지 자동적으로 안티 스키드 시스템이 작동하게 된다.

그림 4-23 조종석의 안티 스키드 스위치

3.4 작업 안전 사항

(1) 잭은 작업에 필요한 높이만큼 올려서 작업해야 한다.

(2) 잭을 사용하여 항공기를 들어 올릴 경우, 바람이 없는 장소에서 작업해야 한다.

(3) 작업 중 꼭 필요한 경우가 아니라면 항공기 내부의 출입을 제한한다.

(4) 사용 가능한 소화기를 지정된 위치에 비치해야 한다.

3.5 브레이크 분해

(1) 잭을 이용하여 필요한 부분의 바퀴를 장탈한다.

(2) 브레이크 실린더 헤드 부분의 블리드 스크류를 풀고, 작동유를 배출시킨다.

(3) 브레이크 라인을 분리한다.

(4) 착륙 장치 완충기로부터 브레이크 어셈블리 장착용 볼트, 와셔, 너트 등을 제거한다.

(5) 착륙 장치 완충기로부터 브레이크 어셈블리, 디스크 덮개, 축 등을 장탈한다.

(6) 브레이크 하우징으로부터 연결 피팅, 패킹 등을 장탈한다.

(7) 브레이크 하우징으로부터 라크 와셔, 연결 볼트, 실린더 헤드 등을 장탈한다.

(8) 브레이크 하우징 내의 피스톤은 빼낸다.

(9) 피스톤으로부터 피스톤 실을 제거한다.

(10) 브레이크 디스크와 고정 및 측면 브레이크 라이닝을 장탈한다.

3.6 브레이크 조립

(1) 새로운 피스톤 실에 작동유를 칠한다.

(2) 작동유가 칠해진 피스톤 실을 피스톤 홈에 집어넣는다.

(3) 피스톤은 브레이크 하우징에 밀어 넣고 브레이크 하우징에 실, 실린더 헤드를 위치시키고, 라크 와셔를 장착한 다음, 연결 볼트로 조인다.

(4) 실린더 헤드에 와셔를 장착하고, 블리드 스크류를 조인다.

(5) 브레이크 하우징에 패킹, 피팅 등을 조립하고 너트로 조인다.

(6) 브레이크 하우징에 브레이크 라이닝을 집어넣고, 브레이크 디스크를 장착한다.

(7) 착륙 장치 완충기에 브레이크 어셈블리, 디스크 덮개, 축 등을 위치시키고,

볼트에 와셔를 끼우고 너트를 채운 후, 조인다.

(8) 착륙 장치 완충기에 피팅에 브레이크 라인을 연결하고 작동유를 주입한 다음, 공기 빼기 작업을 해 준다.

3.7 브레이크 점검

(1) 브레이크 페달을 밟고 압력관 및 연결부 등에서 작동유가 누출되는지 확인한다.

(2) 브레이크 마스터 실린더에서 바퀴 실린더까지 배관이 노후 되었거나, 또는 다른 부분과 접촉에 의한 손상이 있는지 확인한다.

(3) 주 바퀴를 손으로 돌리면서 소음 발생이 있는지 확인한다.

(4) 축 베어링의 마멸 상태를 검사한다.

(5) 브레이크 라인의 마멸 상태를 검사한다.

(6) 브레이크 드럼의 상태를 검사한다.

(7) 바퀴 실린더의 마멸과 피스톤 실의 상태를 검사한다.

(8) 브레이크 압력관에 유압계를 장착 후 브레이크 페달을 밟아 압력을 측정한다.

3.8 평가

순번	평가항목	A	B	C	D	비고
1	작업이해도					
2	브레이크의 종류 및 구성품 이해					
3	안티 스키드 시스템의 이해					
4	브레이크 분해 작업					
5	브레이크 조립 작업					
6	작업 후 정리 정돈 상태					

4. 마스터 실린더의 정비

4.1 학습목표

마스터 실린더의 종류 및 장탈/장착 절차를 학습한다.

4.2 실습재료

작동유, 고무 실, 오픈 렌치 또는 박스 렌치, 토크 렌치, 기름 받이, 투명한 호스

4.3 관련지식

마스터 실린더는 브레이크 계통의 압력을 발생시키는 장치이며, 마스터 실린더의 종류로는 굿 이어 마스터 실린더, 워너 마스터 실린더, 벤딕스 마스터 실린더, 북아메리카 마스터 실린더 등이 있다. 그림 4-24와 같이 마스터 실린더는 조종석의 각각 러더 페달에 위치해 있으며, 페달과 기계적으로 연결되어 있다.

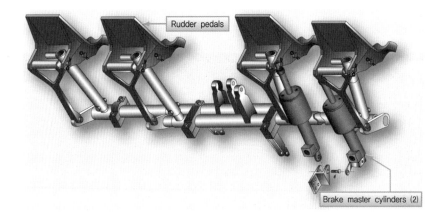

그림 4-24 독립 브레이크 계통의 마스터 실린더

4.3.1 마스터 실린더

굿 이어 마스터 실린더는 마스터 실린더 안에 작동유 저장소를 가지고 있지 않고, 별도로 외부 저장소를 가지고 있다. 작동유는 외부 저장소에서 마스터 실린더까지 보급되며, 이것은 작동유가 실린더 입구와 보상구(compensating port)를 통해 들어가서, 피스톤의 마스터 실린더 헤드부와 브레이크 작동 실린더까지 채워 준다.

브레이크 페달을 밟으면, 마스터 실린더 내에서 피스톤 로드가 피스톤을 앞으로 밀어 주는데, 이것은 보상구를 막게 되어 압력을 상승하게 만든다. 따라서, 이 압력은 브레이크 어셈블리로 전달된다.

브레이크 페달을 놓으면, 피스톤 로드는 뒤로 되돌아오게 되고, 피스톤의 귀환 스프링(return spring)은 앞부분 피스톤 실을 밀어 주게 되어, 피스톤은 완전히 뒤로 밀리게 된다.

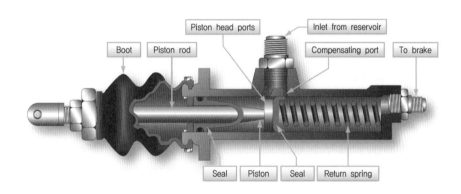

그림 4-25 굿 이어 마스터 실린더

다른 마스터 실린더의 경우에는 그림 4-26과 같이 일체형 몸체에 자체적으로 작동유 저장소를 가지고 있어서 독립 계통으로 사용되며, 원리는 굿 이어 마스터 실린더와 같지만, 브레이크 페달을 풀게 될 경우, 귀환 스프링(return spring)에 의해 피스톤이 빠져나가면서 위쪽의 저장소에서 아래쪽의 실린더로 보상구(compensating port)를 통해 작동유가 유입되는 것이다.

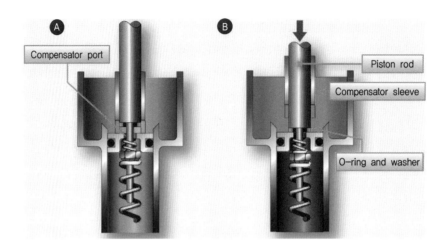

그림 4-26 공통적인 마스터 실린더

4.3.2 마스터 실린더 공기 빼기 작업

마스터 실린더의 공기 빼기는 압력식 공기 빼기 방법과 중력식 공기 빼기 방법으로 나눌 수 있다.

(1) 압력식 공기 빼기 작업

그림 4-27과 같이 압력 포트로부터 호스를 브레이크 어셈블리의 공기 빼기 배출구에 연결하고, 또 다른 투명한 호스를 준비해 투명한 호스를 브레이크 작동유 저장소 또는 마스터 실린더 배출구에 연결한다. 이 호스의 한쪽 끝은 작동유를 받을 용기에 놓는다. 브레이크 어셈블리 공기 빼기 배출구를 열고, 압력 포트로부터 공기가 섞이지 않은 순수한 작동유가 브레이크로 들어가면 브레이크 라인의 모든 작동유가 작동유 저장소에 장착된 투명한 호스를 통해 밖으로 나오게 된다. 투명한 호스를 통해 흘러나오는 작동유를 확인하고 기포가 섞이지 않은 순수한 작동유가 나올 때까지 계속해서 확인하고, 기포가 섞이지 않은 순수한 작동유가 나오면 차단 밸브를 닫고 압력 탱크 호스, 저장소의 호스 등을 제거한다.

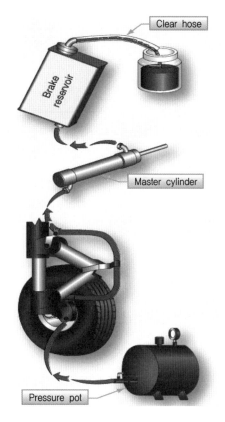

그림 4-27 압력식 공기 빼기

(2) 중력식 공기 빼기 작업

그림 4-28과 같이 중력식 공기 빼기 작업은 공기 빼기 작업 동안 양이 부족하지 않도록 항공기 브레이크 저장소에서 작동유를 공급한다. 투명한 호스는 브레이크 어셈블리에서 공기 빼기 배출구에 연결하고 한쪽 끝은 작동유를 담을 용기에 넣는다. 브레이크 페달을 밟고 브레이크 어셈블리 공기 빼기 배출구를 열어준다. 투명한 호스를 통해 흘러나오는 작동유를 확인하고, 공기 빼기 배출구를 닫고 페달을 놓는다. 절대로 공기 빼기 배출구를 닫기 전에 페달을 놓아서는 안 된다. 다시 페달을 밟고 공기 빼기 배출구를 열어주고 흘러나오는 작동유에 기포가 섞여 나오는지를 확인한다. 기포가 섞이지 않은 순수한 작동유가 나올 때까지 이러한 과정을 반복해야 한다.

그림 4-28 중력식 공기 빼기

4.4 작업 안전 사항

(1) 마스터 실린더를 장탈 및 장착 시 바닥에 작동유가 떨어지지 않도록 기름받
이를 준비해야 한다.

(2) 작업 중 조종석의 페달을 작동해선 안 된다.

(3) 작업이 완료되면 공기빼기 작업을 반드시 수행해야 한다.

4.5 마스터 실린더 장탈

(1) 브레이크 계통으로부터 작동유를 배유한다.

(2) 페달 앞에 있는 마스터 실린더로부터 연결된 모든 부분을 순서대로 분리한다.

(3) 방향 키 페달과 연결된 파킹 브레이크의 라인을 분리한다.

(4) 마스터 실린더로부터 작동유를 제거시킨 다음 실린더를 장탈한다.

(5) 마스터 실린더를 장탈 후 연결되어 있던 호스, 피팅 등에 이물질이 들어가지 않도록 플러그나 마개 등으로 막아야 한다.

(6) 필요할 경우 주 실린더를 분해한다.

4.6 마스터 실린더 장착

(1) 마스터 실린더 장착은 장탈 순서의 반대로 수행한다.

(2) 마스터 실린더를 장착한 다음 작동유를 공급한다.

(3) 브레이크 계통의 공기빼기 작업을 해 준다.

4.7 평가

순번	평가항목	A	B	C	D	비고
1	작업이해도					
2	마스터 실린더의 구조 및 역할 이해					
3	공기 빼기 작업의 이해					
4	마스터 실린더 장탈 작업					
5	마스터 실린더 장착 작업					
6	작업 후 정리 정돈 상태					

Part

02

전 기 / 전 자

제5장 측 정

1. 저항 측정

2. 전압 및 전류 측정

1. 저항 측정

1.1 학습목표

저항에 표시된 저항 값을 읽을 수 있고, 측정기를 이용하여 저항 값을 측정하여 측정된 저항 값이 맞는지 확인 할 수 있다. 또한 측정값과 이론값 사이의 차이는 오차의 개념으로 설명 할 수 있어야 한다. 직렬이나 병렬로 연결된 합성저항의 저항 값을 계산하고 측정기를 이용하여 측정 할 수 있다. 가변저항의 저항 값을 측정함으로써 가변저항의 원리를 이해하고 가변저항을 사용할 수 있다.

1.2 실습재료

저항, 브레드보드, 멀티미터

1.3 관련지식

1.3.1 전기의 성질

(1) 물질의 구조

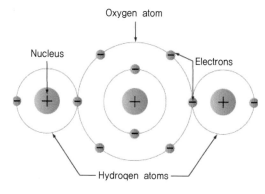

그림 5-1 물 분자 구성

물질(Matter)은 질량을 갖고 부피를 갖는 어떤 것이라고 정의 할 수 있으며 눈에 보이는 물체가 구성된 대부분의 것이다. 물질은 분자(Molecule)로 구성되어 있고, 그 분자는 원소(Element)의 결합체로 이루어져 있다. 두 가지 또는 그 이상의 원소의 화학결합으로 이루어진 것을 혼합물(Compound)이라고 한다. 물은 가장 일반적인 혼합물 중 하나이고, 2개의 수소원자와 1개의 산소원자로 구성된다. 그림 5-1은 물 분자의 구성을 보여준다. 그림에서 보듯이 원자는 (+)전기를 가진 원자핵과 그 주위를 회전하는 (-)전기를 가진 전자(Electron)로 구성되어 있다.

원자는 지구가 태양 주위를 공전하는 것과 같이 원자핵을 중심으로 몇 개의 정해진 궤도위에서 자전하면서 돌고 있다. 이러한 궤도를 전자각(Electron shell)이라고 하고, 가장 안쪽을 K각이라 부르고, 이 후부터는 알파벳 순서대로 이름이 정해진다. 각 궤도별로 전자가 들어갈 수 있는 수가 정해져 있다. 각 궤도에 전자가 들어 갈 수 있는 수는 K각의 경우는 2개, L각은 8개, M각은 18개 순이다. 이렇게 원자핵의 주위를 돌고 있는 전자 중에서 가장 외곽의 궤도를 돌고 있는 전자를 가장 바깥쪽에 있다고 하여 최외각전자(Peripheral electron)라고 한다.

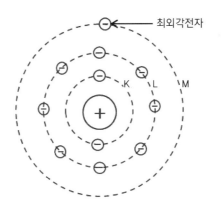

그림 5-2 최외각전자

최외각전자는 원자핵에서 가장 멀리 떨어져 있기 때문에 원자핵의 구속력이 가장 약하고, 이런 전자의 경우 외부에서 에너지(Energy)를 얻었을 때 자유롭게 외부로 나갈 수 있다고 하여 자유전자(Free electron)라고 한다. 에너지는 전기에너지, 열에너지, 빛에너지 등 여러 가지 형태로 나타날 수 있고, 에너지의 크기는 물체가 할 수 있는 일의 양을 의미한다. 이 자유전자가 모여 이동하는 것을 전기가 흐른다고 표현한다. 결국 전기의 여러 가지 현상 및 작용은 대부분 자유전자의 이동에 의한 것이다. 자유전자가 외부에너지를 받아서 이동하여 빈 공간을 전자가 위치 할 수 있는 공간이라 하여 정공(Hole)이라고 한다. 그림 5-2에서 보면 M각의 경우 전자가 1개 들어 있으므로 M각에는 17개의 전자가 더 들어갈 수 있고, 이는 정공이 17개가 있다는 것을 의미한다.

(2) 전압(Voltage)

전압은 전기적인 압력을 의미하는 것으로 전기적인 에너지의 위치 차이, 줄여서 전위차(Potential difference)라고도 부른다. 즉, 전기적인 기준점을 기준으로 얼마만큼 높은 전기적인 에너지를 가지는 가를 나타내는 것이 전압이다. 이는 흡사 물기둥의 높이가 높으면 아래에서 받는 압력(Pressure)의 크기가 큰 것처럼, 혹은 물체를 위치가 높으면 위치에너지가 큰 것과 같은 원리이다. 전압의 기호로는 V를 사용하고, 단위는 V(볼테지, Voltage)를 사용한다. 전압 중에서 전원으로 사용할 수 있는 전압을 기전력(Electric potential difference)라고 부른다. 이는 건전지와 같이 전류를 연속적으로 만들어주는 힘이다. 기전력의 경우는 에너지(Energy)의 개념이라서 기호로 E를 사용하고, 기전력도 전압의 개념에 속하므로 단위는 전압과 동일한 V를 사용한다. 전압은 한 점에서 다른 점으로 단위 (+)전하를 옮기는데 필요한 일과 같기 때문에 단위로 J/C을 사용하기도 한다.

(3) 전류(Current)

전류의 정의는 단위 시간당 흐르는 전하량이다. 전하량(Quantity of electric charge)은 말 그대로 전하의 양을 의미하는 것으로 전기의 양을 측정하는 기본 단위이다. 전하량의 기호는 Q이고, 단위는 C (쿨롱, Coulomb)을 사용한다. 자유 전자 1개의 전하량의 크기는 $1.6 \times 10^{-19} C$ 이므로, 1C의 전하량은 전자가 6.25×10^{18}개 모였을 때의 전하량에 해당한다. 단위 시간은 MKS단위계에서 시간의 기본 단위인 초(second)를 의미힌다. 전류는 기호로 I를 사용하고, 단위는 A (암페어, Ampere)를 사용한다. 즉, 1A의 전류는 1sec동안 1C의 전하량이 이동한 것이다. 이를 수식으로 나타내면 아래와 같다.

$$I = \frac{Q}{t} \ [A]$$

전류의 흐름은 좀 더 정확하게 말하자면 도체 내에 있는 자유전자의 흐름이다. 구리, 은, 알루미늄, 금 등 일반적인 금속들이 도체에 해당한다. 전류로 측정되는 것은 일정한 시간에 도체를 통과하는 전자의 수라고 말할 수 있다. 질량을 가진 모든 물체가 그렇듯이, 전자의 이동, 즉 전류는 전자를 밀어주는 힘인 전압이 있을 때 발생하게 된다. 전압이 도체에 가해졌을 때, 기전력이 도체에 전기장(Electric field)을 발생시키면 전류가 생성된다. 전자는 직선 방향으로 움직이는 것이 아니라, 도체 내에 가까이 있는 원자들과 반복해서 충돌한다. 이러한 충돌은 다른 전자들을 그들의 원자로부터 떨어뜨린다. 떨어진 전자들은 표류 속력(Drift velocity)이라고 부르는, 상대적으로 낮은 평균 속력으로 도체의 양극전단(Positive)으로 이동한다. 그림 5-3에서 보면 왼쪽 끝에서 구슬이 들어오면 바로 오른쪽 끝으로 구슬이 나온다. 이를 전류와 이동과 같이 생각해보면 비교적 낮은 속도를 가지는 전자의 움직임이라도 전류는 순간적으로 발생한다는 것을 알 수 있다.

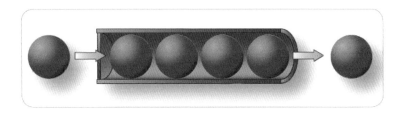

그림 5-3 전자 흐름

초기에는 물이 높은 곳에서 낮은 곳으로 흐르듯이 전압이 높은 곳에서 전압이 낮은 곳으로 전류가 흐르는 것이 당연하다고 생각되어 전류의 방향이 결정되었다. 그러나 나중에 전자의 이동 방향과 전류의 이동 방향은 반대라는 것이 밝혀지게 되었다. 따라서 전류의 이동 방향은 전자가 이동하고 남은 빈 공간을 의미하는 정공의 이동 방향과 동일하다.

(4) 저항(Resistance)

전기의 흐름인 전류를 방해하는 정도를 수치로 나타낸 것이 저항이다. 저항을 결정하는 요소는 고유저항, 단면적, 길이, 온도가 있다. 물질은 동일한 분자의 연속체이고, 분자 안에 있는 원자 형태가 변화하지 않으므로 하나의 물질을 통과하고 있는 전자의 이동에 의한 전류는 원자의 전자에 의해 동일한 방해를 받게 된다. 즉, 하나의 물질에 의한 전류 이동의 방해는 동일한 것이고, 이를 물질 자체의 고유한 성질이라는 의미에서 고유저항이라고 부른다. 고유 저항은 기호는 ρ (로우)를 사용하고, MKS단위계에서 단위는 $\Omega \cdot m$를 사용하고, 항공단위로는 $\Omega \cdot Cmil/ft$를 사용한다. Feet (ft)는 발사이즈에서 유래했고, 1ft는 30.48cm이다. Cmil은 도선의 단면적을 나타내는 단위로 Circular(원형의) mil의 합성어이다. mil이란 단위는 mili inch 즉, 1/1000 inch를 의미하고, 도선의 지름을 나타내는 단위로 항공분야에서 많이 사용한다. Inch(인치)는 손가락 한마디의 길이에서 유래했고, 1 inch는 2.54cm이다. 발 사이즈를 나타낼 때 m단위를 사용하지 않고, mm 단위를 사용하는 것처럼 inch를 사용하지 않고 mil을 사용하면 도선의 지름을 자연수로 표현이 가능해 편리하기 때문에, 도선의 지름을 나타낼 때는 mil 단위를 사용한다. 그림 5-5의 파란색의 원은 도선을 의미한다. 이 도선의 단면적은 반지름인 r로 구할 수 있는데, πr^2이다. 이식에서 원주율인 π가 3.14159265... 인 무한소수이기 때문에 반지름이 어떤 값이든지 단면적은 무한소수로 나오게 된다. 따라서 표기하거나 표현하기가 어렵다. 만약 그림 5-4의 파란색 도선이 딱 들어갈 만한 빨간색 정사각형 관의 면적으로 도선의 단면적을 표현한다면 도선의 단면적을 쉽고 명확하게 표현 할 수 있다. 빨간 정사각형의 면적은 파란 도선 지름의 제곱이다. 즉, Cmil의 경우는 파란 도선의 단면적은 도선 지름의 제곱으로 표현할 수 있다. 예를 들어서 도선의 지름이 10mil이라면, 이 도선의 단면적은 100Cmil이 되는 것이다.

그림 5-4 Cmil의 개념

고유저항이 있는 하나의 물질을 가지고 형태를 만들면 전류가 흐르는 방향의 단면적이 있을 것이고, 물질 안에서 이동한 거리가 있게 된다. 예를 들어서 사람이 단면적이 넓은 길을 지나가면 좁은 길에 비해서 다른 사람과 부딪힐 확률이 적을 것이고, 길의 길이가 길어진다면 그만큼 다른 사람과 부딪힐 확률은 증가할 것이다. 따라서 단면적은 저항 값에 반비례하고, 길이는 비례한다. 단면적의 기호는 A (Area에서 유래), 단위는 m^2이다. 길이는 기호는 l (Length에서 유래), 단위는 m이다. 저항을 측정하는 데 사용되는 단위는 옴(ohm)이라고 부르며, 부호는 그리스 문자 Ω (오메가, Omega)이다. 이를 수식으로 표현하면 다음과 같다.

$$R = \rho \frac{l}{A} [\Omega]$$

그림 5-5는 저항과 전압의 회로 기호이다. 저항은 전류를 방해하는 것을 의미하므로 일자로 가면 편한 길을 올라갔다 내려갔다 하는 것으로 표현한 것이다. 저항의 경우는 어느 방향으로 전기가 들어가도 차이가 없으므로 방향성을 가지지 않는다. 전압의 경우는 높은 부분을 길게, 낮은 부분은 짧게 표현하였다.

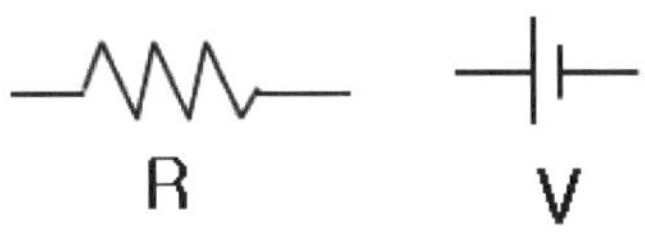

그림 5-5 저항과 기전력의 회로 기호

도선에 전류가 흐른다는 것은 전자가 이동하는 것이고, 저항 성분이 있으면 전자가 이동하면서 다른 전자와 부딪힌다는 것이다. 부딪히면 그만큼 에너지를 빼앗긴다는 의미이고, 이는 에너지가 외부로 방출된다는 것이다. 저항의 경우 이 에너지가 열의 형태로 방출되고, 이열을 주울열(Joule's heat)이라고 부른다.

1.3.2 직류회로 해석

(1) 옴의 법칙(Ohm's law)

전기의 기본적인 수학적 관계를 설명하는 옴의 법칙은 독일의 물리학자 조지 사이

먼 옴(George Simon Ohm, 1789~1854)의 이름에서 유래되었다. 도체를 통과하는 전류는 도체에 가해진 전압에 정비례하고 도체의 저항에 반비례한다는 법칙이다. 이를 기호로 나타내면 다음과 같다.

$$V=IR \ [V]$$

옴의 법칙은 전기가 특정 상황에서 어떤 방식으로 반응하는지 예측하는 수학공식의 기초를 알려준다. 즉, 전기의 3요소인 전압, 전류, 저항의 관계에 대해 정의한 식이라고 할 수 있다.

(2) 전력

전기적인 힘을 전력(Power)이라고 한다. 전력의 기호는 P이고, 단위는 W(와트, Watt)이다. 이를 수식으로 나타내면 아래와 같고, 옴의 법칙인 V=IR을 이용하면 전압, 전류, 저항 중 2개의 값을 이용하여 아래와 같이 다양한 수식을 만들어 낼 수 있다.

$$P= VI= I^2R= \frac{V^2}{R} \ [W]$$

전력에 시간의 개념을 추가한 것을 전력량(Electric energy)이라고 한다. 따라서 전력량의 공식은 다음과 같다.

$$W= Pt$$

전력량은 일(Work)의 개념이여서 기호로 W를 사용한다. 전력량의 단위는 시간이 초(Second)일 때는 J(주울, Joul)을, 시간이 시간(Hour) 일 때는 Wh(와트아워, Watt hour)를 사용한다. Wh에 1000배를 의미하는 보조단위인 k(킬로, kilo)를 붙이면 kWh로, 가정에서 전기세 낼 때 사용하는 전기 사용량의 단위가 된다.

(3) 키르히호프의 법칙(Kirchhoff's law)

키르히호프 법칙은 독일의 물리학자 G.R.키르히호프(Gustav R. Kirchhoff, 1824~1887)가 발견한 법칙으로 전류에 관한 법칙과 복사에 관한 법칙 2가지가 있다. 이

중 전류에 관한 법칙은 옴의 법칙을 응용한 것으로 직류회로를 해석하는데 기본 개념에 대해 알려주는 법칙이다. 키르히호프의 전류에 관한 법칙은 2가지로 나눌 수가 있는데, 이 중 제1법칙은 전류법칙 (Kirchhoff's Current Law : KCL)이라 부르고, 하나의 전기적인 접합점(Node)을 기준으로 들어오는 모든 전류의 합은 나가는 모든 전류의 합과 같다는 법칙이다.

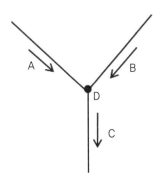

그림 5-6 키르히호프의 제1법칙

그림 5-6의 A, B방향으로 각각 1A, 2A의 전류가 들어온다면 C부분으로 3A의 전류가 나갈 것이다. 즉, 전기적인 접합점(Node)인 D를 기준으로 보면 유입되는 전류는 1A와 2A이고, 그 합은 3A이다. 그리고 유출되는 전류는 3A만 있으므로 유출되는 전류의 합은 3A이다. 당연하게 이 둘은 같으며, 이것이 전류법칙이다.

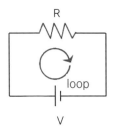

그림 5-7 키르히호프의 제2법칙

제2법칙은 전압법칙 (Kirchhoff's Voltage Law : KVL)이며, 하나의 루프(Loop)에서 공급되는 전압의 합과 소비되는 전압의 합이 같다는 법칙이다. 루프란 폐회로(Closed circuit)를 의미하는 것으로 전기적인 시작점에서 전류가 흘러 다시 시작점으로 돌아오는 구조로 내부에 다른 회로가 없는 회로를 의미한다.

그림 5-7을 보면 가장 간단한 루프를 보여준다. 전류는 전압의 +극(V부분의 긴 단자)에서 나올 것이고, 저항을 거쳐서 전압의 −극(V부분의 짧은 단자)으로 들어갈 것이다. 전류가 순환을 할 수 있고, 내부에 아무것도 없으므로 이는 한 개의 loop이다. 이 루프에서 공급되는 전압은 V이고, 소비되는 전압은 저항 R에 걸리는 전압이다. 예를 들어서 형광등을 생각해보자. 형광등에 전기가 걸리면 불이 켜지는 것이고, 이는 형광등이 전기를 소비하는 것이다. 형광등에 전압이 걸리면 전류가 흐르고 불이 켜진다. 옴의 법칙을 생각하면 전압이 걸린 상태에서 전류가 흐르면 저항이 존재한다는 것이고 형광등은 저항의 역할을 하게 된다. 따라서 저항은 전기를 소비하는 존재이다.

키르히호프의 법칙을 정리하면 아래와 같다. 키르히호프의 법칙과 다음 단원인 합성저항 구하는 공식을 이용하면 대부분의 직류 회로 해석이 가능하다.

제 1법칙 : 한 node에서 Σ유입전류 $=\Sigma$유출전류

제 2법칙 : 한 Loop에서 Σ공급전압 $=\Sigma$소비전압

(4) 저항의 접속

저항과 같이 전기적으로 어떤 기능을 하는 것을 소자(Element 혹은 Device)라고 부르고, 전기적으로 연결하기 위해 금속선으로 연결된 부분을 단자(Terminal)라고 한다. 저항과 같은 두 단자의 소자는 연결하는 방법이 2가지 있는데, 두 개의 단자 중 하나만 전기적으로 연결되는 것을 직렬연결, 두 개의 단자가 전부 전기적으로 연결된 것을 병렬연결이라고 한다. 이를 회로로 표현하면 그림 5-8과 같고, (A)는 직렬연결을, (B)는 병렬연결을 의미한다.

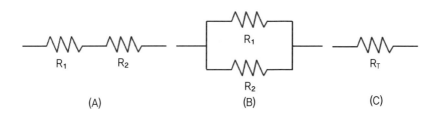

그림 5-8 저항의 직렬연결과 병렬연결

그림 5-8 (A)와 같이 직렬로 연결된 경우는 전기가 흐를 수 있는 길이 하나이기 때문에 전류는 하나의 값으로 고정이 되고 전압은 나누어진다. $V = IR$ (옴의 법칙)이므로, 전류가 고정된 상태에서는 전압과 저항은 비례하게 된다. 따라서 직렬연결의 경우 전압은 저항에 비례하여 분배된다. 이 직렬회로에 전압은 연결해서 회로로 구성하면 그림 5-9와 같다.

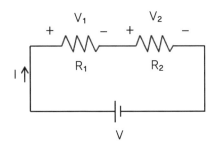

그림 5-9 직렬연결 회로

전압과 저항이 전기적으로 연결되었으므로 그림 5-9의 I와 같이 전류가 흐른다. 이 회로에서 공급되는 전압은 V이고, 저항이 전압을 소비하므로 소비하는 전압은 V1과 V2이다. 키르히호프의 제2법칙에 의해 공급전압의 합과 소비전압의 합은 같으므로 아래와 같이 수식을 작성 할 수 있다.

$$V = V_1 + V_2$$

옴의 법칙에 의해 $V = IR$이므로,

$$V = IR_T, \quad V_1 = IR_1, \quad V_2 = IR_2$$

이다. 이를 위식에 대입하면

$$IR_T = IR_1 + IR_2$$

이고, I가 전부 같은 값이므로 삭제하면 다음과 같다.

$$R_T = R_1 + R_2$$

여기서 RT는 2개 저항의 합성저항을 의미한다. 즉, 그림 5-8의 (A)회로를 (C)로 바꾼 것이다. 저항의 직렬연결의 경우 전기가 흐를 수 있는 길이 하나이기 때문에 시작점부터 끝점까지 전기가 이동하기 위해서는 길 위에 있는 모든 저항을 통과해야 하고, 전기가 저항을 통과할 때마다 방해를 받기 때문에 방해 정도(저항)을 모두 더한 것이 전체 저항이 된다.

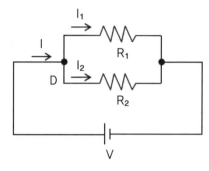

그림 5-10 병렬연결 회로

병렬연결의 경우 두 개의 단자가 서로 연결되어있기 때문에 양단자의 전압은 동일하고, 전류가 갈 수 있는 길이 한 개가 아니므로 전류는 나눠지게 된다. $V = IR$ (옴의 법칙)이므로, 전압이 고정된 상태에서는 전류와 저항은 반비례하게 된다. 따라서 병렬연결의 경우 전류는 저항에 반비례하여 분배된다. 이 병렬회로에 전압은 연결해서 회로로 구성하면 그림 5-10과 같다. D점에서 도선이 나누지므로 전류도 I1과 I2로 나누어 질 것이다. 전기적 접합점인 D를 기준으로 보면 유입되는 전류는 I이고, 유출되는 전류는 I1과 I2이다. 키르히호프의 전류법칙에 의해 아래와 같이 수식을 작성 할 수 있다.

$$I = I_1 + I_2$$

옴의 법칙에 의해 $I = \dfrac{V}{R}$ 이므로,

$$I = \frac{V}{R_T}, \quad I_1 = \frac{V}{R_1}, \quad I_2 = \frac{V}{R_2}$$

이를 위식에 대입하면

$$\frac{V}{R_T} = \frac{V}{R_1} + \frac{V}{R_2}$$

이고, V가 전부 같은 값이므로 삭제하면 다음과 같다.

$$\frac{1}{R_T} = \frac{1}{R_1} + \frac{1}{R_2}$$

여기서 RT는 2개 저항의 합성저항을 의미한다. 즉, 그림 5-8의 (B)회로를 (C)로 바꾼 것이다. 병렬회로는 길이 2개 이므로 전류가 나눠 흐르고, 이 말은 일부 전류는 다른 저항의 방해를 안 받는다는 의미이다. 따라서 병렬로 저항을 연결할 경우에는 저항의 값은 낮아지게 된다.

저항의 연결 시 합성저항을 계산하는 공식을 정리하면 다음과 같다.

$$직렬연결 \ 시 \ 합성저항 : R_T = R_1 + R_2$$

$$병렬연결 \ 시 \ 합성 \ 저항 : \frac{1}{R_T} = \frac{1}{R_1} + \frac{1}{R_2}$$

저항의 값이 결정되는 공식인 $R = \rho \dfrac{l}{A}[\Omega]$을 떠올려보면 직렬연결은 길이(l)이 길어져서 저항 값이 증가하는 형태이고, 병렬연결은 단면적(A)이 증가하여 저항 값이 감소하는 형태이다.

1.3.3 저항 값 표시방법

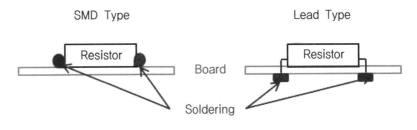

그림 5-11 SMD형과 Dip형 소자의 납땜 위치

저항과 같이 회로 판에 연결하여 사용하는 전자소자의 경우는 연결하는 방법에 따

라 크게 SMD(표면 실장 소자, Surface Mounted Device) 타입과 Lead(연결선이 있는 형태)타입으로 구분 할 수 있다. SMD 타입은 회로 판의 앞뒤면 중 하나의 면만을 이용하여 납땜(Soldering)하는 것이므로 보통 직사각형 형태로 되어 있고, Lead 타입은 보통 그림 5-11과 같이 부품이 있는 면과 납땜을 하는 면이 다르므로 직사각형뿐만 아니라 오리피스 형태(Orifice type), Dip 형태(Dual In-line Package type, 제작의 편의성 및 균형 배치를 위해 2열로 단자가 구성된 형태), TO(Transistor Outline) 형태 등등 다양한 형태로 만들어 질 수 있다. SMD 타입의 저항은 직사각형 형태이기 때문에 저항 값을 저항에 적을 수가 있다. 다만 공간상의 문제로 수치와 보조단위, 단위를 전부 적을 수는 없다. 일반적으로 많이 사용하는 SMD 저항의 크기는 1608사이즈(인치단위로 표현하면 0603사이즈)이고, 그 크기는 가로가 1.6㎜, 세로가 0.8㎜, 높이가 0.4㎜이며, 허용하는 전력은 0.1W이다. 이런 문제로 3자리의 숫자로 많이 표시하는데, 3자리의 숫자는 순서대로 첫 번째 숫자와 두 번째 숫자는 저항의 유효자리를 의미하고, 세 번째 숫자는 소수점에서 숫자까지의 거리를 의미한다.

Top View　　　　　　Bottom View

그림 5-12 SMD 저항의 모습

그림 5-12는 SMD 저항의 모습이다. Top view는 위에서 소자를 본 모습이고, Bottom view는 아래에서 소자를 본 모습을 의미한다. SMD의 경우 앞뒷면이 같은 형태이기 때문에 뒷면에도 저항 값을 적어놓는 경우도 많다. 그림에서 나타낸 저항의 저항 값은 숫자로 123이 적혀 있으므로 다음과 같이 계산하면 된다. 이 저항(Resistor)의 저항 값(Resistance)은 $12 \times 10^3 = 12000\Omega = 12k\Omega$을 의미한다. 만약 저항에 100이라고 적혀 있으면, 이 저항의 저항 값은 $10 \times 10^0 = 10\Omega$을 의미한다. 10Ω보다 더 작은 저항을 표시할 때는 음수를 사용해야 하는데, 마이너스 기호는 표시하거나 작성이 되어 있더라도 구분하기가 쉽지 않으므로 보통은 마이너스 기호대신에 소수점의 위치를 R이라는 문자를 사용하여 표시하기도 한다. 예를 들어서 4R7

이라면 4.7Ω을, R47이라면 0.47Ω을 의미한다.

Lead 중 오리피스 형태는 원통 형태라서 숫자를 적기 어려워서 색으로 저항 값을 표현하고, 오차범위까지 나타낸다. 일반적으로 저항하면 떠오르는 형태의 저항이 오리피스 형태이다. 각 색이 표시하는 숫자는 표 5-1과 같다. SMD의 경우 숫자로 표현되므로 좌우가 바뀔 일이 없지만 Lead의 경우 색으로만 표현되므로 좌우가 바뀔 수도 있다. 따라서 저항 값을 읽기 위해서는 오차범위를 나타내는 색을 먼저 찾아야 한다. 오차범위를 나타내는 색이 가장 마지막이므로 반대편부터 순서대로 숫자를 읽은 다음 SMD과 같은 방식으로 저항 값을 계산해 내면 된다.

표 5-1 저항에서 색의 의미

색	첫 번째나 두 번째일 경우	세 번째 일 경우	허용오차
검정	0	100	
갈색	1	101	±1%
빨강	2	102	±2%
주황	3	103	
노랑	4	104	
초록	5	105	
파랑	6	106	
보라	7	107	
회색	8	108	
흰색	9	109	
금색		10-1	±5%
은색		10-2	±10%

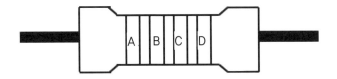

그림 5-13 오리피스 형태 저항 모습

예를 들어서 그림 5-13에서 A~D 색이 순서대로 금색, 갈색, 검정, 빨강이라면 이 중에서 금색이 허용오차를 나타내는 숫자이므로(금색은 10-1이나 허용오차를 나타내는 색이므로 첫 번째로 올 수 없다.), 그 반대편인 빨강, 검정, 갈색 순으로 읽어야 하고 이를 숫자로 나타내면 201이므로 저항 값은 $20 \times 10^1 = 200\Omega$이다. 이 저항을 실제로 측정한다면 저항 자체의 허용오차인 ±5%를 감안해야 하므로 실제 값은 오차인 5%를 계산해서 ($200\Omega \times 5\% = 10\Omega$) 190 ~ 210 Ω사이가 될 것이다.

±1%의 허용오차를 갖는 저항의 경우는 저항 값을 4개의 색(허용오차를 나타내는 색까지 하면 5가지의 색)으로 표시하는 경우도 있다. 이 경우는 앞의 3개가 저항의 유효자리수를 나타내고, 4번째 숫자가 소수점의 자리를 나타낸다. 예를 들어서 색이 노랑, 검정, 검정, 갈색, 갈색이라면, 노랑, 검정, 검정, 갈색이 의미하는 숫자인 4001이 저항 값을 나타내는 색이고, 마지막 갈색이 허용오차 ±1%를 의미한다. 따라서 저항 값은 4kΩ이고, 저항 값을 측정하면 3.96~4.04 kΩ 사이의 값을 나타낼 것이다.

1.3.4 측정 공구 사용법

(1) 멀티미터(Multimeter)

저항을 측정하기 위해서는 저항계(Ohm meter)를 사용해야 하지만 저항만 단독으로 측정하는 저항계보다는 전기의 3요소인 전압, 전류, 저항을 모두 측정 할 수 있는 멀티미터(Multimeter)가 더 활용도가 높아 저항 측정에는 멀티미터를 사용하는 경우가 더 많다. 그림 5-14는 세한계기의 ST506-TRIII 멀티미터의 사진이다. 멀티미터는 크게 2부분으로 나눌 수 있는데, 그림에서 보면 위에 하얀색 바탕으로 되어 있고, 중간에 바늘이 있는 부분이 표시부이고, 아래 손잡이(회전 선택 스위치, Rotary selector switch)가 있는 부분이 설정부이다. 표시부는 측정값을 나타내는 부분이다. 각각의 숫자가 측정값을 나타내고, 측정하려는 값에 따라서 구역별(부채꼴 눈금 부분의 세로 방향)로 표시가 되어 있다. 예를 들어서 가장 위의 파란 숫자 부분을 보면 오른쪽 끝과 왼쪽 끝에 Ω(Ohm) 으로 표시 되어 있고, Ω은 저항의 단위이므로 저항을 측정 시 지시바늘의 값을 읽는 부분이다. 그 아래 검정 글씨 부분은 끝에 전압의 단위인 V(볼트), 전류의 단위인 A(암페어)와 mA(미리암페어)가 표시되어 있으므로, 교류

전압(ACV), 직류전압(DCV), 전류 측정(DCmA, DC10A) 시 지시바늘의 값을 읽는 부분이다. 그 아래 빨간 부분의 끝에는 AC10V라고 적혀있고, 교류 전압 중 10V로 놓고 측정 시에 눈금을 읽는 부분이고, 표시는 바로 위의 최대 10으로 표시된 부분을 참고한다.

그림 5-14 멀티미터 (ST-506TRⅢ)

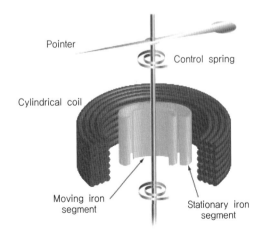

그림 5-15 지시바늘 움직임의 원리

저항 측정 시 많이 사용하는 방법으로는 측정하려는 저항에 전압을 인가한 다음에 흐르는 전류를 이용하여 지시 바늘이 움직이고 뒷부분에 저항 값을 적어놓아서 이것을 읽어 저항 값을 표시하는 방법이 많이 사용되고 있다. 지시 바늘이 움직이는 원리는 그림 5-15와 비슷하다. 전류에 의해 지시바늘과 연결된 부분의 자기세기가 틀려지고, 겉의 전자석과 이 자기에 의해 힘이 작용해 지시바늘이 움직인다. 스프링 부분은 자기적인 힘이 없을 때 원 상태로 돌려주는 기능을 한다. 저항은 앞에서도 설명했듯이 전기의 흐름을 방해하는 정도를 수치로 표현 한 것이다. 옴의 법칙에 의해 전압이 고정된 상태에서 전류가 많이 흐른다는 것은 저항이 작다는 것을 의미하고, 전류가 적게 흐른다는 것은 저항이 크다는 것을 의미한다. 따라서 그림 5-14에서 표시부의 검정색 숫자 패널 부분의 0은 왼쪽에 있는 반면 저항을 의미하는 파란색 부분의 0은 오른쪽에 있다. 멀티미터에서 인가하는 전압에 의해 생성된 전류가 최대치일 경우에 저항은 0Ω이 되고, 전류가 흐르지 않을 때 ∞(무한대)가 된다. 바늘이 하나이기 때문에 바늘을 움직일 수 있는 전류는 고정된 상태이고, 저항의 측정 범위는 그림 5-14의 설정부에서 보듯이 여러 개이므로, 저항의 측정 범위에 따라서 인가되는 전압이 변경될 것이다. 또한 전압에 따라 나올 수 있는 전류의 최대값은 변경된다. 즉, 저항 측정 시 기준이 되는 0Ω을 지시 바늘이 지시하지 못 할 수 있다. 이 경우 0Ω의 저항에서 0Ω을 지시하게 맞추어 주어야 하고, 이 작업을 영점조절(Zero point adjustment)이라고 한다. 영점 조절을 할 때는 표시부의 회전 선택 스위치 옆에 있는 0Ω ADJ 스위치를 이용한다.

표시부는 4개의 구역으로 구분되어 있는데, 왼쪽 위부터 시계방향으로 DCV, ACV, DCmA, Ohm이다. DCV는 직류 전압을 측정하는 부분이다. 직류 회로에 걸리는 전압이나 건전지(Battery), 직류 전원 공급 장치 (DC Power supply), 직류 발전기(DC Generator)의 직류 전압을 측정하는데 사용된다. ACV는 교류 전압을 측정하는 부분으로 가정용 전원인 220V 60Hz이나 항공기 교류 전원인 115V400 Hz, 교류 회로의 교류전압의 실효값을 측정하는데 사용된다. 오실로스코프와 다르게 멀티미터는 하나의 값으로 전압을 표시하므로, 교류를 대표하는 값인 실효값으로 표시된다. DCmA는 직류 전류를 측정하는 부분으로 낮은 전류를 주로 측정하는데 사용된다. 높은 전류의 경우는 표시부의 DC10A를 선택하면 된다. Ohm은 저항 측정 시 사용된다. 저항 측정 모드를 제외한 DCV, ACV, DCmA의 세부 항목인 숫자들은 측정 할 수 있는 최대값을 의미한다. 예를 들어서 DCV 중 10V는 측정 할 수 있는 직류 전압이 최대 10V임을 의미한다. 저항 측정의 경우 적혀 있는 숫자는 배율을 의미한다. 예를 들어서 회전 선택 스위치를 Ohm부분의 X10에 놓은 상태에서 지시바늘이 숫자 5를 지시하였다면 저항 값은 $5 \times 10 = 50\Omega$이 된다.

그림 5-16은 전류계, 전압계, 전류계의 회로 기호와 전류, 전압, 저항 측정 시 멀티미터의 연결 방법에 대해 설명하는 그림이다. 저항 측정 시에는 그림과 같이 전원이 연결되지 않은 상태에서 측정해야 한다.

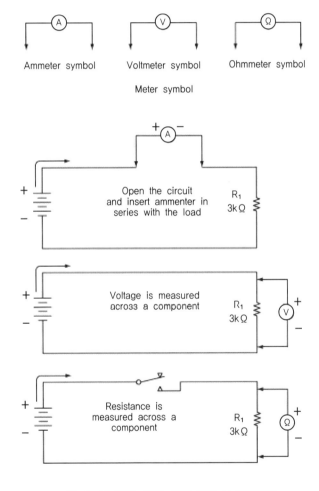

그림 5-16 전류, 전압, 저항 측정 시 연결방법

(2) 브레드보드(Bread board)

연구 단계에서 회로를 구성 할 때 주로 사용하는 것이 그림 5-17 브레드 보드이다. 브레드 보드는 구멍 뚫린 모습이 빵(Bread)이 구워지며 공기가 빠지기 위해 생긴 공기구멍과 비슷하다고 하여 붙여진 이름이다. 브레드 보드는 크게 3부분으로 나눌 수 있다. 제일 윗부분인 전원 단자는 외부의 전원을 연결하는 부분이다. 외부 전원선은 보통 브레드 보드의 단자(구멍)에 비해 크기 때문에 직접 연결하기에는 문제가 있어, 크게 만들어 놓은 것이다.

그림 5-17 브레드 보드

예를 들어서 직류 전원 공급 장치 (DC Power supply)는 어느 정도의 전기를 사용할 줄 모르기 때문에 최대한의 전류가 흐르는 것을 감안해서 연결선을 만들어 연결선이 전원선 만큼 굵게 된다. 이 직류 전원 공급 장치를 이용해서 브레드 보드에 전원을 공급한다고 하면 브레드 보드의 단자에 바로 연결하기는 어려울 것이다. 전원단자의 플라스틱 부분의 홈이 있는 부분을 잡고 시계반대 방향으로 돌리면 홈이 있는 부분이 올라가게 되고 금속으로 된 원기둥이 보인다. 원기둥 중간에 구멍이 뚫려 있는데 여기에 브레드 보드의 단자에 꼽힐 수 있는 도선을 넣고 다시 시계방향으로 돌리면 조여지게 된다. 이러면 전원 단자와 도선을 전기적으로 연결 할 수 있고, 이 도선을 브레드 보드에 연결하면 브레드 보드까지 전원을 가지고 올 수 있다. 전원의 기준은 하나이지만 전원이 꼭 하나의 +만 사용하지 않기 때문에 Va, Vb, Vc와 같이 3개가 있는 것이다. 이것은 브레드 보드의 크기에 따라 수량이 다르다. 미니 브레드 보드의 경우에는 전원 단자가 없기도 하다. 두 번째 부분은 빨간 선과 파란 선을 그 어 놓은 부분(버스단자)이다. 이 부분은 선의 방향대로 62개의 단자(제품에 따라 다름)가 전기적으로 서로 연결되어 있다. 이 부분은 같은 줄에서만 서로 연결되어 있는 것이고, 다른 줄과 연결되어 있지 않다. 연결을 할 수 있는 단자가 많기 때문에 연결 이 많은 전원의 +단자와 -단자에 많이 사용한다. 이렇게 여러 군데를 연결할 수 있 는 도선을 버스(Bus)라고 부른다. 나머지 한 부분은 그림 5-17에서 ABCDE FGHIJ 로 표시되어 있는 부분이다. 이 부분은 가로로 5개 즉, ABCDE 부분이 전기적으로 연결되어 있다. 물론 이 부분도 다른 부분과는 연결되어 있지 않다. ABCDE와 FGHIJ사이에는 홈이 있어 서로 연결되어 있지 않다. 즉, 이 부분을 이용하여 전자부 품을 연결하면 처음 부품이 하나의 단자를 사용하므로 나머지 4개의 단자를 이용하 여 다른 부품과 전기적인 연결을 만들 수 있다. ABCDE와 FGHIJ사이에 홈이 있는 이유는 DIP 소자와 같이 단자가 2열로 구성된 전자부품을 연결하기 위해서이다. 하 나의 블록에서 전기적으로 연결인지 아닌지는 같은 줄인가 같은 줄이 아닌가로 구분 할 수 있다. 같은 줄이면 연결이 된 것이고, 다른 줄이면 연결이 안 된 것이다. 예를 들어서 저항 2개를 직렬로 연결한다고 하면 ABCDE와 62개 줄을 한 개의 블록으로 보면(총 단자 수는 $62 \times 5 = 310$개 이다.), 하나의 블록에서 같은 줄이 아닌 부분에 한 개의 저항을 연결하고, 다른 저항의 2개의 단자 중에서 1개는 먼저 연결한 저항 의 단자 2개 중 하나와 같은 줄에 다른 1개는 먼저 연결한 저항이 없는 줄에 연결하 면 된다. 저항 2개를 병렬로 연결한다고 하면 하나의 블록에서 같은 줄이 아닌 부분 에 한 개의 저항을 연결하고, 다른 저항의 2개의 단자를 각각 먼저 연결한 저항과 같 은 줄에 연결하면 된다. 그림 5-18에 방금 설명한 내용으로 저항을 직렬과 병렬로 연결한 모습의 그림이다.

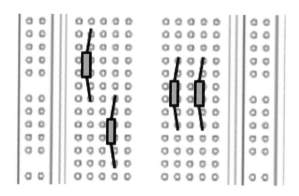

그림 5-18 브레드 보드에 저항을 직렬, 병렬로 연결한 모습

1.4 작업 안전 사항

(1) 실습 시는 항상 실습장 안전수칙을 인지하여야 한다.

(2) 측정기를 사용하기 전이나 사용한 후에는 항상 측정기의 스위치를 Off 상태로 두어야 한다.

(3) 저항에 적혀있는 숫자나 색을 잘못 읽는 일이 없도록 주의한다.

(4) 주어진 저항을 측정 할 때는 저항의 금속 부분이나 측정기의 금속 부분에 피부나 이외의 물질이 접촉하는 일이 없도록 주의한다.

(5) 저항에 전원이 연결된 상태에서 저항을 측정하는 일이 없어야 한다.

(6) 측정기에서 측정값을 읽을 때는 지시 바늘이나 숫자가 움직임이 없는 상태에서 지시 값을 읽어야 한다. 지시 바늘의 움직임은 접촉 불량 혹은 측정 중을 의미한다.

1.5 단일 저항 측정

(1) 주어진 3개의 탄소피막 저항의 색띠를 이용하여 저항 값과 허용오차를 확인하고, 서항 값과 허용오차를 이용해서 저항 값의 범위를 계산한다.

(2) 저항의 오차 범위에 멀티미터의 측정오차를 각각 ±10%와 ±20%를 설정하여 측정값의 범위를 계산한다.

(3) 멀티미터에 측정용 선(Probe)을 연결한다. 측정용 선은 빨간색과 검정색으로 구성되어 있다. 일반적으로 빨간색은 + (Positive)를, 검정색은 − (Negative)를 의미한다. 멀티미터의 +와 − 단자에 각각 빨간 측정선(Red probe)과 검정 측정선(Black probe)을 연결한다. +의 경우에는 측정하려는 값인 저항(Ohm, Ω)으로 표시 되어 있는 경우도 있고, 선을 의미하는 Line으로 표시된 경우도 있다. −의 경우는 공통으로 사용한다는 의미에서 Common의 약자인 COM으로 적혀있기도 하고, 접지의 기준이 된다고 하여 Ground나 Earth로 표기되기도 하고, 그림 5-19처럼 접지의 회로 기호로 표시되기도 한다. 일부 장비의 경우 접지와 −가 다른 위치에 있는 경우도 있다. −는 상대적인 개념이고, 접지는 절대적인 개념이기 때문에 이를 구분해 놓은 것이다.

그림 5-19 접지의 회로 기호

(4) 회전 선택 스위치를 돌려서 저항 측정 모드인 Ohm 부분 중 X1에 놓는다.

(5) 영점조절을 한다. 빨간 측정선의 금속 부분과 검정 측정선의 금속 부분 사이의 저항을 측정하는 것이기 때문에 둘 사이를 접촉(Short)시키면, 둘 사이의 저항은 0Ω이 될 것이고, 표시부의 지시 바늘은 0을 지시하게 된다. 0을 지시 하지 않는 경우는 회전 선택 스위치 옆에 위치한 0Ω ADJ 스위치를 조정하여 0에 맞춘다.

(6) 지시 바늘이 지시하는 값을 읽는다.

(7) 배율을 감안하여 측정된 저항 값을 적는다. 지시 바늘의 지시 값에 배율을 곱한 것이 저항 값이다. 저항 값을 적을 때는 보조단위를 활용한다.

(8) 지시 바늘이 움직이지 않을 경우 회전 선택 스위치를 X10에 놓고 실습순서 3)번부터 반복한다. 측정이 되지 않을 경우 배율을 순차적으로 높인다.

(9) 측정된 저항 값이 (2)에서 계산한 저항 값의 범위 안에 있는지 확인한다.

1.6 직렬로 연결된 회로의 합성 저항 측정하기

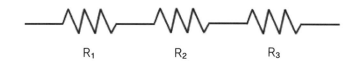

그림 5-20 저항의 직렬연결

(1) 1.5에서 측정한 각각의 저항 값을 이용하여 그림 5-20과 같이 저항이 연결되었을 때 합성저항이 얼마인지 계산한다.

(2) 그림 5-20처럼 저항을 브레드보드에 연결한다.

(3) 1.5에서 단일 저항을 측정한 방식과 동일하게 멀티미터를 이용하여 합성저항을 측정한다. 합성 저항 측정 시에는 R1의 왼쪽 끝과 R3의 오른 쪽 끝부분에 멀티미터의 빨간 측정선과 검정 측정선을 각각 접촉시킨다.

(4) (1)에서 계산된 합성저항의 값과 (3)에서 측정한 저항 값을 비교한다.

(5) 오차 범위 내에서 정확하게 측정한 것인지 확인한다.

1.7 병렬로 연결된 회로의 합성 저항 측정하기

(1) 1.5에서 측정한 각각의 저항 값을 이용하여 그림 5-21과 같이 저항이 연결되었을 때 합성저항이 얼마인지 계산한다.

(2) 그림 5-21처럼 저항을 브레드 보드에 연결한다.

(3) 멀티미터를 이용하여 합성저항을 측정한다. 합성 저항 측정 시에는 양단자의 끝에 측정선을 연결한다. 병렬연결은 2개의 단자가 모두 만난 것이므로 멀티미터 측정선의 금속 부분을 R1의 왼편에 접촉시킨 것과 R2의 왼편에 접촉시킨 것과 R3의 왼편에 접촉시킨 것은 전기적으로 동일하다.

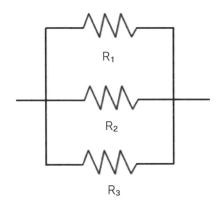

그림 5-21 저항의 병렬연결

(4) (1)에서 계산된 합성저항의 값과 (3)에서 측정한 저항 값을 비교한다.

(5) 오차 범위 내에서 정확하게 측정한 것인지 확인한다.

1.8 직병렬로 연결된 회로의 합성 저항 측정하기

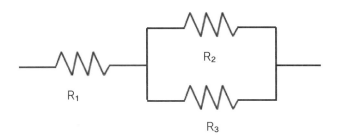

그림 5-22 저항의 직병렬연결

(1) 1.5에서 측정한 각각의 저항 값을 이용하여 그림 5-22와 같이 저항이 연결
되었을 때 합성저항이 얼마인지 계산한다. 단, 저항 값이 작은 순서대로 R1,
R2, R3로 배치한다.

(2) 그림 5-22처럼 저항을 브레드 보드에 연결한다.

(3) 멀티미터를 이용하여 합성저항을 측정한다.

(4) (1)에서 계산된 합성저항의 값과 (3)에서 측정한 저항 값을 비교한다.

(5) 오차 범위 내에서 정확하게 측정한 것인지 확인한다.

1.9 평가

순번	평가항목	A	B	C	D	비고
1	작업이해도					
2	단일 저항 저항값 계산과 측정					
3	직렬연결 시 합성저항 계산과 측정					
4	병렬연결 시 합성저항 계산과 측정					
5	직병렬연결 시 합성저항 계산과 측정					
6	작업 후 정리 정돈 상태					

2. 전압 및 전류 측정

2.1 학습목표

멀티미터를 이용하여 단일 전원의 직류 전압과 교류 전압을 측정 할 수 있다. 직류 회로에서 소자에 걸리는 직류 전압과 도선에 흐르는 직류 전류를 이론적으로 계산할 수 있고, 브레드 보드에 이 직류 회로를 구성하여 멀티미터로 직류 전압과 직류 전류를 측정 할 수 있다. 이러한 실습을 통하여 항공기의 전기배선에서 전압과 전류를 측정하여 검사 및 고장 탐구를 진행 할 수 있다.

2.2 실습재료

저항, 브레드 보드, 멀티미터, 직류전원공급장치

2.3 관련지식

2.3.1 직류측정기(DC Measuring Instruments)

전기측정기의 원리를 정확히 이해해야지만 전기측정기를 통해 항공기 전기회로의 수리, 정비, 고장탐구 할 수 있다. 전기측정기의 목적은 회로에 존재하는 전기의 양을 측정하는 것이기 때문에 기본적으로 전기측정기가 회로에 연결되었을 때 그 회로의 특성을 변화시키지 않아야 한다. 전기측정기는 자려식(Self)과 타려식(Excited)으로 구분 할 수 있다. 자려식은 측정기 내의 전원으로 작동하는 방식으로 저항계에 사용되고, 타려식은 계측기에 연결된 회로로부터 전원을 얻어 사용하는 방식으로 전압계와 전류계에 사용된다. 저항계는 측정기에서 전압을 주고 그때 흐르는 전류로 지시바늘을 움직이는 방식이다. 가장 일반적인 아날로그계측기는 전자기의 원리로 작동한다. 측정기의 기본 동작원리는 전류로 만들어내는 자기장과 영구자석의 자기장의 상

호작용이다. 전자석의 코일을 관통하는 전류가 커질수록 강한 자기장이 발생한다. 더욱 강한 전계는 코일의 더 큰 회전을 일으킨다. 프랑스의 과학자 다르송발(D'Arsonval)에 의해 처음 쓰인 기본적인 직류 측정기는 전류계, 전압계, 저항계에서 사용되는 전류 측정 장치이다. 지시바늘은 코일을 관통한 전류의 양에 비례하여 움직인다.

2.3.2 전류계(Ammeter)

측정기의 전류감도는 지시바늘이 최대치일 때의 전류의 양이다. 예를 들어서 1mA 감도를 갖고 전류계가 있다고 하면 이 장치는 전체눈금지시로 지시바늘을 이동시키는 데 1mA의 전류가 필요하다는 것이고, 지시바늘이 전체 중 반을 움직이려면 0.5mA의 전류가 필요할 것이다. 그림 5-23에서는 1mA의 전류감도와 50Ω의 내부 저항(Internal resistance)을 갖는 전류계를 나타내었다. 만약 이를 이용하여 1mA 이상의 전류를 측정하려면 측정 한계인 1mA를 초과하는 나머지의 전류는 전류계가 아닌 다른 길을 이용하여 흘러야 한다. 이는 전류가 흐를 수 있는 다른 길이 필요하다는 의미이고, 다른 길은 전류계에 저항을 병렬로 연결한 것을 의미한다. 이렇게 연결된 저항을 분류기(Shunt, 그림 5-23에서 RSH로 표시된 저항)라고 한다. 분류기의 목적은 계측기의 전류제한을 초과하는 전류를 우회(Bypass)시키기 위한 것이다. 예를 들어서 그림 5-23의 아래 회로처럼 1mA 계측기로 10mA을 측정한다고 가정하면, 분류기에는 $10mA - 1mA = 9mA$의 전류가 흘러야 하고, 나머지 1mA은 전류계로 흘러야 한다.

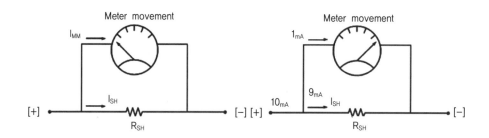

그림 5-23 기본 전류 측정기

전류계에는 내부 저항(RMM)이 있고 전류(IMM, 계기의 감도)가 흐르므로 옴의 법칙에 의해 전압이 걸릴 것이다. 마찬가지로 션트저항(RSH)에는 션트 전류(ISH)가 흐르므로 션트저항에는 전압이 걸린다. 전류계와 션트저항은 병렬 연결되어 있으므로 전압이 같다. 전류계에 걸리는 전압은 $V = IR$에 따라 내부저항과 계기의 감도의 곱으로 나타낼 수 있고, 션트 저항에 걸리는 전압은 션트 전류와 션트 저항의 곱으로 나타 낼 수 있다. 이를 수식으로 나타내면 다음과 같다.

$$I_{MM} \times R_{MM} = I_{SH} \times R_{SH}$$

여기서 션트 저항을 계산하기 위해서 수식을 변경하면 다음과 같다.

$$R_{SH} = \frac{I_{MM} \times R_{MM}}{I_{SH}} = \frac{계기의 감도 \times 내부저항}{션트전류}$$

예로 들었던 수치를 이 수식에 대입하면 다음과 같다.

$$R_{SH} = \frac{1mA \times 50\Omega}{9mA} \fallingdotseq 5.56\Omega$$

(1) 다중 범위 전류계

션트 저항을 변경할 수 있으면 다양한 전류 범위에서 측정이 가능하고, 이렇게 만든 장비가 다중 범위 계측기이다. 그러기 위해 각각의 범위는 서로 다른 션트저항을 활용해야 한다. 그림 5-24에서는 두 가지 선택범위를 가지고 있는 전류계의 개략도[+] 보여준다.

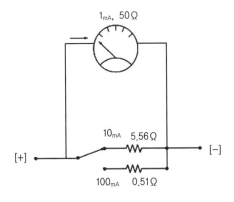

그림 5-24 두 가지의 측정 범위를 가지는 전류계

만약 100mA 범위를 측정하려면 다음 식과 같이 션트 저항을 계산 할 수 있고, 그림 5-24.과 같이 회로를 구성 할 수 있다.

$$R_{SH} = \frac{1mA \times 50\Omega}{99mA} = 0.51\Omega$$

이 회로에서 스위치를 위로 설정하면 10mA의 전류 범위까지 측정할 수 있고, 스위치를 아래로 선택하면 100mA까지 전류 측정이 가능하다. 이런 방식으로 회전 선택 스위치를 이용하여 여러 가지의 회로 중 한 개의 회로에 연결 할 수 있게 제작하면 여러 범위의 전류를 측정 할 수 있다.

(2) 전류계 사용 시 주의사항

1) 전류를 측정하기 위해 전류계를 회로에 연결할 때는 항상 직렬로 연결한다.
2) 절대로 배터리나 발전기와 같은 전압 공급원에 직접 전류계를 연결하지 않는다. $V = IR$이므로 아무리 낮은 전압이라도 저항이 충분히 낮다면 큰 전류가 흐를 수 있고, 전류계의 감도(측정한계)이상으로 전류가 흐를 경우 전류계는 손상 될 수 있다.
3) 전류를 측정할 때는 전류의 값을 예상하고 이보다 큰 범위의 전류계를 사용해야 한다. 전류의 값을 예상하기 어려운 경우는 충분히 큰 범위의 전류계를 사용해야 안전하게 사용할 수 있다.
4) 회로에 전류계 연결 시에는 극성을 주의하여야 한다. 반대로 연결 시 전류가 반대로 흘러 지시 바늘이 반대로 움직이고, 이는 지시바늘 휨의 원인이 된다.

2.3.3 전압계(Voltmeter)

(1) 전압계 측정원리

전압계도 전류계와 같은 원리로 작동 시킬 수 있다. $V = IR$이므로 측정하려는 전압과 내부저항에 의해 전류가 흐르고 이를 이용해서 지시바늘을 움직일 수 있다. 다만 전체 전류가 전압계를 직접 통과해야 하므로 내부 저항은 전류계보다 훨씬 큰 값이 되어야 한다. 전압계도 전류계와 마찬가지로 저항을 이용하여 측정 범위를 나누어 줄 수 있다. 다만 전류를 나눠주기 위해서 전류계에 션트저항을 병렬로 연결하였지만, 전압을 나눠주기 위해서는 저항을 전압계와 직렬로 연결해야 한다. 이는 저항의 직렬연결과 병렬연결 시 전압과 전류의 분배가 되는 원리를 생각하면 당연한 결과이다. 이 저항을 배율기저항이라고 부르고, 그림 5-25에는 RM으로 표시되어 있다.

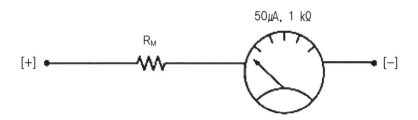

그림 5-25 기본적인 전압계

옴의 법칙에 의해 배율기 저항이 없는 상태에서 이 전압계의 최대 표시 가능한 전압의 범위는 $50\mu A \times 1K\Omega = 50mV$이다. 만약 이 전압계를 이용해서 1V의 전압을 측정하려고 하려면 RM에 $1000mV - 50mV = 950mV$의 전압이 걸려야 하고, 직렬연결에서 전압의 분배는 저항에 비례하므로 $50mV : 950mV = 1K\Omega : 19K\Omega$가 되어 배율기의 저항은 19kΩ이 되어야 한다.

(2) 다중 범위 전압계

전류계에서와 마찬가지로 배율기의 저항을 변경하면 더욱 많은 범위의 전압을 측정 할 수 있다. 측정기의 최대 허용 가능 전류는 무조건 50μA이므로, 측정범위를 높이기 위해서는 저항을 변경해야 한다. 그림 5-26과 같이 10V 범위까지 측정하려고 하면 전체 저항 $R_T = 20K\Omega / V \times 10V = 200K\Omega$이다. 여기서 저항은 직렬로 연결되므로 1V 범위에 대한 전체저항인 $R_{M1} + R_{MM} = 19k\Omega + 1k\Omega = 20k\Omega$을 제외하면 RM2는 180kΩ이 될 것이다. 이렇게 회로를 구성하면 스위치에 따라 최대 1V 범위와 10V의 범위에서 측정 가능한 전압계를 만들 수 있다.

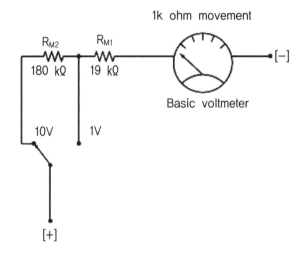

그림 5-26 두 가지의 측정 범위를 가지는 전압계

(3) 전압계 사용 시 주의사항

1) 전압을 측정하기 위해 전압계를 회로에 연결할 때는 항상 병렬로 연결한다.
2) 전압을 측정할 때는 전압의 값을 예상하고 이보다 큰 범위의 전압계를 사용해야 한다. 전압의 값을 예상하기 어려운 경우는 충분히 큰 범위의 전압계를 사용해야 안전하게 사용할 수 있다.
3) 회로에 전압계 연결 시에는 극성을 주의하여야 한다. 반대로 연결 시 지시 바늘이 반대로 움직이고, 이는 지시바늘 휨의 원인이 된다.
4) 전압계는 병렬로 연결되므로 션트작용을 방지하기 위해 내부저항이 크다.

2.4 작업 안전 사항

(1) 실습 시는 항상 실습장 안전수칙을 인지하여야 한다.
(2) 전압, 전류 측정 시에는 전압, 전류 값을 예상하여 그 이상까지 측정 가능한 측정 범위에서 측정해야 하지만, 그렇지 못 할 경우에는 측정 가능한 최대

범위부터 측정해야 한다.

(3) 전압, 전류 측정 시 측정 방법과 측정 방향에 주의한다.

(4) 전압, 전류를 측정 할 때는 측정 부분의 금속단자나 측정기의 금속단자에 피부나 이외의 물질이 접촉하는 일이 없도록 주의한다.

(5) 측정기를 사용하기 전이나 사용한 후에는 항상 측정기의 스위치를 Off 상태로 두어야 한다.

2.5 직류 전원 공급 장치의 전압 측정하기

(1) 멀티미터와 직류 전원 공급 장치를 준비한다.

(2) 멀티미터의 회전 선택 스위치를 DCV 중 측정 가능한 최대 범위로 설정한다.

(3) 조원 중 한 명이 직류 전원 공급 장치의 전원을 켠 상태에서 Voltage 스위치를 조절하여 전압을 임의로 설정한다. 직류 전원 공급 장치에 표시되는 전압 값을 측정자에게는 보여주지 않는다.

(4) 멀티미터를 직류 전원 공급 장치에 연결하여 전압을 측정한다. 직류 전원 공급 장치의 (+)는 멀티미터의 (+)에 연결하고, (−)는 멀티미터의 (−)에 연결한다. 장착 시에는 + 단자를 먼저 연결하고, 탈착 시에는 −단자를 먼저 제거한다.

(5) 측정 범위 내에서 전압 값을 지시 바늘이 표시 하지 못한 경우(바늘이 0에서 움직이지 않는 경우)에는 전압 측정 범위를 순서대로 한 단계씩 낮춘다. 단, 이 경우 직류 전원 공급 장치와 멀티미터가 연결된 선은 반드시 분리하여야 한다. 선택을 변경할 때는 안전을 위해 멀티미터가 전기적으로 연결되어 있으면 안 된다.

(6) 2가지의 범위에서 모두 측정이 된다면 좀 더 낮은 범위를 선택한다. 이는 측정 범위가 줄어들수록 오차가 줄어들기 때문이다. 단, 최대 측정값을 넘어가지 않는 경우에만 측정 범위를 조절 할 수 있다.

2.6 직렬연결 회로의 전압 전류 측정하기

(1) 주어진 저항을 각각 측정하여 가장 작은 저항부터 R1, R2, R3로 배치한다.

(2) 브레드 보드에 그림 5-27.과 같이 회로를 구성한다.

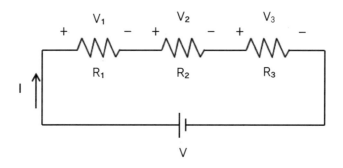

그림 5-27 직렬연결 회로

(3) 직류 전원 공급 장치를 이용하여 5V의 전원을 인가한 상태에서 멀티미터의 DCV를 이용하여 V1, V2, V3의 전압을 측정한다.

(4) 멀티미터의 DCmA를 이용하여 전체 전류 I를 측정한다.

2.7 병렬연결 회로의 전압 전류 측정하기

(1) 주어진 저항을 각각 측정하여 가장 작은 저항부터 R1, R2, R3로 배치한다.

(2) 브레드 보드에 그림 5-28과 같이 회로를 구성한다.

(3) 직류 전원 공급 장치를 이용하여 5V의 전원을 인가한 상태에서 멀티미터의 직류 전압 측정 모드(DCV)를 이용하여 전체 전압 V를 측정한다. 병렬연결은 전압이 고정되고 전류가 저항에 반비례하여 분배되므로 전체 전압은 전원 전압인 5V와 같게 된다.

(4) 멀티미터의 직류 전류 측정 모드 (DCmA)를 이용하여 I1, I2, I3와 전체 전류 I를 측정한다.

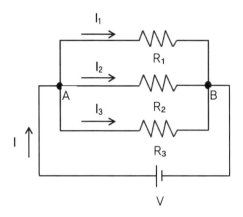

그림 5-28 병렬연결 회로

2.8 직병렬 연결회로의 전압 전류 측정하기

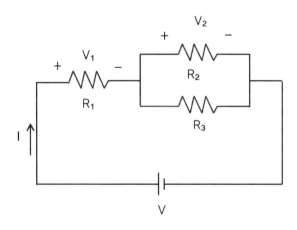

그림 5-29 직병렬연결 회로

(1) 주어진 저항을 각각 측정하여 가장 작은 저항부터 R1, R2, R3로 배치한다.

(2) 5V의 전원을 인가한 상태라고 가정하고, 직렬 부분에 걸리는 전압(V1), 병렬 부분에 걸리는 전압(V2), 전체 흐르는 전류를 이론적으로 계산한다.

(3) 브레드 보드에 그림 5-29와 같이 회로를 구성한다.

(4) 직류 전원 공급 장치를 이용하여 5V의 전원을 인가한 상태에서 멀티미터의 직류 전압 측정 모드(DCV)를 이용하여 V1, V2의 전압을 측정한다.

(5) 멀티미터의 직류 전류 측정 모드 (DCmA)를 이용하여 전체 전류 I를 측정한다.

2.9 평가

순번	평가항목	A	B	C	D	비고
1	작업이해도					
2	단일전압 측정					
3	직렬회로의 전압 전류 측정					
4	병렬회로의 전압 전류 측정					
5	직병렬회로의 전압 전류 측정					
6	작업 후 정리 정돈 상태					

제6장 회 로

1. 직류 회로 실습

2. 논리 회로 실습

1. 직류 회로 실습

1.1 학습목표

몇 개의 간단한 직류회로를 이용하여 전기의 흐름 및 동작 방식에 대해 이해하고, 직접 브레드 보드에 구성하여 동작시킬 수 있도록 실습한다. 이를 통하여 항공기에 사용된 복잡한 회로의 동작 방식을 유추하고, 고장탐구를 진행 할 수 있을 것이다.

1.2 실습재료

저항, 램프, 스위치, 멀티미터, 직류 전원 공급 장치, 브레드 보드, 부저, 릴레이,

1.3 관련지식

1.3.1 기본적인 회로분석과 고장탐구

고장탐구는 회로에서 문제점의 징후를 인지하기, 있음직한 원인을 확인하기, 고장이 발생한 구성요소 또는 도체의 위치를 정하기의 체계적인 과정이다. 고장탐구를 위해 정비사는 회로가 어떻게 작동되고 시험용 장비를 어떻게 적절하게 사용하는지를 이해해야 한다. 계통은 고장 날 수 있는 여러 가지의 사항이 있다. 정비사가 이 모든 가능성을 전부 해결하기는 어렵겠지만, 항공기에서 발생하는 다수의 보통의 결함을 해결 할 수는 있다. 전기전자제품의 일반적인 고장의 원인은 단선, 단락, 낮은 전압이다. 단선(Open)은 연결될 선이 끊어진 것을 의미한다. 간단하게 PC나 TV에 전원선이 연결되지 않으면 켜지지 않을 것이다. 이렇게 선이 연결 안 된 것을 단선이라고한다. 단락(Short)은 만나지 말아야 하는 선이 서로 만난 것으로 저항이 낮아지게 되어 전류를 크게 만드는 역할을 한다. 전기 합선과 같은 의미이다. 저항계는 구성요소의 저항을 측정하는 네 사용될 뿐만 아니라 회로의 한쪽 부분에서 다른 쪽 부분으로

접속의 무결함을 간단히 점검하기 위해 사용된다. 만약 전기적으로 연결되어 있으면 저항계는 0Ω을 나타내고, 전기적으로 연결되어 있지 않으면 저항계는 무한대를 나타낼 것이다.

(1) 정전용량 측정법(Capacitance measurement)

그림 6-1에서는 저항계로서 캐패시터의 기본적인 시험을 보여준다. 캐패시터의 불량 원인은 단락과 단선, 정전용량 변화로 나타난다. 고주파 회로가 아닌 상태에서 캐패시터 값의 변화는 회로에 큰 영향을 미치지 않는다. 캐패시터를 회로에서 분리한 상태에서 캐패시터의 양 단자에 저항을 연결하여 캐패시터를 방전시킨다. 그 다음 캐패시터를 저항계에 연결하면 저항계에서 전압이 공급되어 충전이 되고 이때는 전류가 흐르므로 지시바늘은 0Ω에 가깝게 지시 할 것이다. (그림 6-1의 위 그림) 캐패시터의 충전이 끝나면 더 이상 전류가 흐르지 않으므로 저항계의 지시바늘은 무한대를 지시할 것이다. 이 시간은 캐패시터의 용량에 비례한다. 캐패시터가 단락이나 단선되었다면 이런 변화가 없을 것이다. 디지털 멀티미터를 이용하면 캐패시터 측정모드를 이용하여 캐패시터의 용량을 바로 측정할 수 있다.

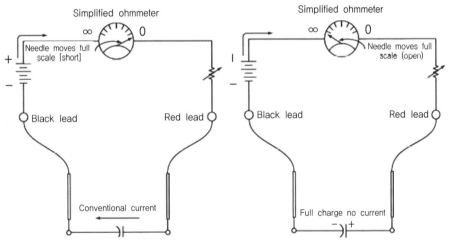

그림 6-1 캐패시터 동작 시험

(2) 유도용량 측정법(Inductance Measurement)

전자석과 같이 코일이 감겨져 있는 전자 부품인 인덕터(Inductor)에서도 단선과 단락이 일어 날 수 있다. 단선이 발생하면 전류가 전혀 흐르지 못하므로 인덕터로서의 기능을 상실 할 것이다. 단락이 일어난 경우는 전체 단락과 부분 단락으로 구분 할 수 있는데, 전체 단락이라면 저항 값이 0Ω이 나와 구분하기 쉽지만, 부분 단락이 일어났다면 정상적인 인덕터에 비해 다소 작은 저항 값이 나올 것이다. 저항은 길이에 비례하는데, 부분 단락이 일어나면 코일 감은 부분에서 단락이 일어난 것이라서 코일의 전체 길이가 짧아진 것처럼 나타나므로 인덕터의 저항 값은 정상적인 상태에 비해 감소하게 된다.

(3) 직렬회로에서 단선시험

결함의 가장 공통모드 중 한 가지는 단선이다. 저항과 같이 전력을 소비하는 구성요소는 전력소요량으로 인하여 과열될 수 있다. 또 다른 문제점은 전선에 방치한 냉납땜 이음(Cold solder joint) 균열이 릴레이 또는 커넥터로부터 분리되었을 때 일어날 수 있다. 이 유형의 손상은 많은 경우에 결함이 일어날 징조는 없기 때문에 정비사가 검사를 해도 문제점을 알아채지 못한다. 첫 번째 예는 그림 6-2 (A)이다. 이 회로는 전류가 저항과 램프를 통해서 흐르기 때문에 스위치를 닫은 상태에서 램프가 켜진다. 그러나 그림에서와 같이 저항에 균열(Break)가 발생하여 전류가 흐르지 않아 램프가 켜지지 않을 것이다. 이 경우는 그림 6-2 (B)와 (C)처럼 스위치가 닫혀 진 상태에서 전압계로 전압을 측정하면 램프는 0V, 저항에는 전원전압보다 낮은 전압(전압계에 의해 회로가 연결되고, 램프에 일정 전압이 걸리므로)이 나올 것이다. 그러면 그 부분에서 불량이 발생한 것이다.

그림 6-3과 같이 저항계를 이용해서도 고장 탐구를 할 수 있다. 램프는 정상적으로 연결되었으므로 저항 값이 존재 할 것이고, 저항은 단선되었으므로 저항이 무한대로 나올 것이다. 두 부분 모두 측정 시에는 램프 자체의 저항과 저항 자체의 저항이 아닌 회로에 연결된 부분의 저항 값을 측정해야 한다.

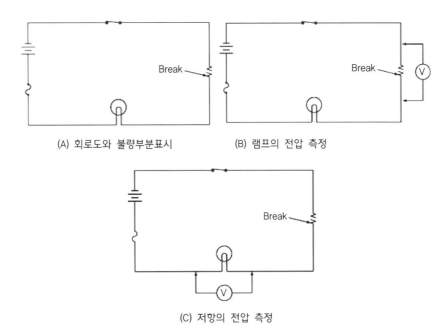

(A) 회로도와 불량부분표시 (B) 램프의 전압 측정

(C) 저항의 전압 측정

그림 6-2 직렬회로에서 전압계를 이용한 고장탐구

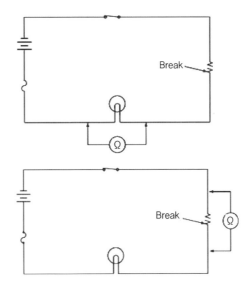

그림 6-3 직렬회로에서 저항계를 이용한 단선시험

(4) 직렬회로에서 단락시험

그림 6-4와 그림 6-5는 각각 전압계와 저항계를 이용하여 직렬회로에서 단락 시험을 하는 모습을 보여준다.

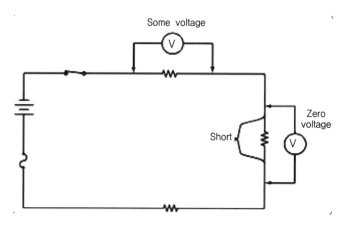

그림 6-4 직렬회로에서 전압계를 이용한 단락시험

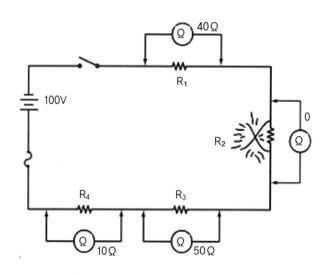

그림 6-5 직렬회로에서 저항계를 이용한 단락시험

직렬회로는 전압이 분배되고, 전류가 고정이고, 병렬회로는 전압이 고정되고 전류가 분배되는 특징을 알고 있으면 직렬회로에서 전압계와 저항계를 이용하여 단선, 단락 시험을 한 것과 같은 원리로 병렬회로의 단선, 단락 시험을 할 수 있다.

1.4 작업 안전 사항

(1) 실습 시는 항상 실습장 안전수칙을 인지하여야 한다.

(2) 멀티미터의 측정부 금속단자에 피부나 이외의 물질이 접촉하는 일이 없도록 주의한다.

(3) 측정기를 사용하기 전이나 사용한 후에는 항상 측정기의 스위치를 Off 상태로 두어야 한다.

(4) 허용된 전압이나 전류를 넘게 전압이나 전류를 인가하여서는 안된다.

1.5 직렬회로

(1) 멀티미터, 저항, 램프, 스위치, 직류 전원 공급 장치, 브레드 보드를 준비한다.

(2) 브레드 보드에 그림 6-6과 같이 회로를 구성한다.

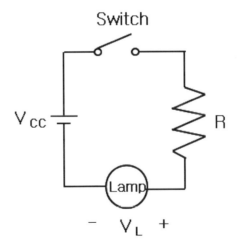

그림 6-6 직렬 회로

(3) 전원(VCC)을 12V 인가하고, 스위치 On상태와 Off상태에서 램프에 걸리는 전압(V_L)을 측정한다.

(4) 전원(VCC)을 12V 인가하고, 스위치 On상태와 Off상태에서 회로에 흐르는

전체 전류를 측정한다.

(5) 스위치 On, Off 상태에서 램프의 변화를 관찰하고, (3)에서 측정한 전압이나
(4)에서 측정한 전류를 기준으로 램프의 저항 값을 이론적으로 계산한다.

(6) 램프를 회로에서 분리하여 멀티미터로 저항 값을 측정한다.

1.6. 부저회로

1) 스위치, 부저, 릴레이, 직류 전원 공급 장치, 브레드 보드를 준비한다.

2) 그림 6-7과 같이 회로를 구성한다.

3) 스위치 On, Off 상태에서 결과 값이 예상과 같은지 확인한다.

　전류는 +24V의 단자에서 시작하여 갈림길을 만난다. 하나는 부저로 향하고
하나는 릴레이의 코일단자로 들어간다. 코일을 거쳐서 아래의 분기점을 지나 스
위치까지 이르게 된다. 스위치가 On되면 릴레이는 동작한다. 릴레이가 동작하면
NO단자와 COM단자도 전기적으로 연결되게 되고, 이로서 부저에 24V의 전압이
걸려서 부저는 울리게 된다.

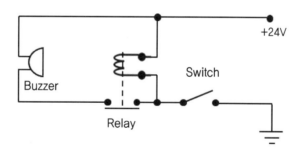

그림 6-7 부저 회로

1.7 릴레이 회로

(1) 스위치 2개, 램프, 릴레이, 직류 전원 공급 장치, 브레드 보드를 준비한다.

(2) 그림 6-8과 같이 회로를 구성한다.

24V의 전압이 분기점에서 나눠지게 된다. Switch 1번이 Open상태에서는 릴레이의 코일이 동작하지 않아서 릴레이의 NO단자와 COM단자는 전기적으로 연결이 되지 않는다. 스위치 1번이 Close 되면 릴레이의 NO단자와 COM단자는 연결되고, 전류가 램프를 거쳐 Switch 2번까지 오게 된다. Switch 2번이 Close되면 전류가 흐르므로 램프는 켜지게 된다.

(3) 스위치 2개 모두 켰을 때만 램프가 켜지면 정상 동작이다.

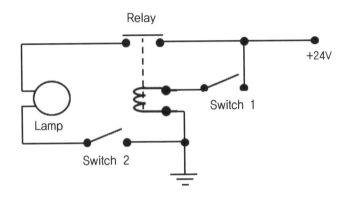

그림 6-8 릴레이 회로

1.8 평가

순번	평가항목	A	B	C	D	비고
1	작업이해도					
2	직렬회로 전압, 전류 측정					
3	부저 회로 동작					
4	릴레이 회로 동작					
5	작업 후 정리 정돈 상태					

2. 논리 회로 실습

2.1 학습목표

디지털의 기본 개념을 이해하고, 디지털 신호의 연산을 위한 논리회로의 동작 특성을 이해한 다음 아날로그 전자소자를 이용하여 디지털 회로를 구성하여 신호의 흐름을 이해할 수 있다. 이 실습을 통하여 항공기에 사용되는 디지털 회로의 동작을 이해할 수 있고, 이를 응용해 고장탐구에 활용 할 수 있다.

2.2 실습재료

브레드보드, 직류전원공급장치, 저항, LED, 스위치, 다이오드, 트랜지스터

2.3 관련지식

2.3.1 아날로그와 디지털

정보를 전기적인 신호로 전달하려고 하면 전압이나 전류 혹은 전파(Radio wave)로 전달해야 한다. 예를 들어서 2V란 전압을 신호로 전달하자고 하자. 간단하게 정리하면 아날로그(Analog)는 2V의 전압으로 신호를 전달하는 방식이고, 디지털(Digital)은 2V를 숫자로 변경하여 전달하는 방식이다. 전기가 전달되려면 도선이 있어야 하고, 전류의 형태로 전압은 전달이 될 것이다. 이론적으로 도선은 0Ω의 저항을 가져야 하지만, 실제 사용하는 도선의 저항은 0Ω이 아니다. 저항이 있는 도선에 전류가 흐르면 옴의 법칙에 의해 전압이 발생한다. 즉, 보내는 쪽에서는 2V의 전압을 보내지만 받는 쪽에서는 흐르는 전류와 도선의 저항의 곱인 전압만큼의 차이가 발생하여 2V의 전압으로 받을 수가 없다. 실제 사용하는 도선의 저항이 충분히 작더라도 도선의 길이가 충분히 길다고 한다면 전압의 차이는 무시하기 힘든 정도가 된다. 앞의 예에서

2V의 전압을 보내는 것이 키보드라고 가정한다면, 키보드에서 PC의 본체로 2V의 전압을 보내지만 전기적인 신호를 받는 PC의 본체에서는 도선의 저항에 의해 1.9V의 전압을 받을 수 있다. 다시 말하면 키보드에서는 L을 타이핑하지만 본체에서는 K로 받아들일 수도 있다는 의미이다. 또한 전기적인 신호는 외부에서 올 수도 있다. 우리는 선이 연결되지 않은 스마트폰으로 전화도 하고 데이터 통신도 한다. 이 의미는 우리 눈에는 보이지 않지만 여러 전파가 공중에 떠돌아다닌다는 의미이고, 이 신호들이 우리가 보내는 신호에 잡음(Noise)로 작용할 수 있다. 따라서 아날로그 신호는 정보의 정확한 값을 인식하기에는 무리가 있다. 그래서 개발된 신호 전달 방식이 디지털이다. 디지털은 신호를 숫자로 변경하여 보내는 방식이다. 디지털은 보내는 신호를 여러 단계로 나누면 오류가 발생할 수 있으므로, 높은 전압(High Voltage, H로 표시)과 낮은 전압(Low voltage, L로 표시) 2단계로만 표시 했다. 만약 신호의 기준을 5V로 하면 5V이면 H, 0V이면 L인 것이다. 전압이 전달되다가 잡음에 의해 변경 될 수도 있으므로 받아들이는 쪽(수신부)에서는 2.5V를 기준으로 높으면 H, 낮으면 L로 하려다가 2.51V과 2.49V의 차이가 너무 미비하여 정확히 구분할 수 없으므로, 아예 3V보다 높으면 H, 2V보다 낮으면 L, 그 사이이면 "신호가 아니고 잡음이다." 라고 구분하였다. 숫자 표시 방법 중에서 2가지로만 표시되는 방법으로 0과 1로만 표시되는 2진법이 있다. H를 1로, L을 0으로 표시할 수 있다. 2진법의 한 자리 숫자로 표시되는 것을 비트(Bit)라고 하고, 하나의 의미를 가지는 비트의 조합을 바이트(Byte)라고 한다. 1 비트만으로 5V의 신호를 표현하면 1은 5V를 0은 0V를 의미한다. 2V나 3V는 구분하지 못한다. 이는 흡사 일상생활에서 O, X로만 대화를 하는 것과 마찬가지이다. 따라서 신호를 보내기 위해서는 여러 개의 비트로 신호를 표현해야 한다. 한 바이트가 10비트라고 하면, 1비트가 2가지로 표현되므로 2^{10}=1024, 즉 1024개로 나누어 신호를 보낼 수 있다. 5V/1024=0.0049V이므로 이 신호는 0.0049V차이 이하는 구분 할 수 없다. 이를 분해능이라고 한다. 하나의 정보를 보내는 바이트에 속한 비트의 개수가 많을수록 정밀한 표현이 가능해진다. 물론 정밀할수록 시간과 전력의 소비는 증가 할 것이다. 디지털 신호도 전달되는 사이 오류가 발생할 수 있다. 보낼 때는 1이지만 받을 때는 0이 될 수도 있다. 이런 오류를 예방하기 위해 사용되는 것이 패리티비트(Parity bit)이다. 8개의 비트가 하나의 바이트라면 맨 마지막 비

트는 정보 전달의 목적이 아닌 오류 확인용 비트로 사용하는 것이다. 즉, 27=128가지만 신호로 사용하고, 나머지 하나는 신호의 1의 개수가 짝수 혹은 홀수인지 확인한 다음에 미리 지정한 법칙 (신호는 무조건 짝수이다. 혹은 신호는 무조건 홀수이다)에 맞게 패리티 비티를 결정해 주어 신호와 같이 보내는 방식이다. PC가 일반화될 당시에는 8비트를 사용하였었고, 그 당시의 키보드가 기본이 되었기 때문에 일상생활에서 흔히 볼 수 있는 키보드의 기본이 128자판 키보드가 된 것이다.

2.3.2 논리회로(Logic Circuits)

1과 0을 참(True)과 거짓(False)으로도 표현하기도 한다. 논리(logic)란 알려진 정보를 바탕으로 합리적인 결론을 도출하는 추론의 과학이라 할 수 있다. 인간의 추론은 어떤 조건이나 전제가 명확하다면 특정 명제(Proposition)가 참이라고 말한다. 한가지 예로 조종실의 Master warning panel의 "LOW HYDRAULIC PRESS"라는 글자를 보이게 하는 램프가 켜지는 것을 명제라고 하자. 램프를 켜지기 위해서는 유압내부 압력이 낮은 상태가 되어야 하고 이러한 상황이 정확해지면 램프가 켜지게 되는 것이다. 이때 유압 내부 압력이 낮은 상태는 논리가 되고 램프가 켜지는 것이 명제가 된다. 그리고 논리가 명확해지면 명제는 참이 된다. 몇 개의 명제는 결합되었을 때 논리함수를 형성한다. 위의 예에서 "LOW HYDRAULIC PRESS" 램프는 램프가 정상이고(AND), Hydraulic pressure가 낮은 경우 또는 램프가 정상이고(AND), 램프테스트 중일 때 켜질 것이다. 정비사는 업무 중 논리함수의 형태로 표현되는 여러 가지 결함 상황에 직면할 수 있으며 그런 여러 가지 결함 상황은 논리적인 정돈을 통해 Yes/No 또는 True/False라는 간단하고 정리할 수 있다.

디지털 논리회로(Digital logic circuit)는 최신 항공기의 모든 장비에 장착되어 매우 안정적으로 목적에 맞게 운영되고 있으며 항법과 통신 같은 시스템에서도 사용되고, 항공기에 장착되는 수많은 컴퓨터 내에서 여러 가지 역할을 수행한다. 논리부호를 사용하는 정비교범이나 시스템 회로도를 이해하는데 도움을 주고자 기본이 되는 몇 가지의 논리회로를 소개하려고 한다.

(1) 펄스의 구조(Pulse structure)

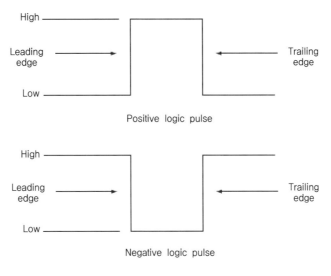

그림 6-9 이상적인 디지털 신호

　그림 6-9에서는 이상적인 형태의 양(Positive)의 펄스파형과 음(Negative)의 펄스 파형을 보여주고 있다. 양의 논리펄스와 음의 논리 펄스는 두 종류의 엣지(Edge)로 구성되는데 하나는 상승 엣지(Leading edge)이고 다른 하나는 하강 엣지(Trailing edge)이다. 양의 논리펄스인 경우 low에서 high로 변하는 구간이 상승 엣지이고 반대가 하강 엣지가 된다. 음의 논리펄스인 경우는 H에서 L로 변하는 구간이 상승 엣지가 되고 반대는 하강 엣지가 된다. 그림 6-9의 펄스파형은 전압 값이 H에서 L로 혹은 L에서 H로 변화할 때의 상승시간이나 하강시간이 0(zero)이기 때문에 이상적인 펄스로 간주된다. 히지만 실제회로에서는 비록 극히 짧은 시간이라 할지라도 상승시간과 하강시간이 존재한다. 그림 6-10에서는 실제회로의 펄스파형을 나타내고 있다. L에서 H로 바뀌는 데 필요한 시간을 상승시간(Rising time)이라 하며 그 반대를 하강시간(Fall time)이라 한다. 일반적으로 상승시간과 하강시간은 H값의 10~90% 사이를 변화하는 데 소용되는 시간을 뜻한다. 펄스폭(Pulse width)은 상승 엣지의 50% 지점과 하강 엣지의 50% 되는 지점간의 지속시간을 뜻한다.

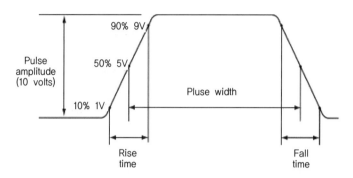

그림 6-10 실제 디지털 신호

(2) 기본논리회로

1) NOT Gate

인버터회로(Inverter circuit)로 불리는 NOT 게이트는 반전(Inversion)기능을 수행하는 기본적인 논리함수회로이다. NOT 게이트의 목적은 하나의 논리상태(Logic state)를 반대상태(Opposite state)로 전환하는 것이다. 표 6-1에서는 NOT 게이트에서 일어날 수 있는 논리 상태를 나타내며, 그림과 같은 표를 논리표(Logic table) 또는 진리표(Truth table)라고 부른다. 그림 6-11은 NOT 게이트의 심벌을 나타내고 있다. NOT 게이트는 논리식은 $\overline{A}=S$이다. A의 윗줄은 바(Bar)라고 읽고, 반대 되는 값을 의미한다.

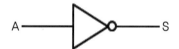

그림 6-11 NOT Gate의 회로 기호

표 6-1 NOT Gate의 진리표

입력 (A)	출력 (S)
0 (L)	1 (H)
1 (H)	0 (L)

2) AND Gate

AND 게이트는 2개 이상의 입력과 단 하나의 출력으로 구성된다. 그림 6-12는 AND 게이트의 회로 기호이고, 표 6-2는 진리표이다. 각각의 그림에서 왼쪽은 입력, 오른쪽은 출력을 나타낸다. AND 게이트의 작동은 모든 입력이 1일 때만 출력이 1이 된다. 만약 어떤 입력 중 하나라도 0이면 출력은 0이다. 그런 까닭에 AND 게이트의 기본적인 목적은 어떤 조건이 동시에 동일상태가 되었는지를 판단하는 것이다. 그림 6-13에서는 2개의 스위치와 1개의 백열전구로 표현된 간단한 AND 게이트를 보여주고 있다. 양쪽 스위치가 모두 접속되어야만 백열전구가 켜지고 그 이외의 상황에서는 백열전구가 켜지지 않을 것이다. 그림 6-14는 AND 게이트를 이용한 자동 조정(Autopilot)의 작동조건을 보여주고 있다. 그림에서와 같이 자동 조정은 수직자이로(Vertical gyro), 방향자이로(Directional gyro), 자동 조정 제어 스위치(Autopilot control knob), 서보(Servo)의 상태가 모두 원하는 조건을 만족시킬 때 작동될 수 있다. 이러한 이유로 AND 게이트를 논리곱이라고 표현하고, 논리식은 $A \times B = S$이다.

그림 6-12 AND Gate의 회로 기호

표 6-2 AND Gate의 진리표

A	B	S
0	0	0
0	1	0
1	0	0
1	1	1

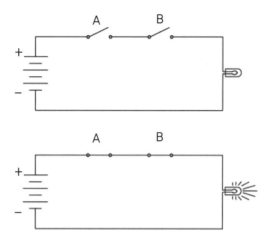

그림 6-13 직렬 스위치 회로로 설명되는 AND Gate

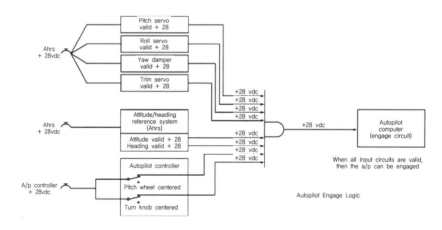

그림 6-14 자동 조정의 작동 조건

3) OR Gate

OR 게이트는 2개 이상의 입력과 하나의 출력을 갖는 회로로서 그림 6-15에서와 같은 회로기호와 표 6-3과 같은 진리표로 표현될 수 있다. 진리표에서와 같이 입력 중 어느 하나가 1일 경우 출력은 1이 된다. 출력이 0이 되기 위해서는 입력이 모두 0이 되어야 한다. 그림 6-16은 OR 게이트의 간단한 회로를 보여 준다. 항공기에서 예를 들면, Cabin Door와 Baggage Door가 모두 Close될 때는 "Door Unsafe" 램프가 꺼지지만 두 개의 Door 중 하나라도 Close가 아닐 때는

"Door Unsafe" 램프가 켜지는 것이다. 논리식은 $A+B=S$로 표현된다. 1은 높은 전압이므로, 1+1이 2가 되지는 않는다. 여전히 높은 전압인 1이다.

그림 6-15 OR Gate의 회로 기호

표 6-3 OR Gate의 진리표

A	B	S
0	0	0
0	1	0
1	0	0
1	1	1

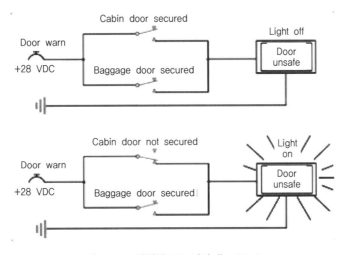

그림 6-16 병렬회로로 설명되는 OR Gate

4) NAND Gate와 NOR Gate

NAND 게이트는 AND 게이트 뒤에 NOT 게이트를 붙인 것이고, NOR 게이트는

OR 게이트 뒤에 NOT 게이트를 붙인 것이다. 따라서 AND 게이트의 출력과 OR 게이트의 출력을 반전하면 된다. 회로 기호는 그림 6-17과 같고, 논리식은 표 6-4.과 같다. NAND 게이트의 논리식은 $\overline{A \times B} = S$ 이고, NOR 게이트의 논리식은 $\overline{A+B} = S$ 이다. 논리식 계산 시 $\overline{A \times B} = \overline{A} + \overline{B}$ 로, $\overline{A+B} = \overline{A} \times \overline{B}$ 로 변경할 수 있다.

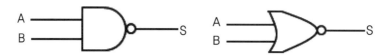

그림 6-17 NAND Gate와 NOR Gate 회로기호

표 **6-4** NAND와 NOR Gate의 진리표

NAND Gate			NOR Gate		
A	B	S	A	B	S
0	0	0	0	0	1
0	1	0	0	1	0
1	0	0	1	0	0
1	1	1	1	1	0

5) XOR Gate와 XNOR Gate

XOR(Exclusive OR) 게이트는 두 개의 입력이 서로 다를 때만 출력이 1이 되는 논리회로이고, XNOR (Exclusive NOR) 게이트는 두 개의 입력이 같을 때만 출력이 1이 되는 논리회로이다. 회로 기호는 그림 6-18.이고, 논리식은 표 6-5와 같다.

그림 6-18 XOR Gate와 XNOR Gate 회로기호

표 6-5 XOR와 XNOR Gate의 진리표

XOR Gate			XNOR Gate		
A	B	S	A	B	S
0	0	0	0	0	1
0	1	1	0	1	0
1	0	1	1	0	0
1	1	0	1	1	1

2.4 작업 안전 사항

(1) 실습 시는 항상 실습장 안전수칙을 인지하여야 한다.

(2) 측정기를 사용하기 전이나 사용한 후에는 항상 측정기의 스위치를 Off 상태로 두어야 한다.

(3) 허용된 전압이나 전류를 넘게 전압이나 전류를 인가하여서는 안된다.

(4) 전자부품의 크기나 방향에 주의한다. 저항의 경우 저항 값이 다르므로 저항을 구분하여 사용하여야 하고, 다이오드, LED, 트랜지스터는 방향을 가지는 소자이므로 방향을 주의하여 연결하여야 한다.

2.5 OR Gate 제작

(1) 브레드 보드에 그림 6-19와 같이 회로를 구성한다. 브레드 보드에 회로를 구성할 때는 단자가 많은 전자부품을 먼저 배치시킨 다음에 회로의 연결을 기준으로 도선을 따라가면서 한 부분씩 구성하는 것이 좋다. 전기적인 연결 여부를 확인하기 위해서 회로도에 연결 여부 및 전자부품 배치 여부를 표시하는 것도 좋은 방법이다.

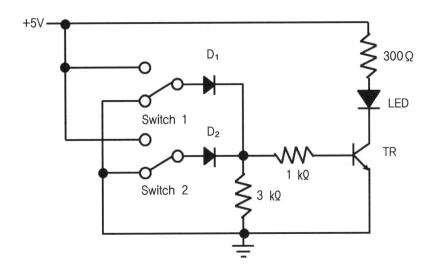

그림 6-19 OR Gate

(2) 직류 전원 공급 장치로 전압을 5V 인가한 상태에서 스위치 조작에 따른 결과 값을 다음 표에 정리한다.

표 6-6 실습 결과 정리표

A 스위치	B 스위치	LED상태 (꺼짐0, 켜짐1)
0	0	
0	1	
1	0	
1	1	

2.6 AND Gate 제작

(1) 브레드 보드에 그림 6-20처럼 회로를 구성한다. 브레드 보드에 회로를 구성할 때는 단자가 많은 전자부품을 먼저 배치시킨 다음에 회로의 연결을 기준

으로 도선을 따라가면서 한 부분씩 구성하는 것이 좋다. 전기적인 연결 여부를 확인하기 위해서 회로도에 연결 여부 및 전자부품 배치 여부를 표시하는 것도 좋은 방법이다.

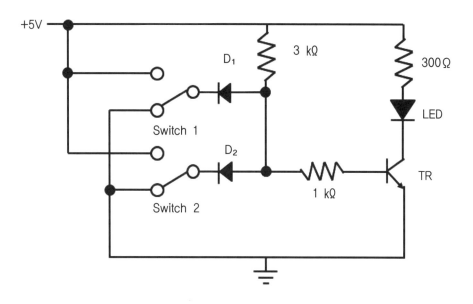

그림 6-20 AND Gate

(2) 직류 전원 공급 장치로 전압을 5V 인가한 상태에서 스위치 조작에 따른 결과 값을 다음 표에 정리한다.

표 6-7 실습 결과 정리표

A 스위치	B 스위치	LED상태 (꺼짐0, 켜짐1)
0	0	
0	1	
1	0	
1	1	

2.7 평가

순번	평가항목	A	B	C	D	비고
1	작업이해도					
2	OR gate 구성 및 동작					
3	OR gate 동작 방식 이헤					
4	AND gate 구성 및 동작					
5	AND gate 동작 방식 이해					
6	작업 후 정리 정돈 상태					

제7장 전기장치

1. 배터리 정비

1.1 학습목표

배터리 분해조립을 통해 배터리의 취급 시 주의 사항과 배터리 정비 방법을 학습한다.

1.2 실습재료

배터리, 중화제, 보호구(안전헬멧, 보호의, 보호 장갑, 보호신발), 수공구(라쳇, 드라이버), 멀티미터

1.3 관련지식

1.3.1 항공기 배터리(Aircraft battery)

항공기 배터리는 예를 들어 지상전원(Ground power), 비상전원(Emergency power), 직류버스 안정성 향상, 그리고 결함 해소 등과 같이 다양한 기능을 위해 사용된다. 대부분 소형 자가용항공기는 황산납 배터리(Lead-acid battery)를 사용하고 대부분 사업용 항공기와 상용항공기는 니켈카드뮴 배터리(Nickel-cadmium battery, Ni-Cd)를 사용한다.

(1) 배터리 개요

건전지는 가장 일반적인 유형의 일차전지(Primary cell)이다. 기본적으로 전해반죽에 파묻힌, 음극단자로서 작용하는 금속 전극 또는 흑연봉으로 설계된다. 그 다음에 금속용기에 넣은 이 전극/전해질의 조립은 보통 그 자체가 양극단자로 작용하는 아연

으로 만든다. 배터리가 자연적으로 전기 화학 반응이 일어나고, 그 화학반응에 의해 생성된 에너지가 전기적인 에너지로 방출되어 전기로 이용되는 것이다. 일차전지의 경우 이 과정은 거꾸로 할 수 없기 때문에 충전할 수 없다. 일차전지에서 화학반응을 반대로 하려는 시도는 보통 위험한 것이고 배터리 폭발로 이어질 수 있다. 오늘날 가장 일반적인 일차전지는 알칼리성건전지, 산화은건전지, 그리고 리튬전지 등이 있다. 이차전지(Secondary cell)는 화학적 에너지가 전기적 에너지를 발생(방전)하는 일차전지의 기능에 전기적 에너지를 화학적 에너지로 발생(충전)시킬 수 있는 기능이 더해진 전지이다. 즉, 1회용이면 일차전지이고, 충전하여 재사용이 가능한 것이 이차전지이다. 휴대용 손전등, 시계와 같이 오래 사용할 수 있는 전자제품에는 일차전지를, 휴대전화나 자동차, 항공기와 같이 계속 사용해야 하면 이차전지를 사용한다. 이는 배터리의 비용이 전기충전에 필요한 비용보다 고가이기 때문이다.

(2) 배터리 용량과 방전율

배터리의 용량은 상온에서 차단전압(Cut-off voltage)에 대해 명시된 방전율(Discharge rate)에 이르는 AH(Ampere Hour)로서 정량적으로 측정된다. 단위에서 보듯이 얼마만큼의 전류로 얼마만큼의 시간을 사용할 수 있는 가를 나타낸다. 예를 들어 배터리 용량이 50AH이면, 5A의 전류로 사용하면 10시간을 사용할 수 있고, 1A의 전류로 사용하면 50시간을 사용할 수 있다. 항공기에 사용되는 황산납배터리의 경우 평균적으로 배터리만으로 5시간을 사용할 수 있는 용량을 가지고 있어야 하고, 이를 5시간 방전율 이라고 말한다. 좀 더 정확히 말하면 배터리의 1시간 방전율은 24V 배터리에서는 20V 이상을, 12V 배터리에서는 10V이상의 전압을 1시간 동안 지속된 것이다. 비상률(Emergency rate)은 30분 동안 필수버스에 공급하는데 필요한 암페어로 측정한 총 필수부하(Total essential load)이다. 니켈-카드뮴 배터리의 경우는 최소 2시간 이상이다. 배터리를 직렬로 연결하면 전압이 증가하고, 배터리를 병렬로 연결하면 용량이 증가한다. 배터리의 유효용량은 셀 디자인(셀 결합구조, 판의 두께, 단자설계 등등), 온도(높을수록 낮음), 방전율(전류를 많이 사용할수록 낮음), 충전율(빨리 충전할수록 낮음) 등의 영향을 받는다.

(3) 배터리의 수명주기

배터리 수명주기는 그것의 정상충전용량이 그것의 초기정격용량의 80% 이하로 떨어지기 전에 수행할 수 있는 완전한 충·방전 순환의 횟수로서 정의된다. 배터리수명은 대략 500 ~ 1,300회로 다양하게 할 수 있다. 여러 가지의 요인에 의해 배터리의 수명은 결정된다.

(4) 저장과 점검 시설

배터리의 저장 또는 보급을 위해서는 별도의 시설이 있어야 한다. 알칼리성 전해액 안으로 산성전해액의 이입은 Ni-Cd 배터리에 영구적인 피해의 원인이 되고, 반대의 경우도 마찬가지이다. 배터리는 동일한 구역에서 충전할 수 있고 용량을 점검할 수 있다. 밸브 조절식 황산납 배터리에 있는 전해액은 다른 종류의 배터리와 같은 구역에 있더라도 격리판과 다공질판에 흡수되었기 때문에 오염되지 않는다. 그러나 일반적으로 동일한 지역에 황산납 배터리와 Ni-Cd 배터리를 저장하고 점검하는 것은 대단히 위험하다. 알칼리성 전해액 안으로 산성전해액의 이입은 Ni-Cd배터리를 파괴하고, 물론 반대의 경우도 동일한 현상이 일어난다.

(5) 배터리 충전

한계를 넘는 배터리의 작동은 전해액 비등, 셀의 빠른 변질 등으로 인해 배터리고장으로 이어질 수 있다. 따라서 최대 충전 전압과 배터리 셀 수 사이의 관계도 중요하다. 이것은 주어진 주변온도와 충전상태에 따라 배터리 내에서 에너지가 열로 흡수되는 비율을 결정한다. 황산납 배터리에서 셀 당 충전 전압은 2.35V를 초과하지 않아야 한다. Ni-Cd 배터리의 경우에는 셀 당 1.4~1.5V의 값이 일반적으로 사용된다. 물론 이 기준은 달라 질 수 있다. 배터리의 상태는 제조사가 가장 잘 알고 있으므로 항상 배터리 제조사의 권장사항을 따라야 한다. 배터리를 충전하는 방법은 일정한 전압으로 충전하는 정전압 충전(Constant voltage charge)법과 일정한 전류로 충전하는 정전류 충전(Constant current charge)법이 있다.

정전압 충전법 자동차나 항공기와 같이 사용하면서 충전할 수 있다. 필요한 전압을 공급할 수 있는 발전기는 항공기 전기시스템을 통해 배터리에 직접 연결되고, 이 연결선을 주전원선(Main bus) 이라고 한다. 발전기와 배터리는 + 단자는 + 단자끼리, – 단자는 – 단자끼리 연결되어, 발전기의 +에서 나온 전기가 배터리의 +로 들어가고 배터리를 거쳐서 배터리의 – 단자로 나와서 발전기의 – 단자로 들어서 한 번의 순환이 끝나게 된다. 이를 –단자(항공기의 –단자는 본딩을 통해서 기체에 연결되고, 이렇게 모인 정전기는 정전기 방전장치(Static discharger)를 통해서 방전되므로, – 단자는 접지의 기능을 한다.)가 연결되고, 갔다 왔다고 하여 접지귀환식이라고 한다. 배터리 스위치는 비행기가 가동되고 있지 않을 때 배터리가 분리될 수 있도록 한다. 발전기의 전압은 발전기의 계자회로(Field circuit)에 연결된 전압조절기에 의해 정밀하게 제어된다. 전류는 전압이 높은 곳에서 낮은 곳으로 흐르므로, 배터리를 충전하기 위해서는 배터리의 전압보다 발전기의 전압이 높아야 한다. 12V 배터리를 충전하기 위해 사용되는 발전기의 전압은 약 14V이고, 24V 배터리를 충전하기 위해 사용되는 발전기의 전압은 약 28V이다. 따라서 앞에서 설명했듯이 충전 초기에는 전압차로 인하여 과도한 전류가 흐르고, 전류에 의해 열이 발생하므로, 충전초기에 과도한 전류로 인한 극판손상이 발생 할 수 있다. 배터리를 정전압으로 충전 할 때는 자동적으로 정전압을 유지시키는 전압조절기를 시스템에서 운용한다.

정전류 충전법은 여러 배터리를 동일한 시스템에서 한 번에 충전하기 때문에 비행기 외부에서 배터리를 충전하기에 가장 용이하다. 정전류 충전법은 정상의 교류원을 직류로 변환시키는 정류기로 이루어진다. 정전류 충전 시스템(Constant current charging system)은 배터리가 과열되거나 과도하게 가스를 발산하지 않는 수준으로 유지하는데, 그 수준은 용량의 10% 정도의 수준이다. 10%로 완충을 하려면 10시간의 충전시간이 필요하고, 이는 충전의 개념으로 보면 충전시간이 긴 수준이다. 정전류 충전법은 다수의 배터리를 충전할 때 정전압 충전법의 병렬연결과는 다르게 직렬로 연결한다. 이는 저항의 직렬연결과 병렬연결 시 전압과 전류가 분배되는 이론을 생각하면 쉽게 이해 될 수 있다.

1.3.2 황산납 배터리

특정 상황에 가장 알맞은 배터리는 무게, 가격, 부피, 보급 또는 저장수명, 방전율,

정비, 그리고 충전율과 같은 몇몇의 특성의 상대적 중요도에 따라 달라진다. 배터리 유형의 변경은 주요 변경으로 간주된다.

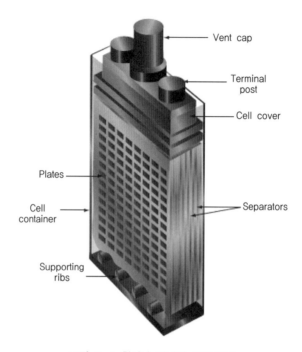

그림 7-1 황산납 배터리 셀의 구조

황산납 배터리는 전해액(Electrolyte)으로 묽은 황산을 사용하고, 양극은 이산화납, 음극은 납으로 구성되어있다. 황산납 배터리는 양극판과 음극판의 한조를 각각 함유한 아주 동일한 셀(그림 7-1)의 연속된 것으로 구성된다. 실제의 셀은 규정된 전류 출력을 얻기 위하여 내부에 양극판과 음극판이 한 세트만 있는 것이 아니고 많은 판으로 조립된다. 효율을 위해 각각의 양극판은 항상 2개의 음극판 사이에 배치되기 때문에, 항상 양극판보다 음극판이 1개 더 있다. 즉, 각각의 셀의 끝단에 있는 판은 음극판이다. 판 사이에는 서로 셀을 접촉하기 그리고 셀을 단락시키기로부터 양극판과 음극판을 보호하는 다공성 격리판이 있다. 이 구조는 전해액이 판주위에 자유롭게 순환하도록 한다. 셀의 외부에는 전해액의 농도를 시험하거나 전해액이나 물을 보충하기를 위해 마개(Plug)가 있다. 배기마개(Vent cap)는 비행기가 취하게 되는 위치에 관계없이, 가스가 전해액의 누출의 최소로서 셀에서 새어 나오게 한다.

각각의 셀은 완충되었을 때 상온(Room temperature, 25℃)에서 1.28의 비중인 묽은 황산으로 채워져 있다. 이 전해액은 다른 이온과 결합하는 것이 자유로운 양의 수소이온과 음의 황산염이온(SO4)을 포함하고 있으며 새로운 화합물을 형성한다. 셀이 방전 되었을 때, 전자는 음극판을 떠나고 그들이 이산화납(PbO2)으로 하여금 음의 산소이온과 양의 납이온으로 분해하게 하는 양극판으로 흐른다. 음의 산소이온은 황산으로부터 양의 수소이온과 결합하고 물(H2O)을 형성한다. 음의 황산염이온은 양쪽 판에서 납이온과 결합하고 황산납(PbSO4)을 형성한다. 방전 후, 비중은 약 1.150으로 바뀐다. 이를 화학식으로 나타내면 아래와 같다.

$$\underset{\text{이산화납}}{\underset{\text{양극판}}{PbO_2}} + \underset{\text{묽은황산}}{\underset{\text{전해액}}{2H_2SO_4}} + \underset{\text{납}}{\underset{\text{음극판}}{Pb}} \underset{\text{충전}}{\overset{\text{방전}}{\rightleftarrows}} \underset{\text{황산납}}{\underset{\text{양극판}}{PbSO_4}} + \underset{\text{물}}{\underset{\text{전해액}}{2H_2O}} + \underset{\text{황산납}}{\underset{\text{음극판}}{PbSO_4}}$$

그림 7-2에서는 배기마개의 구조를 보여준다. 수평 비행 시에, 납추는 작은 구멍을 통해서 가스의 배출하기를 가능케 하고, 배면 비행 시에, 이 구멍은 납추에 의해 덮인다.

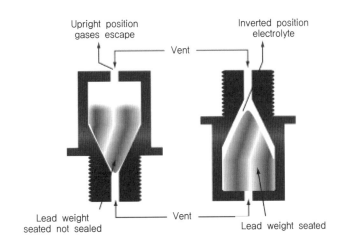

그림 7-2 배기마개 구조

그림 7-3처럼 배터리의 개개의 셀은 셀 띠(Cell strap)의 도움으로 직렬로 연결된다. 위 화학반응식에 의해 생성되는 전압은 약 2V이므로, 12V의 황산납 배터리는 6개의 셀이 직렬로, 24V는 12개의 셀이 직렬로 연결되어 있다. 사용하는 배터리 제품은 전기적인 차폐와 기계적인 보호의 대용이 되는 내산성 금속용기, 즉 배터리 박스에 넣는다. 배터리 박스는 떼어놓을 수 있는 윗면을 갖고 있다. 그것은 또한 양쪽 끝단에 환기를 위한 니플(Nipple)이 있다. 배터리가 비행기에 장착될 때, 통기관은 각각의 니플에 부착된다. 한쪽 통기관은 흡입관이고 후류에 노출시켜진다. 다른 쪽 통기관은 배기가스배기관이고 흔히 중조(Baking soda)라고 부르는 중탄산나트륨의 농축액으로 축축해진 펠트받침을 담고 있는 유리병인, 배터리 배수조에 부착된다. 이 배열로서, 기류는 배터리가스가 끄집어내어지고, 배수조에서 중화되는 배터리케이스를 통해 향하게 되고, 그 다음에 비행기에 손상 없이 항공기 밖으로 분출시킨다.

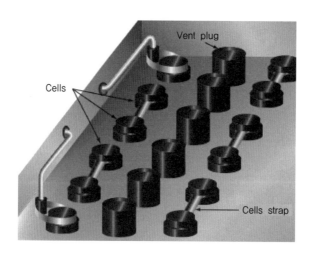

그림 7-3 배터리 연결

침수식 배터리(Flooded battery) 또는 습식 배터리(Wet battery)로 알려진 건식 충전 셀 황산납 배터리는 완전히 충전되고 건조된 전극, 즉 판으로 조립된다. 전해액은 사용 시에 배터리에 보충되며 배터리 수명은 전해액이 보충되었을 때 시작한다. 배터리가 충전 중일 때, 양극판에서는 산소가, 음극판에서는 수소가 셀에서 나오므로 물이 감소히여, 침수식 셀은 주기적인 물의 보충이 필요하다.

1.3.3 니켈-카드뮴 배터리 (Ni-Cd Battery)

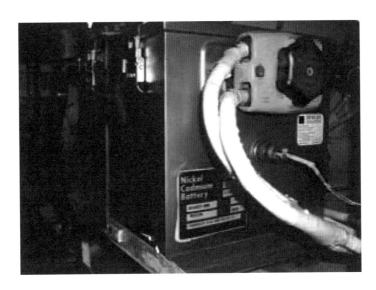

그림 7-4 니켈카드뮴 배터리

Ni-Cd 배터리는 다수의 셀을 담아두는 금속성(스테인리스강, 수지피복강, 도색강, 티타늄) 박스로 이루어져 있다. 이들의 셀은 12V 또는 24V를 얻기 위해 10개의 셀 또는 19개의 셀이 직렬로 연결된다. 셀은 높은 전도성의 니켈 구리 연결부에 의해 연결되어 있고 격막, 라이너(Liner), 스페이서(Spacer), 덮개에 의해 적절히 고정된다. 배터리는 과충전 상황 시에 생산된 가스의 배출과 정상작동 시의 냉각을 위해 환기 장치를 갖추고 있다. 항공기 배터리에 장착된 NiCd 셀은 전형적인 배기식 셀(Vented cell) 유형이다. 배기식 셀은 과충전 또는 빠르게 방전되었을 때 발생된 산소가스와 수소가스를 배출시키는 배출 밸브(Vent valve) 또는 저압 방출 밸브(Low pressure release valve)를 갖추고 있다. 이것은 또한 배터리가 과도한 충전, 방전, 또는 심지어 음전하 충전에 의해 손상되지 않는 것을 의미한다.

셀은 재충전할 수 있으며 방전 내내 12V의 전압을 제공한다. 일반적으로 Ni-Cd 배터리가 갖춰진 항공기는 배터리의 상태를 감시하는 결함 보호 장치(Fault protection system)를 갖추고 있다. 배터리 충전기(Battery charger)는 배터리의 상태를 감시하는 장치고, 과충전 상황, 저온(-40℃ 이하), 셀 불균형, 개방(Open), 단락회로

(Short) 등을 감시한다. 만약 배터리충전기가 결함을 발견하면, 배터리충전기는 꺼지고 전기 부하 관리 시스템(ELMS, Electrical Load Management System)으로 결함신호를 보낸다. Ni-Cd 배터리는 배터리의 외기온도가 16~32℃의 범위 내에 있을때 정격용량으로 작동될 수 있다. 이 범위에서 온도의 증가 또는 감소는 줄어든 용량으로 작동된다.

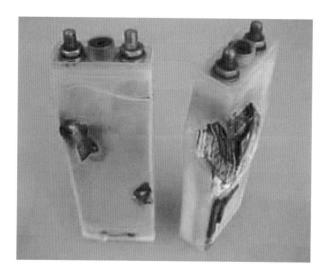

그림 7-5 니켈카드뮴 셀의 열폭주 불량

Ni-Cd 배터리는 배터리의 온도를 제어하기 위한 환기장치를 갖고 있다. 71℃를 초과하는 높은 배터리 온도와 과충전의 결합은 열폭주(Thermal runaway, 그림 7-5)라고 부르는 상황에 이르게 할 수 있다. 배터리의 온도는 안전작동을 확보하기 위해 끊임없이 감시된다. 열폭주는 정전압 충전원(Constant-voltage charging source)과 반복적인 재충전 하에서 Ni-Cd 배터리의 화학약품에 의한 화재 또는 폭발이 일어날 수 있고, 이는 계속 증가하는 온도와 충전전류에 기인한다. 하나 이상의 단락된 셀 또는 고온 그리고 저충전(Low charge)은 과도한 전류 -> 증가된 온도 -> 감소된 셀 저항 -> 더욱 증가된 전류 -> 더욱 증가된 온도 의 순환을 만들 수 있다. 만약 배터리 온도가 71℃를 초과하기 전에 정전압 충전원이 제거되면 자체적인 열화학작용이 발생하지 않는다.

1.3.4 배터리 점검

(1) 배터리 검사

배터리 검사 절차와 정비 절차는 화학 공학의 유형과 물리적 구성의 종류에 따라 변하므로 항상 배터리 제조사 인가절차를 따른다. 배터리 성능은 배터리의 사용 기간, 활력 상태, 충전 상태, 그리고 기계적 무결성에 따르며, 다음에 따라 판정할 수 있다.

1) 배터리의 수명과 사용 기간을 판정하기 위해 배터리의 장착일자를 기록한다. 배터리 정상 점검 시에 배터리 나이는 항공기 정비일지 또는 작업장 정비일지에 상세히 기록되어야 한다.

2) 황산납 배터리 상태는 배기식 배터리의 경우에 정기 점검 시 확인하는 배선과 커넥터의 부식 또는 분말염의 축적에 의한 흔적과 같은 검사에서 관찰된 전해액 누출에 의해 판정된다. 만약 배터리가 외부 누출의 흔적 없는 상태에서 재보급을 필요로 한다면, 배터리나 배터리 충전장치의 상태 불량이나 과 충전 상황을 나타낼 수 있다.

3) 황산납배터리 전해액의 비중 확인 시 비중계를 사용한다. 셀 내부 전해액의 비중을 확인하는 것은 방전 시 물로 변한 황산이 충전 시 황산으로 환원되었는지 확인하는 작업이다. 0.050이상의 비중 차이가 나면 배터리는 유효수명이 거의 다 됨을 의미하며 교체를 고려하여야 한다. 전해액 높이는 증류수의 보충으로 조정되며 전해액은 보충하지 않는다.

4) 배터리 충전상태는 배터리를 충전하기와 방전하기의 누적효과에 의해 결정된다. 정상 전기 충전 시스템에서, 항공기 발전기 또는 교류기는 60~90분의 비행 시 완전 충전하여 배터리를 복원시킨다.

5) 적절한 기계적 무결성은 어떤 물리적 손상의 유무뿐만 아니라 하드웨어의 정확한 장착과 배터리가 적절한 연결이 되었을 때 보증된다. 필요한 경우, 배터리와 배터리 격실 통기장치 튜브, 니플(Nipple), 그리고 부착물은 폭발 가스의 잠재적 축적을 방지하는 수단을 마련하고, 그리고 주기적으로 그들이 안전하게 연결되었는지, 정비교범의 장착절차에 따라 올바른 방향에 놓였는지를 확인하기 위해 점검되어야 한다. 항상 배터리 시스템이 명시된 성능을 발휘하는 능력을

제공할 수 있도록 특정 항공기와 배터리 시스템에 대하여 정해진 절차를 따른다.

(2) 항공기 배터리 검사 (Aircraft battery inspection)

1) 배터리 상태와 안전을 위해 배터리 썸프자(Sump jar)와 라인(Line)을 검사한다.
2) 부식(Corrosion), 점식(Pitting), 화재(Arcing, Burning)의 원인에 의해 손상된 곳이 있는지 배터리 단자, 신속 분리 플러그, 핀(Pin)을 검사한다. 필요시 깨끗하게 세척한다.
3) 품질저하나 안전을 위해 배터리 배수관과 통풍관을 검사한다.
4) 정기 비행 전 검사 절차와 비행 후 검사 절차는 물리적 손상, 풀린 접속, 그리고 전해액 상실의 흔적에 대한 관찰을 포함시켜야 한다.

(3) 황산납 배터리의 충전 상태 확인

황산납 배터리의 경우 전해액이 화학 반응에 직접 관여를 하므로, 전해액 중 황산의 비중을 확인하면 충전상태를 알 수 있고, 이는 액체비중계로서 점검할 수 있다. 그림 7-6은 가장 일반적으로 사용된 액체 비중계(Hydrometer)이다. 이 비중계는 스포이드 형태로 되어 있어 내부로 들어온 액체와 내부에 있는 기준 물질의 비중 차이로 기준 물질의 높이가 정해지고 여기에 눈금을 표시하는 방식이다. 관의 좁은 유리관 내에는 1.100~1.300의 범위로서 종이눈금이 있다. 액체비중계가 사용될 때, 액체비중계를 띄우기에 충분한 양의 전해액은 관 안으로 끌어올려진다. 전해액의 높이로 지시된 측정값은 전해액의 비중이다. 밀도가 높은 전해액일수록 기준 물질은 더 높게 뜰 것이기 때문에 아래로 갈수록 비중의 눈금이 높은 숫자이다. 완충된 항공기 배터리에서 전해액의 비중은 1.300이다. 방전 시에는 물이 증가하므로 비중은 1.300 이하로 떨어진다. 1.275 ~ 1.300은 높은 충전 상태, 1.240 ~ 1.275는 중간 충전상태, 1.200 ~ 1.240는 낮은 충전상태를 지시한다. 액체비중계 시험은 항공기에 장착된 모든 축전지에서 주기적으로 실시된다. 정상적인 물의 증발로 소량의 증류수를 셀의 전해액에 추가하였다면 한참이 지난 다음에 비중을 확인하여야 한다. 새로운 증류

수와 기존의 전해액이 충분히 혼합할 수 있는 시간을 주어야하기 때문이다.

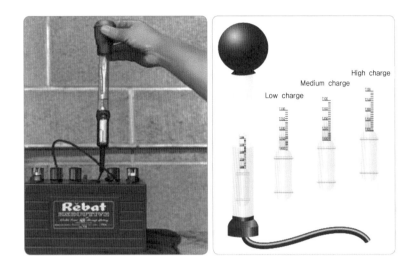

그림 7-6 액체비중계

황산납 셀의 액체비중계 시험을 실시하고 있을 때는 각별한 주의를 다해 전해액을 취급하여야 한다. 전해액이 물에 황산을 섞은 묽은 황산이라도 충분히 강산 산성을 가져 피복과 피부를 태울 것이기 때문이다. 따라서 취급 시에는 꼭 안전장비(안전헬멧, 보호의, 보호 장갑, 보호신발 등등)를 갖추고 취급하여야 한다. 만약 산이 피부에 닿으면, 물로 충분히 부위를 씻어 내고 그 다음에 암모니아수나 탄산수소나트륨 등의 중화제를 바른다.

1.3.5 배터리 충전방법

배터리에서 전류가 나오는 것과 반대 방향으로 전류를 흘리면 배터리는 충전된다. 즉, 배터리와 연결된 외부 장비(발전기나 충전기)의 전압이 더 높으면 배터리는 충전된다. 24V 황산납 배터리의 경우 완충 상태에서 개방회로 전압은 약 26V이다. 내부 저항에 의한 전압강하도 고려해야 하므로, 충전을 위한 직류 발전기의 전압은 28V이다. 충전전압은 개방 회로전압에 배터리 내부의 내부저항강하(충전전류×내부저항)을 합한 것과 같아야 한다.

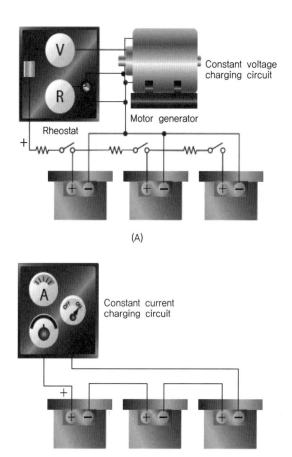

Constant voltage
charging circuit

Motor generator

Rheostat

(A)

Constant current
charging circuit

(B)

그림 7-7 정전압, 정전류 충전 시 배터리 연결 방법

그림 7-7 (A)는 정전압으로 충전하기 위해 여러 개의 배터리를 병렬로 연결한 모습을, 그림 7-7 (B)는 정전류로 충전하기 위해 여러 개의 배터리를 직렬로 연결한 모습을 보여준다. 배터리가 충전되고 있을 때 수소와 산소를 발생시키는데, 이것들은 폭발하는 성질이 있어 통기 구멍 마개를 풀고 부근에 어떤 점화원도 없게 만든다. 안전을 위해서 배터리 충전 시에는 반드시 배터리를 분리 또는 연결 전에 항상 전원을 끈 다음 직업을 해야 한다.

1.4 작업 안전 사항

(1) 실습 시는 항상 실습장 안전수칙을 인지하여야 한다.

(2) 실습전후에는 정리정돈을 철저히 한다.

(3) 배터리 분해 조립의 경우 전해액이 튈 염려가 있으므로, 보호구(안전헬멧, 보호의, 보호 장갑, 보호신발)를 꼭 착용해야 한다.

(4) 배터리에 맞는 중화제를 준비한 후 작업한다. 전해액이 튀었을 경우 즉시 물로 씻어낸 다음 중화제를 이용하여 중화시켜야 한다.

1.5 배터리 분해 조립

(1) 준비된 배터리 맞는 중화제를 준비한다. 황산납 배터리 전해액의 중화제로는 알카리성인 암모니아수나 탄산수소나트륨 등을 사용하고, Ni-Cd 배터리 전해액의 중화제로는 산성인 아세트산, 레몬주스, 붕산수 들을 사용한다. 전해액이 몸에 튀었을 경우 바로 물로 충분히 씻어낸 다음에 중화제를 바른다.

(2) 보호구(안전헬멧, 보호의, 보호 장갑, 보호신발)를 착용한다.

(3) 공구를 이용하여 배터리 케이스의 뚜껑을 탈착한다.

(4) 공구를 이용하여 셀 연결선을 탈착한다.

(5) 셀의 단자 상태를 확인한다. 이물질이 끼어있을 경우 솔이나 헝겊을 이용하여 제거한다.

(6) 멀티미터를 이용하여 셀의 전압을 각각 측정한다.

(7) Ni-Cd 배터리는 전해액의 양만 확인한다. 황산납 베터리는 셀의 전압에 문제가 있는 경우에만 셀의 Plug를 탈착하여 비중계를 이용하여 비중을 측정한다. 전해액이 부족할 경우에는 증류수를 추가한다. 전해액이 샜을 경우 상황에 따라 교체하거나 전해액을 보충한다.

(8) 배터리를 원 상태로 조립한다.

1.6 평가

순번	평가항목	A	B	C	D	비고
1	작업이해도					
2	셀의 연결상태					
3	셀 전압 측정					
4	분해 조립 상태					
5	전해액 누출					
6	작업 후 정리 정돈 상태					

2. 변압기 정비

2.1 학습목표

변압기의 원리를 이해하고, 코일저항 측정과 절연저항 측정 실습을 통하여 변압기의 고장탐구를 할 수 있다.

2.2 실습재료

변압기, 멀티미터, 절연저항계

2.3 관련지식

2.3.1 전자석(Electromagnet)의 원리

1820년 덴마크의 물리학자인 한스 크리스티안 외르스테드(Hans Christian Oersted)는 전류가 흐르는 도선으로 가져간 나침반의 자침이 편향하게 된다는 것을 발견했다. 전류흐름이 정지되었을 때, 나침반의 지침은 원래의 위치로 되돌아 왔다. 그는 도선이 비자성체인 구리로 만들어졌기 때문에, 자기장은 전자가 흐르고 있는 곳에서 도선과 관계가 없다는 것을 발견하였다. 전선을 통하여 움직이는 전자는 도선 주위에 자기장을 만들어내었다. 자기장은 대전한 입자에 수반하여 일어나기 때문에, 전류흐름이 더 많아지면 많아질수록 자기장은 더 강해진다. 그림 7-8에서는 전선을 이동하는 전류 주위에 자기장을 보여준다.

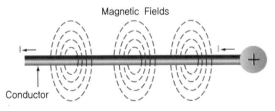

그림 7-8 전류가 흐르는 도선 주위로 형성된 자기장

앙페르의 오른손 법칙(혹은 오른나사 법칙, Ampere's right-handed screw rule)
은 이렇게 형성된 자기장과 전류의 방향성에 대해 설명해 준다. 앙페르의 오른손 법
칙은 오른손의 엄지손가락만 폈을 때 엄지손가락이 지시하는 방향이 전류의 방향이
라면 나머지 네 손가락이 지시하는 방향이 자기장의 방향이라는 법칙으로, 그림 7-9
와 같다. 전기로 자기장을 형성할 수 있다면, 전기로 자석을 만들 수 있겠다는 생각
에서 나온 것이 전기로 만든 자석인 전자석이다. 자석이 되려면 자기장이 직선 형태
로 나와야 하므로 자기와 진류의 방향이 변경되어야 한다.

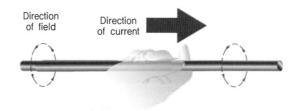

그림 7-9 앙페르의 오른손 법칙

플레밍의 오른손 엄지손가락 법칙은 오른손의 엄지손가락만 폈을 때 나머지 네 손
가락이 지시하는 방향이 전류의 방향이라면 엄지손가락이 지시하는 방향이 자기장의
방향이라는 법칙이다. 전자석은 이 법칙에 의해 방향이 결정된다.

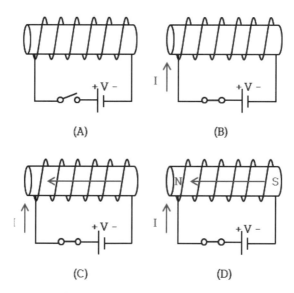

그림 7-10 전자석에서 전류와 자기의 방향

그림 7-10 (A)는 철심에 도선을 감고 스위치와 전원을 연결한 것이다. 코일(도선을 감아 놓은 것)의 중심(Core)은 자석이 되어야 하므로 자성체인 철과 같은 물질을 사용해야 한다. 스위치가 열린 상태여서 전류는 흐르지 않고, 철심에는 아무런 일도 발생하지 않는다. 여기서 그림 7-10 (B)처럼 스위치를 닫으면 전원 (V)에 의해서 I와 같이 전류가 흐를 것이다. 그러면 그림 7-10 (C)처럼 오른손 엄지손가락 법칙에 의해 오른쪽에서 왼쪽 방향으로 자기가 형성된다.

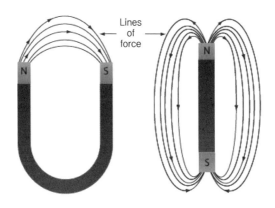

그림 7-11 자석 주의의 자기력선

자석의 외부에서 보면 그림 7-11처럼 자기력선의 방향은 N극에서 S극이므로, 순환을 하려면 내부에서는 S극에서 N극의 자기가 이동하여야 한다. 따라서 그림 7-10 (D)와 같이 철심의 왼쪽이 N극, 오른쪽이 S극이 된다. 전류에 의해 자기가 형성되는 것이므로 전류가 커지면 자기장의 세기도 커진다. 자기장의 세기 즉, 자속밀도의 단위는 Wb(웨버)/m2이고, MKS단위계에서는 T(테슬라)를 사용한다. 1Wb/m2 = 1T = 10000G(가우스)이다. 1테슬라는 자기장에 수직으로 매초 1m의 속도로 움직이는 1C (쿨롱)의 전하가 1N(뉴턴)의 힘을 받는 것을 의미한다. 전류의 방향이 반대가 되면 자기장의 방향도 반대가 되므로 극이 변경된다. 이는 자석의 인력(Attraction)과 척력 (Repulsion)을 이용한 전동기가 일정한 각도만 돌다가 멈추는 것이 아니고, 계속 회전을 하는 이유를 설명할 수 있다. 내부나 외부에 영구 자석이 아닌 전자석을 이용하면 전류로 자기장의 세기와 방향을 변경할 수 있기 때문에 계속적인 힘을 가할 수 있고, 이는 전동기가 일정한 속도로 회전을 할 수 있게 만들어 준다.

2.3.2 유도기전력의 원리

렌츠의 법칙은 자기가 변화하는 것을 방해하는 방향으로 자기가 형성된다는 법칙이다.

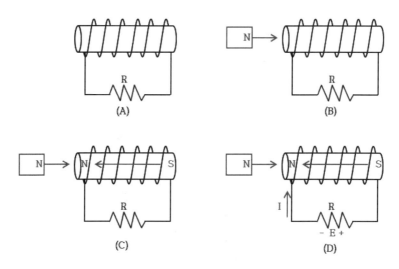

그림 7-12 렌츠의 법칙에 의한 자기 형성

그림 7-12 (A)와 같이 철심에 도선을 감은 회로를 준비하고, 이번에는 전압을 연결하는 것이 아니고 저항을 연결한다. 회로에 전원공급원이 없으므로 회로에는 아무런 일도 발생하지 않는다. 그림 7-12 (B)와 같이 막대자석의 N극을 서서히 가져다 대면 렌츠의 법칙에 의해 이 자기의 변화를 방해 하는 방향으로 자기가 형성되므로 막대자석의 N극을 밀어내려는 방향으로 자기가 형성된다. N극을 밀어내려면 같은 극인 N극이 형성되어야 하고, 한쪽에 N극이 형성되면 바로 반대편에는 S극이 형성된다. 따라서 자기의 방향은 그림 7-12 (C)와 같을 것이다. 오른손 엄지 손가락 법칙에 의해 이 자기는 전류를 유도하고 그림 7-12 (D)와 같이 전류 I가 흐르게 된다. 저항 R에 전류가 흐르므로 E와 같이 전압이 발생하고, 이 발생한 전압은 전원으로 사용이 가능하므로 기전력을 의미하는 E로 작성하였다. 자기로 유도되어 발생한 기전력이라고 하여 이를 유도기전력(Induced electromotive force)이라고 한다. 이때 생성된 유도기전력의 크기는 얼마나 될까? 자기의 변화가 크면(막대자석 자체의 세기가 크던지 혹은 막대자석이 빨리 움직이던지) 방해하려는 힘은 커질 것이다. 따라서

그만큼 전류의 크기도 커지게 된다. 또한 철심에 코일을 감았기 때문에 자기가 전류로 변환되는 것이기 때문에 코일을 많이 감으면 생성되는 전류도 더 많아 지게 된다. 이를 수식으로 정리하면 다음과 같고, 이것이 패러데이의 전자유도법칙이다. 여기서 자속을 시간에 관해 미분한 것이 자기의 변화량을 의미한다. −는 방해하려는 방향으로 자기가 형성되는 것을 의미한다.

$$E = -N\frac{d\phi}{dt}$$ (단, N은 코일 감은 수, ϕ는 자속을 의미한다.)

2.3.3 변압기(Transformer)

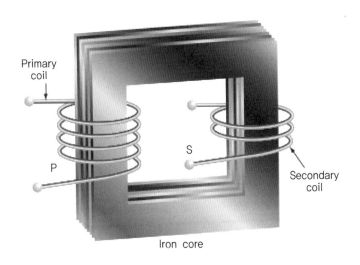

그림 7-13 변압기의 기본 구조

그림 7-13과 같이 속이 빈 철심(Iron core)의 양쪽에 코일을 감은 다음에 1차단의 코일(Primary coil)에 전압을 인가하면 1차 코일에 전류가 흐르고, 전류가 흐르면 주위로 자기장이 형성된다. 렌츠의 법칙에 의해 2차단의 코일(Secondary coil)에는 자기장이 형성되고, 자기장에 의해 2차 코일에는 전류가 흐른다. 단, 렌츠의 법칙은 자기가 변화하여야 적용할 수 있으므로, 1차코일의 자기는 변화해야 한다. 코일은 철심에 고정되어 있으므로 자기를 변화시키기 위해서는 전류가 변화해야 한다. 전류가 변

화하려면 전압이 변화해야 하고, 이렇게 시간에 따라 주기적으로 변화하는 전기를 교류(AC, Alternative Current)라고 한다. 1차단의 전압과 2차단의 전압사이의 관계는 패러데이의 전자유도 법칙에 따른다. 패러데이의 전자 유도 법칙은 앞에서 설명한 것과 같이 기전력이 코일 감은 수(N)와 자속변화($\frac{d\phi}{dt}$)에 비례한다는 것인데, 자속변화는 2개가 코일이 같은 위치에 고정되어 있으므로 같을 것이다. 따라서 기전력은 코일 감은 수에만 비례하게 되고 이를 수식으로 나타내면 아래와 같다. 수식의 1과 2는 1차단과 2차단을 의미한다.

$$\frac{N_1}{N_2} = \frac{E_1}{E_2} = \frac{I_2}{I_1}$$

이렇게 교류전압을 변경하는 장치를 변압기라 한다. 따라서 변압기는 시간에 따른 크기의 변화가 없는 직류(DC, Direct Current)는 변화시키지 못하고, 직류는 다이나모터를 이용하여 변경한다. 다이나모터는 직류전동기와 직류발전기가 합쳐진 형태로 회전식 인버터와 원리가 같다. 전체 전력은 변화 없기 때문에 전력의 관계식 $P = VI$에서 보듯이 전압은 코일감은 수에 비례하지만, 전류는 반비례한다.

$$\frac{E_1}{E_2} = \frac{I_2}{I_1}, \quad P_1 = E_1 I_1 = E_2 I_2 = P_2$$

만약 2차단의 코일 양끝에서만 단자를 뽑아 전압을 사용하는 것이 아니라 중간에 단자를 만들면 어떤 일이 발생할까? 예를 들어서 1차단에 코일을 1000번 감고, 2차단에 코일을 120번 감은 다음 1차단에 100VAC를 인가하면 2차단에서는 12VAC의 출력이 나올 것이다. 여기서 2차단의 120번 코일 감은 곳을 4등분하여 각각 30, 60, 90번 감은 곳에 단자를 만들면 그 단자들에서 나오는 전압은 각각 3VAC, 6VAC, 9VAC가 될 것이다. 즉 하나의 입력전압으로 출력 전압이 다양한 변압기를 제작 할 수 있다. 이는 입력에서도 마찬가지로 적용할 수 있다.

물론 실제 변압기는 위의 이론적인 계산처럼 코일 감은 수와 전압이 정확하게 비례하는 효율 100%의 장비는 아니다. 코일 중심부의 자기 전달과 코일 외곽부분의 자기전달이 같을 수 없고, 앞서 설명한 철손도 있고, 코일의 저항에 의한 동손도 있다. 1차단의 자기가 얼마나 잘 2차단에 전달되는지를 결합계수라고 부른다. 코일이 많을수록 효율이 올라가기 때문에 변압기나 전자석에 사용하는 전선은 일반 전선처럼 두꺼운 피복을 사용하지 않고 얇은 절연체를 코팅하듯 사용한다. 따라서 얼핏 보면 피복이 없는 도선으로 보일 수도 있다. 1차단에 전압이 들어가 2차단으로 전압이 나오므로 1차단을 입력, 2차단을 출력이라고 부르고, 전압을 올리는 변압기를 승압 변압기(Setp-up transformer), 전압을 내리는 변압기를 강압 변압기(Step-down transformer)라고도 부른다.

2.4 작업 안전 사항

(1) 실습 시는 항상 실습장 안전수칙을 인지하여야 한다.

(2) 실습 전후에는 정리정돈을 철저히 한다.

(3) 측정기의 금속 부분에 피부가 접촉하는 일이 없도록 주의한다. 특히 절연저항계의 경우는 높은 전압이 기기에서 인가되므로 주의한다.

2.5 변압기 코일 저항 측정

2.5.1 실습 재료

그림 7-14와 같이 입력 단자나 출력 단자가 여러 가지인 변압기와 멀티미터를 준비한다.

(A) 변압기의 입력단

(B) 변압기의 출력단

그림 7-14 변압기 사진

2.5.2 입력단 코일 저항

입력단의 코일 저항을 멀티미터를 이용하여 측정한다. 측정 방법은 멀티미터의 저항 측정과 동일하다. 입력단이 여러 가지인 경우는 각각 측정한다. 예를 들어서 그림 7-14 (A)의 변압기는 단자가 3개로 0V, 110V, 220V로 표시되어 있다. 전원이 110V인 경우는 0V와 110V에 연결하여 사용하고, 전원이 220V인 경우는 0V와 220V에 연결하여 사용하라는 의미이다. 따라서 멀티미터의 -단자를 0V에 연결하고, +단자를 110V연결하여 저항을 측정한 다음 +단자를 220V에 연결하여 측정하면 입력단의 코일저항을 측정할 수 있다.

2.5.3 출력단 코일 저항

출력단의 코일 저항을 멀티미터를 이용하여 측정한다. 출력단이 여러 가지인 경우는 각각 측정한다. 예를 들어서 그림 7-14 (B)의 변압기는 단자가 5개로 0V, 3V, 6V, 9V, 12V로 표시되어 있으므로 입력단과 마찬가지로 0V에 멀티미터의 -단자를 연결한 상태에서 +단자를 각각 3V, 6V, 9V, 12V에 연결하여 저항을 측정하면 된다.

2.5.4 코일 저항 사이의 관계

측정한 변압기의 코일 저항을 통해 서로의 관계에 대해 확인한다. 코일의 저항 값은 오직 길이에 의해서만 달라질 것이고, 저항의 길이는 곧 코일 감은 수와 같다. 코일 감은 수와 전압의 비례하므로, 각 코일의 저항 값은 전압과 비례하게 된다. 예를 들어서 그림 7-14 (B) 변압기의 출력단 중 0V를 기준으로 3V의 저항이 1Ω이라면, 6V는 2Ω, 9V는 3Ω, 12V는 4Ω의 저항 값이 나와야 한다. 계기의 오차나 변압기의 효율을 감안해도 이 비율과 너무 많은 차이를 보이면 변압기의 고장을 의심해 봐야 한다. 즉, 코일 내부의 단선이나 단락에 의해서 고장이 발생 한 것을 변압기의 코일 저항 측정을 통해서 확인 할 수 있다.

2.6 변압기 절연저항 측정

2.6.1 절연저항(Insulation resistance)의 의미

절연저항은 장비의 케이스(Case)가 전기적으로 전기를 사용하는 부분과 연결되었는지 확인하기 위해 측정한다. 케이스에 전기가 흐르면 사용자가 감전될 수 있다. 전기전자장비는 전원이 인가되어야 동작하고, 케이스가 전기를 사용하는 부분과 전기적으로 연결되었다는 의미는 전원과 어떻게든 전기적으로 연결이 되었다는 의미이다. 따라서 장비의 케이스와 전원이 들어가는 부분의 전기적인 연결여부를 확인하여야 한다. 절연저항계(Insulation tester)는 절연 저항을 측정하는 측정기로, 메가옴미터(Mega-ohm meter)라고도하고 줄여서 메거(Megger)라고도 한다.

2.6.2 절연저항 측정

절연저항계를 이용하여 변압기의 절연저항을 측정한다. 절연저항계 사용법은 멀티미터 사용법과 유사하며, 사용설명서를 기준으로 사용한다. 측정 가능한 저항의 최대치가 나오면 절연저항이 정상인 변압기이다.

2.7 평가

순번	평가항목	A	B	C	D	비고
1	작업이해도					
2	변압기 원리					
3	변압기의 코일 저항 측정					
4	절연저항계 사용법					
5	변압기의 절연 저항 측정					
6	작업 후 정리 정돈 상태					

3. 발전기 정비

3.1 학습목표

발전기의 원리를 이해하고, 실제 전동기에서 각 부분의 명칭 및 역할을 학습한다.

3.2 실습재료

발전기, 발전기 분해 수공구(드라이버, 라쳇), 헝겊

3.3 관련지식

3.3.1 전자기 전력 (Electromagnetic generation of power)

전기에너지는 수많은 방법으로 만들어 낼 수 있다. 일반적인 방법은 빛, 압력, 열, 화학제품, 그리고 전자기유도(Electromagnetic induction) 등을 이용하는 것이다. 이 중 전자기유도는 인간이 사용하는 전력 중 가장 큰 부분을 차지한다. 실질적으로 전력을 발생시키는 발전기와 교류기 등 모든 기계장치는 전자기유도의 과정을 이용한다. 전자기유도는 도선에 관계되는 자기장(Magnetic field)을 움직여서 전압, 즉 기전력을 만드는 과정이다. 그림 7-15와 같이, 도선, 전선이 자기장에서 움직일 때, 기전력이 도선에서 발생한다. 만약 완성회로가 도선에 연결된다면, 전압 또한 전류흐름을 만들어낸다. 단심(Single conductor)은 전자기유도를 매개로 하여 많은 전압/전류를 만들지는 못한다. 단선 대신에, 전선의 코일이 강한 자석의 자기장을 통과하여 움직이면 더욱 큰 전기출력(Electrical output)을 발생시킨다. 대부분의 경우에, 자기장은 강력한 전자석을 사용하여 만들어진다. 일반적인 자석과 더욱 강한 자기장을 만들어내는 전자석의 특징 때문에 더욱 큰 전압과 전류를 만들어낸다. 전자기유도의 과정을 통해 발전된 줄력에너지는 항상 전압으로 구성된다. 또한 전류는 완성회로가 그 전압에 연결되었을 때의 결과이다. 도선과 자기장 사이의 상대적인 운동이 도선에 전류를 흐르게 한다. 도선 또는 자석 중 어느 하나를 움직이거나 고정할 수 있다. 그림 7-15와 같이, 자석과 자석의 장(Field)이 코일형도선(Coiled conductor)을 관통하여 움직일 때, 특정한 극성을 가지고 있는 직류전압이 생성된다. 이 전압의 극성은 자석이 움직이는 방향과 자기장의 S극과 N극의 위치에 따라 결정된다.

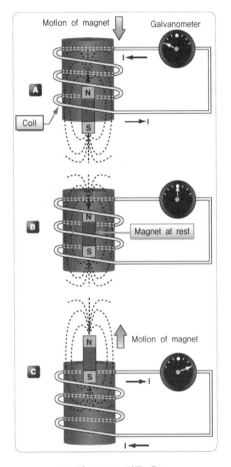

그림 7-15 전류 유도

발전기에서 플레밍의 오른손법칙(그림 7-16)은 도선 내에 전류흐름의 방향을 결정하는 데 사용된다. 물론 전류흐름의 방향은 도선에서 유도된 전압의 극성과 관계된다. 실제로는 전자기유도의 과정을 이용하여 전압과 전류를 만들어주는 회전기가 필요하다. 일반적으로 모든 항공기에서 발전기 또는 교류기는 항공기에 쓰이는 전력을 생산하기 위해 전자기유도의 원리를 이용한다. 그림 7-17과 같이, 자기장이나 도선 모두 회전하여 전력을 만들어낼 수 있다. 항공기 엔진과 같은 기계장치로 이러한 회전을 일으킨다. 전자기유도의 과정에서, 유도전압/전류의 값은 세 가지 기본 요소에 따른다.

(1) 도선 코일의 회전수(Loop)가 많을수록 더 큰 유도전압이 발생한다.
(2) 전자석(자기장)이 강하면 강할수록, 유도전압은 더 커진다.
(3) 도선 또는 자석의 회전 속도가 빠를수록, 유도전압은 더 커진다.

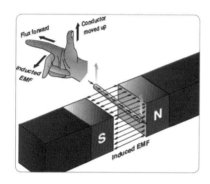
그림 7-16 플레밍의 오른손 법칙

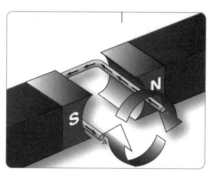
그림 7-17 루프에 의한 전압유도

그림 7-18에서는 전압을 발생시키기 위해 사용된 회전 기계장치에 대해 설명하고 있다. 이러한 장치는 A와 B로 표시된 N극과 S극 사이의 회전루프(Rotating loop)로 이루어진다. 루프의 끝단은 2개의 금속 슬립링(Slip-ring), 즉 집전고리(Collector ring), C1과 C2에 연결된다. 전류는 슬립링에서 브러시를 통하여 나온다. 만약 루프가 전선 A와 B로 분리된 것이라면, 플레밍의 오른손 법칙을 적용하고, 이때 전선 B가 자기장(Field)을 가로질러 위쪽으로 이동할 때, 전압은 전류가 독자의 반대 방향으로 흐르도록 유도한다는 것을 알 수 있다. 전선 A가 자기장을 가로질러 아래쪽으로 이동할 때, 전압은 전류가 독자 쪽으로 흐르도록 유도한다. 전선이 루프로 형성되면, 루프의 양쪽에서 유도된 전압은 합쳐질 수 있다. 그러므로 자기장이 회전할 때, 도선 A 또는 도선 B의 작용은 루프의 작용과 유사하다고 볼 수 있다.

그림 7-19에서는 자기장에서 회전하는 간단한 루프 도선으로 교류의 발생을 설명한다. 루프가 반시계방향으로 회전할 때, 전압의 변화가 전도성 루프 내에 유도된다.

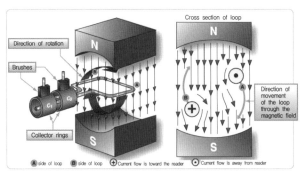

그림 7-18 발전기내 자기와 전류

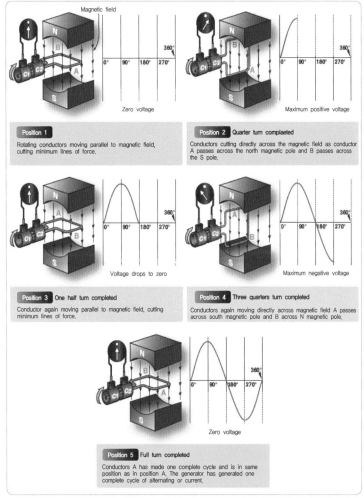

그림 7-19 발전기 동작원리

3.3.2 직류발전기

직류발전기는 기계에너지를 전기에너지로 변환한다. 명칭에서 알 수 있듯이, 직류발전기는 직류를 생산하며 일반적으로 경량항공기에서 볼 수 있다. 대부분의 경우, 직류발전기는 직류교류기(DC alternator)로 대체되었다. 양쪽 장치 모두 항공기의 전기부하에 동력을 공급하기 위해, 그리고 항공기의 배터리를 충전하기 위해 전기에너지를 생산한다. 비록 이들은 동일한 목적을 분담하고 있지만, 직류교류기와 직류발전기는 아주 다르다. 직류발전기는 발전기가 항공기의 현재 전기 상태에 대해 정확한 전압과 전류를 유지 보장하기 위해 제어회로를 필요로 한다. 일반적으로, 항공기 발전기는 약 14V 또는 28V의 출력전압을 유지한다.

(1) 발전기 작동이론

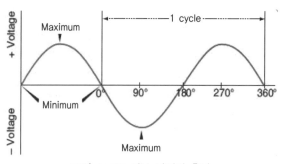

그림 7-20 기본 발전기 출력

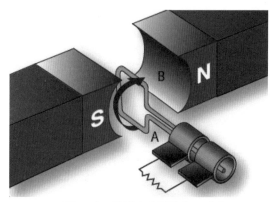

그림 7-21 발전기 슬립링과 브러시

그림 7-20은 발전기의 출력 전압이 도체의 완전한 360도 회전 내내 발전기의 전기자에서 유도되는 것을 보여준다. 전기자는 직류발전기의 회전부분이다. 보이는 것과 같이 유도되는 전압은 교류이다. 도선 루프(Loop)가 일정한 속도로 회전하고 있기 때문에, 전기부하에 이들 전선의 루프를 연결하기 위한 장치가 있어야 한다.

그림 7-21과 같이, 슬립링과 브러시는 회전루프에서 상시 항공기 부하로 전기에너지를 전달하는 데 사용된다. 슬립링은 루프에 연결되고 회전하며, 브러시는 고정되어 전기부하에 전류경로를 가능하게 한다. 일반적으로 슬립링은 구리이고 브러시는 연한 재질의 탄소계 물질이다. 이 기본적인 발전기에 의해 생산되고 있는 전압은 교류이고, 교류전압은 슬립링에 공급된다. 목적은 직류부하에 공급하기 위한 것이기 때문에, 교류전압을 직류전압으로 바꾸어주도록 장치되어야 한다. 발전기는 발전기 루프에서 생산된 교류를 직류전압으로 바꾸어주는, 정류자(Commutator)로 알려진, 개조된 슬립링 배열을 사용한다. 정류자의 작용은 발전기의 직류출력 생산을 가능하게 한다. 2개의 절반 원통, 즉 정류자를 이용하여 교류발전기의 슬립링을 대체하면, 직류발전기가 얻어진다. 그림 7-22에서, 코일의 적색 부분은 적색 편에 그리고 코일의 황색 부분은 황색 편에 연결되었다. 편은 서로 절연되어 있다. 2개의 고정된 브러시가 정류자의 양쪽에 배치되어 있으므로 각각의 브러시는 정류자가 루프와 함께 동시에 순환할 때 정류자의 각각의 편에 접촉하도록 설치된다. 직류발전기의 회전부분, 즉 코일과 정류자는 전기자(Armature)라고 부른다.

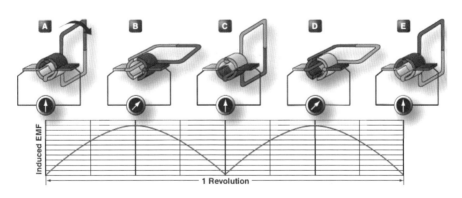

그림 7-22 직류발전기의 직류발생 원리

루프가 회전할 때 브러시는 정류자의 서로 다른 편에 접촉된다. Position A, C, 그리고 E에서, 브러시는 브러시 사이에 절연체에 닿는데, 루프가 이들 위치에 있을 때, 생산되는 전압은 없다. Position B에서, 양극 브러시는 도선 루프의 적색 부분에 닿는다. Position D에서, 양극 브러시는 전기자 도선의 황색 부분에 닿는다. 이 형태의 접속반전은 항공기에 동력을 공급하기 위해 도체 코일에서 생산된 교류를 직류로 변환시킨다. 전선의 몇 개 루프와 정류자편을 가지고 있는, 실제의 직류발전기는 더 복잡한 것이다. 이 정류자의 전환특성 때문에, 적색브러시는 항상 아래쪽 방향으로 움직이는 코일 측과 접속하는 것이고, 황색브러시는 항상 위쪽 방향으로 움직이는 코일 측과 접촉하는 것이다. 실제로 전류는 교류발전기에서와 마찬가지로 루프에서 전류의 방향을 반대로 하지만, 정류자 작용은 전류로 하여금 외부회로 또는 계측기를 통하여 항상 같은 방향으로 흐르게 한다. 기본적인 직류발전기에 의해 발생하는 전압은 루프의 회전운동마다 영(Zero)에서 최대까지 두 번씩 바뀐다. 이러한 직류전압의 변동은 리플(Ripple)이라고 하고, 그림 7-23에서와 같이 루프 또는 코일을 더 많이 사용하여 줄어들게 할 수 있다. 한다. 루프의 수가 늘어났을 때, 전압의 최대 최소 변동은 줄어들고, 그리고 발전기의 출력전압은 거의 정상 직류에 접근한다. 회전자에 각 추가된 루프에 대해, 또 다른 2개의 정류자편이 요구된다. 그림 7-24에서는 전형적인 직류발전기 정류자의 사진을 보여준다.

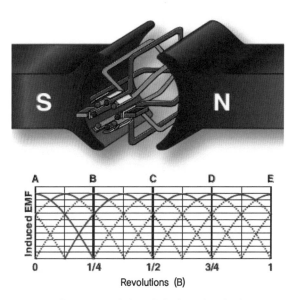

그림 7-23 코일의 증가에 따른 리플의 감소

그림 7-24 전형적인 발전기의 정류자

(2) 직류발전기의 구성

그림 7-25은 항공기 발전기의 일반적인 구조를 보여준다. 주요 구성품은 전기자 (Armature), 계자 프레임(Field frame), 정류자(Commutator)이다. 이는 직류 전동기 와 큰 차이가 없다.

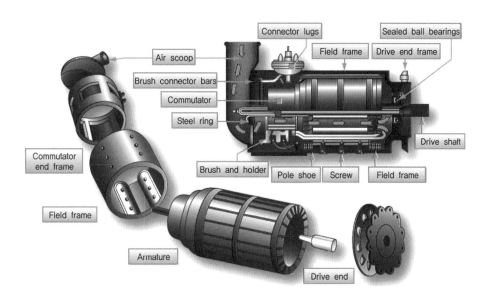

그림 7-25 일반적인 항공기 발전기 구조

그림 7-26에서 보듯이 계자 프레임은 두 가지 기능을 갖고 있는데, 자기장을 일으 키는 데 필요한 권선을 잡아주는 것, 그리고 발전기의 다른 부품을 위한 기계적 지지 물로 사용하는 것이다. 실제의 전자석 도선은 계자극(Field pole)이라고 부르는 적층

판으로 만든 금속의 조각 주위에 감겨진다. 극은 일반적으로 틀 안쪽에 볼트로 죄어 지고 와전류손실(Eddy current loss)을 줄이기 위해서 적층판으로 만들어지고 전자 석의 철심과 같은 용도이다. 철심은 계자코일(Field coil)에 의해 일으켜진 자력선을 집결시킨다. 계자코일은 절연선을 많이 감아(회전) 만들고, 보통 단단히 고정되어 있 는 극의 철심 위에 적합한 형태로 감긴다. 직류전류는 전자기장을 일으키기 위해 계 자코일로 보내진다. 이 전류는 일반적으로 발전기 시스템을 위한 전압과 전류 제어를 위해 외부전원으로부터 얻어진다.

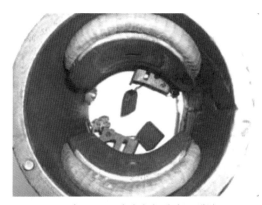

그림 7-26 발전기의 계자 프레임

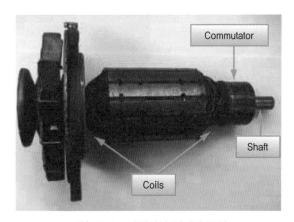

그림 7-27 발전기의 전기자 구성

그림 7-27에서 보듯이 발전기의 전기자는 철심 주위에 감긴 권선이라 부르는 전선 코일과 정류자로 구성된다. 전기자 권선은 전기자 주위에 균등하게 일정한 간격을 두 고 강축(Steel shaft)에 설치된다. 전기자는 계자코일에 의해 만들어진 자기장 내에서

회전한다. 전기자의 자심은 자기장 내에서 철 도체(Iron conductor)처럼 작용하며, 이 때문에 와전류의 순환을 방지하도록 적층판으로 만들어진다.

그림 7-28에서는 일반적인 정류자의 단면도를 보여준다. 정류자는 전기자의 끝단에 위치하고 얇은 절연체로서 분할된 동편(Copper segment)으로 이루어진다. 절연체는 종종 광물성운모로 제작된다. 브러시는 전기자 코일과 외부회로 사이에 전기접점을 형성하는 정류자의 표면에 얹혀서 움직인다. 일반적으로 접속용 구리줄이라고 부르는, 잘 구부러지는, 편조된 구리도체는 외부회로로 각각의 브러시를 연결한다. 브러시는 정류자의 표면에 있는 요철을 따라가기 위해 브러시 홀더(Brush holder)에서 아래위로 미끄러지도록 자유롭다. 브러시와 정류자편(Commutator segment) 사이에 전기적 연결에 위한 브러시와 정류자 사이에 마찰과 함께 계속되는 생산과 중단은 브러시를 닳아 없어지게 하고 정기적인 점검과 교체를 필요로 한다. 이러한 이유로, 일반적으로 브러시에 사용되는 재료는 고품질의 탄소이다. 탄소는 정류자의 과도한 마모를 방지하기에 충분히 부드러워야 하고 적당한 브러시 수명을 제공하기에 충분히 단단한 것이어야 한다. 탄소의 접촉저항은 상당히 크기 때문에, 브러시는 전기자 권선(Armature winding)을 위한 전류경로를 제공하도록 커야 한다. 정류자 표면은 가능한 한 마찰을 줄이기 위하여 고도로 마멸시킨다. 오일 또는 그리스는 정류자에 절대로 사용해서는 안 되고, 표면의 훼손 또는 손상을 피하기 위해 정류자를 손질할 때 세심한 주의를 기울여야 한다.

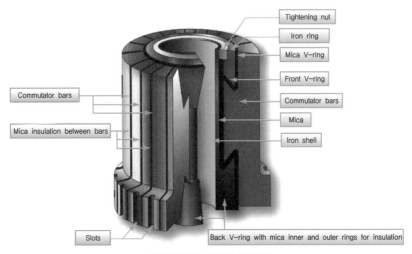

그림 7-28 정류자 단면도

3.3.3 교류발전기

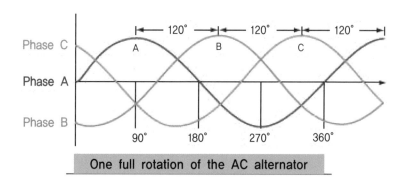

그림 7-29 교류기의 사인 파형

　교류발전기는 많은 양의 전력을 사용하는 항공기에서 찾아볼 수 있다. 실질적으로 Boeing 757, Airbus A-380에서는 각각의 엔진에 의해 가동되는 한 개씩의 교류발전기를 사용한다. 이들 항공기는 또한 보조 동력장치(APU, Auxiliary Power Unit)에 의해 구동되는 보조 교류 발전기(Auxiliary AC alternator)를 갖고 있다. 대부분의 운송용 항공기는 교류변환장치 또는 RAT(Ram-Air Turbine)에 의해 구동되는 소형 교류발전기와 같이, 적어도 1개 이상의 교류 예비 전력원을 갖추고 있다. 교류발전기는 3상 교류 출력을 생산한다. 교류기의 각각의 회전마다 3개의 분리된 전압을 생산한다. 그림 7-29와 같이, 이들 전압에 대한 사인파는 120°씩 나누어졌다. 이 파형은 내면적으로 직류교류기에 의해 생산 되는 것과 유사하지만, 이 경우, 교류발전기는 전압을 정류하지 않으며 이 발전기의 출력은 교류이다.

　현대의 교류발전기는 브러시 또는 슬립링을 이용하지 않아 브러시 없는(Brushless) 교류발전기라고 부른다. 이 Brushless 설계는 브러시에 의한 불꽃발생 등이 없어 신뢰성 좋고, 브러시를 교체 할 필요가 없어 유지보수 비용이 적다. 브러시 없는 교류발전기에서 고정자에서 회전자로 가는 에너지는 자속에너지(Magnetic flux energy)과 전자기유도의 과정을 이용하여 전송된다.

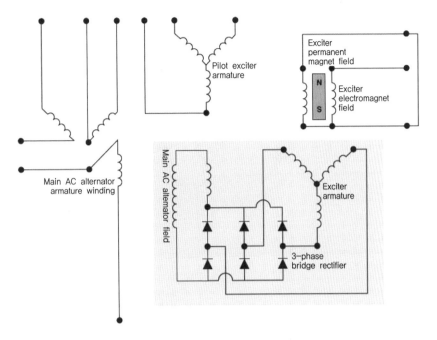

그림 7-30 교류발전기의 구조

그림 7-0과 같이, 브러시 없는 교류기는 실질적으로 3개의 발전기를 포함하고 있는데, 전기자와 영구자석계자(Permanent magnet field)의 여자발전기(Exciter generator), 전기자권선과 계자권선의 부여자발전기(Pilot exciter generator), 그리고 전기자권선과 계자권선의 주 교류발전기(Main AC alternator)이다. 브러시의 필요성은 이들 3개의 별개의 발전기 조합을 사용하여 없어진다. 여자발전기는 영구자석과 2개의 전자석으로 제작된 고정자계(Stationary field)를 가지고 있는 소형 교류발전기이다. 여자전기자(Exciter armature)는 3상이고 회전자축에 설치된다. 여자전기자 출력은 정류되고 부여자계(Pilot exciter field)와 주 발전기 계자로 보내진다. 부여자계는 발전기의 회전자축에 장착되고 주 발전기 계자와 직렬로 연결된다. 부여자전기자는 어셈블리의 고정부분에 장착된다. 부여자 전기자의 교류 출력은 정류되고 조절되는 발전기 제어 회로(Generator control circuit)에 공급되고, 그 다음에 여자기 계자 권선으로 보내게 된다. 여자기 계자로 보내진 전류는 주 교류발전기를 위해 전압조절을 한다. 만약 더 큰 교류발전기 출력이 필요하면, 여자계(Exciter field)로 더 많은 전류를 보내고 적은 출력이 필요하면, 여자계로 더 적은 전류를 보낸다.

Constant-speed drive

Aspirator

Iron ring

Check valve

Case relief valve

Terminal block

Input shaft(aneroid valve inside)

FWD

Elctrical connector A

Disconnect solenoid with thermal plug

Integrated drive generator

그림 7-31 CSD와 IDG

그림 7-31은 단독으로 구성된 정속구동장치(CSD, Constant Speed Drive)와 발
전기에 CSD가 포함된 형태인 IDG (Integrated Drive Generator)이다.

CSD는 발전기의 회전 속도를 일정하게 하여 발전기의 출력 전압의 주파수를 일정
하게 맞추어 주는 장치이다. 항공기는 400Hz를 사용하므로 400Hz±1Hz 수준으로 맞
추어준다. 만약 주파수가 이 값에서 10% 이상 벗어나면, 전기시스템은 정확하게 작
동되지 않는다. CSD는 현대의 자동차에서 확인되는 자동변속기와 유사한 유압장치

(Hydraulic unit)이다. 차량의 속도를 일정하게 유지하면서, 자동차의 엔진 rpm을 변화시킬 수 있고, 이것은 항공기 교류 발전기에서 일어나는 동일한 과정이다. 항공기 엔진이 속도를 변화시켜도, 교류기 속도는 일정하게 유지된다.

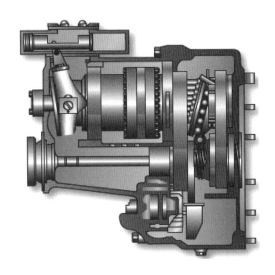

그림 7-32 유압식 정속구동장치

　그림 7-32에서는 전형적인 유압식 CSD를 보여준다. 이 장치는 전기적으로 또는 기계적으로 제어될 수 있다. 현대 항공기는 전자시스템을 쓴다. CSD는 엔진 공회전수(Engine idle rpm) 약간 이상에서, 최대 엔진 회전수 (Maximum engine rpm)에서 작동 할 때까지 교류기가 동일한 주파수를 생성하는 것을 가능케 한다. 유압 변속 장치(Hydraulic transmission)는 교류발전기와 항공기 엔진 사이에 설치된다. 유압유 또는 엔진오일은 교류기를 가동시키기 위해 정속 출력 속도를 만드는 유압변속장치를 작동시키기 위해 사용한다. 그림 7-36의 CSD 절단면에서와 같이, 일부의 경우, 이 동일한 오일은 교류기를 냉각하기 위해 사용된다. 입력 구동축(Input drive shaft)은 항공기 엔진 기어케이스(Engine gear case)에 의해 동력이 공급된다. 변속 장치의 반대쪽 끝단에서, 출력 구동축(Output drive shaft)은 교류기의 구동축에 맞물리게 한다. CSD는 유압 펌프 어셈블리 요약하면, 여자영구자석과 전기자는 발전과정을 시작하고, 여자전기자의 출력은 정류되고 부여자계로 보내진다. 부여자계는 자기장을 만들어내고 전자기 유도를 통해 부여자 전기자에서 전력을 유도한다. 부여자 전기자

의 출력은 발전기 제어 장치로 보내지고 그다음에 여자계로 되돌려 보내진다. 회전자가 계속 돌아가면서 교류발전기 계자는 전자기 유도를 이용하여, 발전기 전기자에서 전력을 발생시킨다. 교류 전기자(Main AC armature)의 출력은 3상 교류이며 여러 가지의 전기부하에 동력을 공급하기 위해 사용한다. 일부 교류기는 교류발전기의 내부 부품을 통해 오일을 순환시켜 냉각한다. 냉각을 위해 사용된 오일은 CSD에 공급되고 때론 외부 오일 냉각기에 의해 냉각된다. 발전기와 정속구동장치어셈블리를 연결하는 플랜지(Flange)에 위치된 배출구는 발전기와 정속구동장치 사이에 오일 흐름을 가능하게 한다. 일반적으로 이 오일 레벨은 중요하므로 정기적으로 점검한다. 기계적 속도 조종 장치, 그리고 유압 구동 장치를 사용한다. 엔진 회전수는 유압 펌프를 구동하고, 유압 구동 장치는 교류발전기를 돌린다. 속도제어장치(Speed control unit)는 출력속도를 제어하기 위해 유압을 조정하는 경사판(Wobble plate)으로 구성된다.

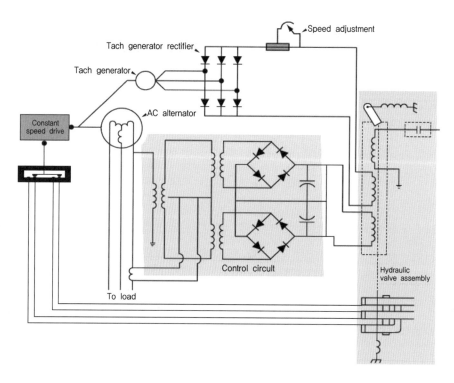

그림 7-33 정속 구동 회로

그림 7-33에서는 교류기 속도를 제어하기 위해 사용된 전형적인 전기회로를 보여준다. 회로는 정속구동장치에서 찾아볼 수 있는 유압 어셈블리를 제어한다. 그림과 같이, 교류기 입력속도는 회전계용 발전기(Tachometer generator)에 의해 감시된다. 회전계용 발전기 신호는 정류되어 밸브 어셈블리(Valve assembly)로 보내진다. 밸브 어셈블리는 밸브를 작동시키는 3개의 전자기 코일을 포함하고 있다. 또한 교류발전기 출력은 유압 밸브 어셈블리에 전력을 공급하는 제어회로를 통해 보내진다. 3개의 전자석에 의해 발생된 힘의 균형으로, 밸브어셈블리는 자동변속기를 통해 유동체의 흐름을 제어하고 교류발전기의 속도를 제어한다. 수많은 항공기에서, 보조 동력장치는 일정한 rpm으로 작동한다. 이들 보조 동력장치에 의해서 가동되는 교류발전기는 일반적으로 엔진에 의해 직접 구동되고, 그래서 규정된 정속구동장치가 없다. 이 장치들의 경우, 보조 동력장치 엔진제어는 교류기 출력주파수를 감시한다. 만약 교류기 출력주파수가 400Hz에서 바뀌면, 보조 동력장치 속도제어는 한도 이내로 교류기 출력을 유지하기 위해 엔진회전수를 조정한다.

3.4 작업 안전 사항

(1) 실습 시는 항상 실습장 안전수칙을 인지하여야 한다.
(2) 실습전후에는 정리정돈을 철저히 한다.
(3) 발전기 취급 시 부상의 위험이 있으므로, 구조나 수공구의 사용법을 철저히 학습하고 연습하여 안전하게 진행한다.

3.5 발전기 분해

(1) 직류 발전기와 그에 맞는 수공구를 준비한다.
(2) 수공구를 이용해서 케이스를 탈착한다.
(3) 발전기의 전기자, 계자, 정류자, 브러쉬를 모양과 위치를 확인하고 각각의 기능에 대해 설명한다.

3.6 평가

순번	평가항목	A	B	C	D	비고
1	작업이해도					
2	직류발전기 각 부분의 명칭					
3	직류발전기 각 부분의 기능설명					
4	작업 후 정리 정돈 상태					

4. 전동기 정비

4.1 학습목표

전동기의 원리 및 각 부분의 명칭을 이해하고, 전동기의 코일저항, 절연저항 측정 등을 학습한다.

4.2 실습재료

직류전동기, 교류전동기, 전동기 분해용 수공구 세트, 헝겊

4.3 관련지식

4.3.1 직류전동기의 동작원리

시동기에서 자동조종장치까지 비행기의 대부분 장치는 직류전동기의 기계적 에너지에 의해 동작한다. 전동기는 전기에너지를 기계에너지로 변형시키는 회전기이고, 전기자와 계자로 이루어져 있다. 전기자는 송전선이 자기장에 의해 영향을 미치는 곳에서 회전부분이다. 송전선이 자석의 자기장 내에 놓였을 때에는 언세나, 힘이 전선에 작용한다. 힘은 흡인 또는 반발 중 어떤 것도 아니지만, 그것은 전선에 수직으로 있고 또한 자석에 의해 새로이 만들어지는 자기장에 수직으로 있다.

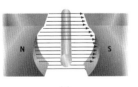
(A)
Wire without current located
in a magnetic field

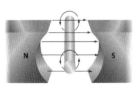
(B)
Wire without current and
accompanying field

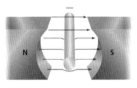
(C)
Resultant field and direction
of force on wire

그림 7-34 자기장 내에 놓여있는 송전선에서 힘의 작용

전선은 2개의 영구자석 사이에 놓여 있고, 자기장에서 자력선은 북극에서 남극으로 있다. 그림 7-34 (A)과 같이 전선에 전류흐름이 없을 때, 힘은 전선에 가해지지 않는다. 그림 7-34 (B)와 같이 전류가 전선을 통해 흐를 때, 자기장은 그것의 주의에 새로이 만들어진다. 자기장의 방향은 전류흐름의 방향에 따른다. 어느 한 방향으로 전류는 전선에 대하여 시계방향 자기장, 그리고 다른 쪽 방향에 전류는 반시계방향 자기장을 만들어낸다. 송전선이 자기장을 일으키기 때문에, 반작용은 전선의 주위에 자기장 사이에서 일어나고 자석 사이에 자기장이 일어난다. 전류가 전선에 대하여 반시계방향 자기장을 만들어내는 방향으로 흐를 때, 이 자기장과 자석 사이에 자기장은 자력선이 동일한 방향에 있기 때문에 전선의 밑바닥에서 더해지거나 보강한다. 전선의 꼭대기에서, 그들은 2개의 자기장에 있는 자력선은 방향에서 정반대의 것이기 때문에, 빼거나 중화한다. 그러므로 밑바닥에서 결과로 일어나는 자기장은 강해지고 꼭대기에서 자기장은 약해진다. 결론적으로, 그림 7-34 (C)와 같이 전선은 위쪽방향으로 밀어진다. 전선은 항상 자기장이 가장 강한 쪽에서 떠나서 밀어준다. 만약 전선을 통해 흐르는 전류가 방향에서 반대로 되었다면, 2개의 자기장은 꼭대기에서 더해지고 밑바닥에서는 뺀다. 전선은 항상 강한 자기장에서 떠나서 밀어주기 때문에, 전선은 아래쪽으로 밀어주게 된다.

(1) 회전력 발생 (Developing torque)

만약 전류가 흐르고 있는 곳에 코일이 자기장 내에 놓여 있다면, 힘은 그 코일로 하여금 회전하게끔 만들어낸다. 그림 7-51에서 보여준 코일에서, 전류는 변 A에서 안쪽방향으로 흐르고 변 B에서는 전류가 바깥쪽 방향으로 흐른다. 변 B의 주위에 자기장은 시계방향으로, 변 A의 주위에 자기장은 반시계방향으로 된다. 힘은 변 B 아래쪽 방향으로 밀어주는 것으로 전개될 것이다. 동시에 전류가 안쪽방향으로 있는 곳에서, 자석의 자기장과 변 A의 주위에 자기장은 밑바닥에서 더해지고 꼭대기에서는 빼므로 A는 위쪽방향으로 움직일 것이다.

그림 7-35에서 나타낸 평행한 코일과 수직인 코일은 그것의 면이 자석의 북극과 남극 사이에 자력선에 수직할 때까지 회전할 것이다. 회전을 만들어내려는 힘의 성향은 회전력이라고 부른다. 자동차의 조향장치가 돌려질 때, 회전력은 가해진다. 비행기

의 엔진은 프로펠러에 회전력을 제공한다. 회전력은 또한 방금 설명했던 송전코일의 주위에 반응하는 자기장에 의해서 발생하는데, 이것이 코일을 돌리는 회전력이다. 왼손전동기법칙(left-hand motor rule)은 자기장 내에서 움직이려는 송전선에 방향을 판정하는데 사용될 수 있다. 플레밍의 왼손 법칙에 의해 검지손가락이 자기장의 방향, 중지 손가락이 전류의 방향이면, 엄지손가락은 송전선이 움직이려는 방향을 지시할 것이다. 코일에서 발생된 회전력의 양은 자기장의 세기, 코일로서 코일 감은 수(권선수), 코일이 감겨 있는 코어의 재질에 따른다. 자석은 강한 자기장을 만들어내는 특수강으로 만든다. 매번 감김에 작용하는 회전력이 있기 때문에, 권선수가 많을수록 회전력이 더 크다. 그림 7-36에서처럼 균일한 자기장에 위치된 정상전류를 운반하는 코일에서, 회전력은 회전의 연속하는 위치에서 바뀔 것이다. 코일의 면이 자력선에 평행할 때, 회전력은 0이다. 그것의 면이 직각으로 자력선을 절단할 때, 회전력은 100%이다. 중간 위치에서, 회전력은 0~100% 사이의 범위를 정한다.

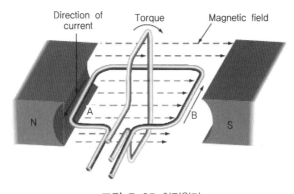

그림 7-35 회전원리

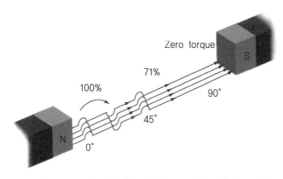

그림 7-36 각도의 변화에 따른 코일에 작용하는 힘

4.3.2 직류전동기의 구조

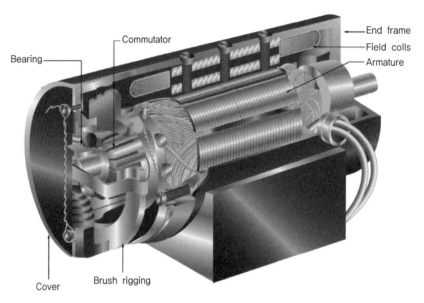

그림 7-37 직류 전동기의 구조

전동기에서 주된 부분은 그림 7-37에서 보듯이 전기자(Armature), 계자(Excited magnetic field), 정류자 (Commutator), 브러시(Brush)이다.

전기자는 전기자 코어에 전기자 권선이 있는 구조로 끝부분에는 브러쉬와 전기적으로 연결하기 위한 정류자가 있다. 전기자 코어는 규소강을 성층하여 만든 성층철심을 사용한다. 전동기의 효율을 낮추는 요소 중 가장 큰 것이 철에 의해 발생하는 철손이고, 철손은 히스테리시스 손실과 와전류 손실로 구분된다. 히스테리시스 손실을 줄이기 위해 자성이 좋은 철에 규소를 섞은 규소강을 사용하고, 와전류 손실을 줄이기 위해 얇은 강판을 층층이 쌓은 성층 철심을 사용한다. 전기자권선은 권선을 보호하기 위해 섬유지(Fish paper, 화학처리한 절연용의 두꺼운 종이)로 쌓여 있는 절연된 가늘고 긴 홈 안에 들어간 절연된 구리선이다. 쐐기 또는 강철 띠는 전기자가 고속으로 회전하고 있을 때, 가늘고 긴 홈에서 밖으로 날아가는 것을 방지하기 위해 그곳에서 권선을 잡아준다. 정류자는 서로 그리고 운모의 조각에 의해 전기자 축으로부터 절연된 다수의 동편(Copper segment)으로 이루어져 있다. 절연된 쐐기링(Wedge ring)은 그곳에서 편을 잡아준다.

계자는 계자 프레임, 자극편, 그리고 계자코일로 이루어져 있다. 계자 프레임은 전동기 케이스의 내벽을 따라 위치를 정하고, 계자코일이 감겨진 성층 연강자극편을 담고 있다. 절연선의 몇 번의 감김으로 이루어진, 코일은 극과 함께 각각의 자극편 위에 계자극과 함께 조립한다.

브러시는 브러시와 브러시 홀더(Brush holder)로 이루어져 있다. 브러시는 보통 이 재료가 긴 사용기간을 갖고 있고 또한 정류자에 최소한의 마모를 일으키기 때문에, 흑연탄소의 작은 블록이다. 브러시홀더는 그들이 정류자의 표면에서 어떤 요철을 따라가도록 그리고 양호한 접촉을 만들도록 브러시에서 약간의 움직임을 허용한다. 스프링은 정류자에 대하여 견고하게 브러시를 잡아준다. 그림 7-38에서는 정류자와 두 가지 유형의 브러시를 보여준다.

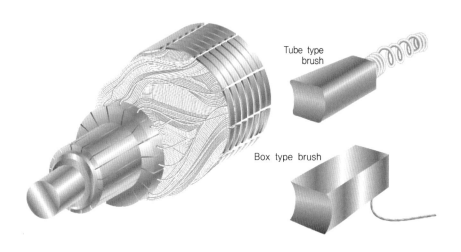

그림 7-38 정류자와 브러시

End frame은 정류자를 마주보고 있는 전동기의 부품이다. 보통 끝단 틀은 구동시키고자 하는 장치에 연결될 수 있도록 설계된다. 구동장치 끝단을 위한 베어링(Bearing)은 또한 끝단 틀 안에 위치된다. 때때로 끝단 틀은 전동기에 의해 구동되는 장치의 일부분으로 제작된다. 이것이 되었을 때, 구동장치 끝단에 있는 베어링은 여러 곳 중 어느 한 곳에 위치하게 된다.

4.3.3 직류전동기의 유형

(1) 직권전동기(Series motor)

그림 7-39에서 보듯이 직권전동기는 계자 권선과 전기자 권선과 직렬로 연결된다. 직렬로 연결되어 있으므로 계자 권선과 전기자 권선의 전류는 동일하고, 전류 증가는 계자와 전기자 모두의 자기력을 강하게 한다. 같은 전압이라도 권선의 저항이 낮으므로, 큰 전류가 흐를 수 있고, 그 만큼 자기력이 강해지므로 회전력은 강해진다. 이런 강한 토크로 인하여 직권전동기는 자동차나 항공기의 시동용으로 많이 사용되고 있다. 그리고 가끔 엔진 시동기로 그리고 착륙장치, 카울 플랩(Cowl flap), 그리고 날개 플랩(Wing flap)을 올리고 내리기 위해 항공기에서 사용된다.

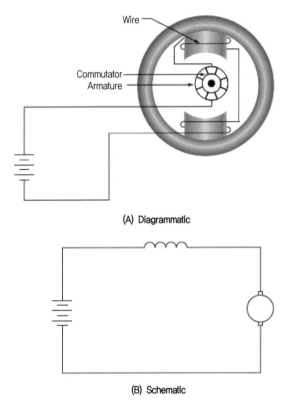

(A) Diagrammatic

(B) Schematic

그림 7-39 직권전동기의 구조

(2) 분권전동기(Shunt motor)

분권전동기는 그림 7-40에서처럼 계자권선과 전기자권선과 병렬로 연결되어 있다. 계자권선의 저항은 매우 크다. 계자권선은 직접 전원장치와 교차하여 연결되기 때문에, 계자를 통과한 전류는 일정한 것이다. 계자전류는 직권전동기에서처럼, 전동기속도에 따라 변화하지 않으며, 그런 까닭에, 분권전동기의 회전력은 오직 전기자를 통과한 전류에 따라 바뀔 것이다. 시동에서 조성된 회전력은 동일한 크기의 직권전동기에 의해 조성된 것보다 적다. 분권전동기의 속도는 부하에 따른 변화로서 매우 적게 변화한다. 모든 부하가 제거되었을 때, 그것은 부하가 걸린 속도보다 약간 더 높은 속도를 취한다. 이 전동기는 정속이 요구될 때 그리고 고기동회전력이 필요로 하지 않을 때 특히 사용에 적당한 것이다.

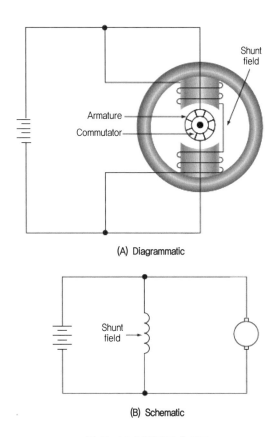

(A) Diagrammatic

(B) Schematic

그림 7-40 분권전동기 구조

(3) 복권전동기(Compound motor)

복권전동기는 직권전동기의 장점인 좋은 회전력과 분권전동기의 장점인 일정한 회전 속도를 얻기 위해 전기자 권선 하나에 계자권선을 하나는 직렬, 하나는 병렬로 연결한 구조이다. 그림 7-41에서는 복권전동기의 개략도를 보여준다. 직권계자 때문에, 가동복권전동기는 분권전동기보다 고기동회전력을 갖는다. 가동복권전동기는 부하에 급작스러운 변화를 필요로 하는 구동기계장치에서 사용된다. 그들은 또한 고기동회전력이 요구되지만 직권 전동기가 쉽게 사용될 수 없는 곳에 사용된다. 차동복권진동기에서, 부하에 증가는 전류에 증가를 일으키고 이 유형의 전동기에서 총 선속에서 감소를 일으킨다. 이들 2개는 서로 대조하려는 경향이 있고 결과는 실제적으로 정속이지만 부하에서 증가는 전계강도를 감소시키려는 경향이 있기 때문에 속도특성은 불안정하게 된다. 이 전동기는 항공기 계통에서 거의 사용하지 않는다.

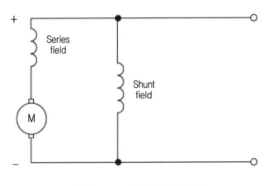

그림 7-41 복권전동기 구조

4.3.4 전동기 속도 제어

전동기에 있는 전기자가 자기장 내에서 회전할 때, 전압은 전기자권선에서 유도된다. 이 전압은 역기전력(Back electromotive force)이라고 부르고 외부전원으로부터 전동기에 적용된 전압의 방향에 정반대의 것이다. 전동기 속도는 계자권선의 전류로 제어될 수 있다. 계자권선을 통해 흐르는 전류의 양이 증가될 때, 전계강도는 증가하지만, 전동기는 역기전력의 더 많은 양이 전기자권선에서 발전되기 때문에 속력을 늦춘다. 계자전류가 감소 될 때, 전계강도는 감소하고, 그리고 전동기는 역기전력이 감소되기 때문에 속도를 빠르게 한다. 속도가 제어될 수 있는 곳에 전동기는 가변전동기라고 부른다.

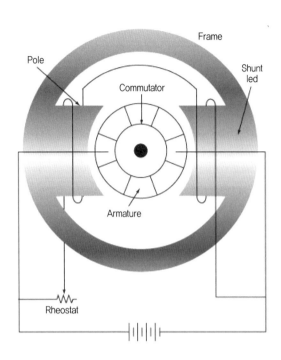

그림 7-42 분권 가변전동기 구조

그림 7-42는 분권 가변전동기의 구조를 나타낸다. 전동기의 속도는 계자권선에 직렬로 연결된 가감저항기에 의해 제어된 전류의 양에 따른다. 전동기속도를 증가시키려면, 계자전류를 감소시키는 가감저항기에 저항은 증가시켜진다. 그 결과로 자기장의 강도와 역기전력에서 감소가 있다. 이것은 순간적으로 전기자전류와 회전력을 증가시킨다. 그때 전동기는 역기전력이 증가할 때까지 자동적으로 속도를 빠르게 할 것이고 전기자 전류로 하여금 그것의 이전의 값으로 감소되게 한다. 이것이 발생할 때, 전동기는 이전보다 빠른 고정속도에서 작동할 것이다. 전동기 속도를 감소시키려면, 가감저항기의 저항은 감소된다. 더 많은 전류는 계자권선을 통해 흐르고 자기장의 강도를 증가시키는데, 그때 역기전력은 순간적으로 증가하고 전기자전류는 감소한다. 결과적으로, 회전력은 감소하고 전동기는 역기전력이 그것의 이전의 값으로 감소할 때까지 속력을 늦추는데, 그때 전동기는 이전보다 더 낮은 고정속도로 작동한다.

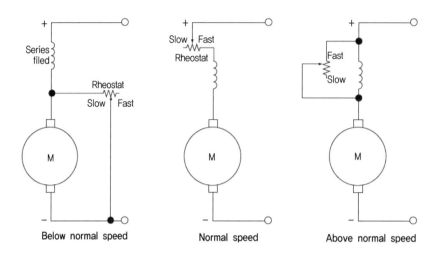

그림 7-43 직권 가변전동기 구조

직권전동기에서 가감저항기 속도제어는 전동기 계자에 직렬로 또는 병렬로 연결되거나, 또는 전기자와 병렬로 연결된다. 그림 7-43 왼편과 같이 가감저항기가 최대저항으로 설정될 때, 전동기 속도는 전류가 감소하므로 병렬 전기자 결선에서 증가된다. 그림 7-43의 중간과 같이 가감저항기 저항이 직렬연결에서 최대의 것일 때, 전동기속도는 전동기의 전역에서 전압에 감소로서 줄어든다. 그림 7-43 오른편 그림과 같이 정상속도운전 이상에서, 가감저항기는 직권계자와 병렬로 있다. 직권계자전류의 일부분은 우회되고 전동기는 속도를 빠르게 한다.

4.3.5 교류전동기

항공기에 주로 사용되는 교류 전동기는 유도전동기와 동기전동기이다. 각각의 유형은 전원의 종류에 따라 단상과 3상으로 구분한다. 3상 유도전동기는 상이 3개인만큼 전력소모가 많은 시동기, 플랩, 착륙장치, 그리고 유압 펌프와 같은 장치를 작동시킨다. 단상유도전동기는 소요 동력이 적은 조종익면 장금장치(Surface lock), 중간냉각기 개폐기(Intercooler shutter), 오일 차단 밸브 같은 곳에 사용된다. 3상 동기전동기는 정속으로 작동하므로, 플럭스 게이트 나침의(Flux gate compass)와 프로펠러 동조기 시스템 등에 사용되고, 단상동기전동기는 전기 시계와 같은 소형 징밀징비를 작동 시킬 때 사용된다.

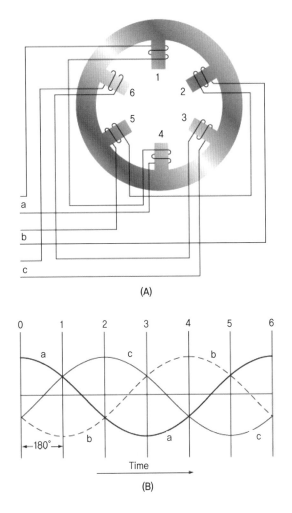

(A)

(B)

그림 7-44 회전자기장

(1) 3상 유도전동기(Three-Phase induction motor)

3상 교류 유도전동기는 농형전동기(Squirrel cage motor)라고도 부른다. 단상전동기와 3상전동기 모두는 회전자기장(Rotating magnetic field)의 원리에서 작동한다. 그림 7-44 (A)에서 계자 구조는 권선이 3개의 교류전압, 즉 a, b, c에 의해 전압을 가한 극을 갖고 있다. 그림 7-44 (B)와 같이, 이들 전압은 동일한 크기를 갖지만, 위상에서 다른데, 0의 시점에서, 3개의 전압의 적용에 의해 생산된 합성자기장은 극 1에서 극 4까지 이어지는 방향으로 그것의 가장 강한 강도를 갖는다. 이 상황에서, 극 1은 N극 그리고 극 4를 S극이라고 간주될 수 있다. 1의 시점에서, 합성자기장은 극 2에서 극 5까지 이어지는 방향으로 그것의 가장 강한 강도를 갖게 될 것인데, 이 경우에서, 극 2는 N극 그리고 극 5는 S극이라고 간주될 수 있을 것이다. 그러므로 시점 0과 시점 1 사이에서, 자기장은 시계방향으로 회전되었다. 시점 2에서, 합성자기장은 극 3에서 극 6까지 방향에서 그것의 가장 강한 강도를 가지며, 그래서 합성자기장은 시계방향으로 회전하도록 지속되었다. 시점 3에서, 극 4는 N극 그리고 극 1은 S극이라고 따로따로 간주될 수 있고, 그리고 계자는 여전히 더욱 앞으로 회전하였다. 더 나중의 시점에서, 합성자기장은 한 번의 순환에서 일어나는 시계방향으로, 계자의 1회전 운동을 이동하는 동안에 다른 위치로 회전한다. 만약 여자전압이 60Hz의 주파수를 갖는다면, 자기장은 초당 60회전 또는 3,600rpm을 만든다. 이 속도는 회전자계의 동기속도라고 한다.

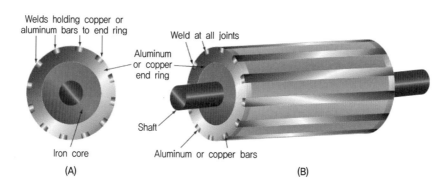

그림 7-45 유도전동기의 로터

유도전동기의 고정부분은 고정자(Stator), 그리고 회전부분은 회전자(Rotor)라고 부른다. 그림 7-45 (A)에서 보듯이 고정자에 있는 동출자극(Salient pole) 대신에, 분포권선이 사용되는데, 이들 권선은 고정자의 외면 주위에 가늘고 긴 홈 안에 놓인다. 그러므로 육안검사로는 유도전동기에 있는 극의 수를 식별하는 것은 불가능하다. 정격속도 또는 비동기속도는 동기속도보다 약간 작다. 전동기에서 위상 당 극의 수를 계산하기 위해서, 주파수를 120배 한 것을 정격속도로 나눈다.

$$f = \frac{PN}{120} \quad [\text{단, } f=주파수, \ P=계자극수, \ N=정격속도(\text{rpm})]$$

유도전동기의 회전자는 굵은 구리막대 또는 알루미늄 막대가 끼워 넣어진 그곳에서 그것의 원주 주위에 세로의 가늘고 긴 홈을 갖는 철심으로 이루어진다. 이들 막대는 양쪽 끝단에 고 전도율의 굵은 링으로 용접된다.

유도전동기의 회전자가 고정자권선에 의해 생산된 순환자기장의 영향 하에 두었을 때, 전압은 세로의 구리막대에 유도된다. 유도전압은 전류로 하여금 막대를 통해 흐르게 한다. 이 전류는 번갈아 회전자가 유도전압이 최소로 되는 그 점에서 위치를 취하도록 순환자기장과 조합되는 자체의 자기장을 생산한다. 결과적으로, 회전자는 회전자에서 기계손실과 전기손실을 극복하기 위해 회전자에 적절한 양의 전류를 유도시키기에 아주 충분한 것이 되는 속도에서 차이인, 고정자 계자의 동기속도와 거의 밀접하게 주기적으로 회전한다. 만약 회전자가 회전자기장과 같은 동일한 속도로 돌아가고 있다면, 회전자 도선은 어떤 자력선도 절단하지 않게 되고, 기전력은 그들에서 유도되지 않게 되고, 전류는 흐를 수 없고, 그리고 회전력이 발생하지 않게 된다. 그때 회전자는 속력을 늦춘다. 이런 이유로, 회전자와 회전자기장 사이에 속도에서 차이는 항상 있어야 한다. 이 속도에서 차이는 공전(slip)이라고 부르고 동기속도에 대한 백분율로 나타낸다.

3상 유도전동기의 회전의 방향은 전원선 중 2개의 도선을 바꾸면 바꿀 수 있다. 단상 전동기에서 기동권선의 반대접속은 회전의 방향을 반대로 할 것이다. 대부분의 단상 유도전동기는 기동권선으로 즉시 반대접속을 위한 설비를 갖추고 있다. 만약 시동 후 3상 전동기에서 3개의 전원선 중 하나의 접속이 끊어진다면, 1/3 정격출력으로만 작동할 것이다.

(2) 동기전동기 (Synchronous motor)

유도전동기와 마찬가지로 동기전동기도 회전자기장을 이용한다. 그러나 유도전동기와 달리 전개된 회전력은 회전자에서 전류의 유도에 의존하지 않는다. 그림 7-46은 동기전동기의 작동원리에 대한 그림이다. 극 A와 극 B가 회전자기장을 만들어내기 위해 일부 기계적인 수단에 의해 시계방향으로 회전하고 있다고 가정하면, 그들은 연철 회전자에서 정반대의 극성의 극을 유도하고, 그리고 당기는 힘은 상응하는 N극과 S극 사이에 존재한다. 결과적으로 극 A와 극 B가 회전할 때, 회전자는 동일한 속도로서 느릿느릿 진행된다. 그러나 만약 부하가 회전자축에 가해진다면 회전자는 회전자기장의 것 뒤에 처져서 잠깐 떨어질 것이지만 그 이후에, 부하가 상수를 유지되는 동안 동일한 속도로서 자기장과 함께 회전하는 것을 지속할 것이다. 만약 부하가 너무 크다면, 회전자는 회전자기장에서 동기를 벗어나 끌어당길 것이고, 결국 더 이상 동일한 속도에서 계자와 함께 회전하지 않을 것이다. 그러므로 전동기는 과부하 걸렸다고 말한다.

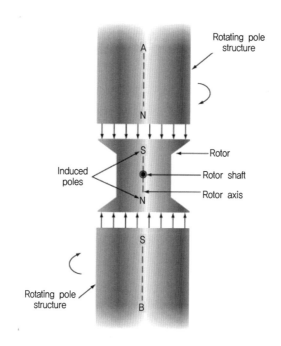

그림 7-46 동기전동기 동작 원리

4.4 작업 안전 사항

(1) 실습 시는 항상 실습장 안전수칙을 인지하여야 한다.

(2) 실습전후에는 정리정돈을 철저히 한다.

(3) 측정기의 금속 부분에 피부가 접촉하는 일이 없도록 주의한다. 특히 절연저
항계의 경우는 높은 전압이 기기에서 인가되므로 주의한다.

(4) 전동기의 브러시 분해나 조립 시 브러시의 장력이 강하여 부상의 위험이 있
으므로, 구조나 수공구의 사용법을 철저히 학습하고 연습하여 안전하게 진행
한다.

4.5 직류전동기의 검사와 정비

(1) 제조사의 사용설명서에 따라 전동기의 구성 부분의 작동을 점검한다.

(2) 배선, 접속, 터미널, 퓨즈, 그리고 스위치를 점검한다.

(3) 전동기의 외관검사를 하고, 설치용 볼트의 조임 여부를 확인한다.

(4) 브러시의 상태, 길이, 스프링장력에 대해 점검한다. 브러시를 교체할 시기는
사용설명서에 명시된 최소 브러시길이, 스프링장력을 확인하여 결정한다. 교
체 절차는 사용설명서를 따른다.

(5) 정류자의 상태를 점검한다. 이물질의 부착여부나 점식(Pitting corrosion, 금
속의 표면이 국부적으로 깊게 침식되어 작은 구멍을 만드는 부식형태), 새김
눈(Snick, 가로 또는 세로로 난 홈집), 하이 마이카(High mica, 정유자의 정
류자편간의 절연물 마이카나이트가 동편보다 바깥쪽에 돌출되어 있는 상태로
불꽃 발생이 원인이 된다.) 등과 같은 외형 변형에 대해 점검한다. 이물질이
묻었을 경우에는 권장하는 세정용제에 적신 헝겊으로 정류자를 깨끗하게 한
다. 표면 손상이 경미할 경우는 고운 사포 또는 유연성 연마석으로 표면을
연마하고 압축공기를 이용해서 발생한 가루를 제거해 준다. 발생한 금속가루
는 단락의 원인이 될 수 있다. 만약 정류자가 손상이 심하면 전동기를 교체
해야 한다.

(6) 코일부분에 과열되어 녹은 부분이 없는지 검사한다. 만약 코일부분에 문제가
생기면 전동기를 교체한다.

(7) 사용설명서에 윤활이 필요하다고 한다면 윤활유를 사용한다. 그러나 대부분

항공기에 사용되는 전동기는 오버홀(Overhaul, 분해수리)까지는 윤활이 필요 없다.

4.6 교류전동기의 정비

교류전동기의 검사와 정비는 매우 간단하다. 밀폐된 베어링은 윤활이 필요 없다. 코일의 오염 상태를 확인한다. 오염되었을 경우 오염원을 제거해 준다. 교류 전동기는 온도와 소리로 정상 작동여부를 확인 할 수 있다. 손이 뜨거울 정도가 되면 과열되었다는 의미이다. 정상상태에서 소리는 평탄하게 윙윙거려야 한다. 만약 과부하 상태면 전동기도 힘들어(Grunt)한다. 3상 전동기에서 전원선이 하나 빠지면 돌아가려 하지 않고 으르렁(Growl) 할 것이다. 똑똑 소리(Knocking sound)는 대개 풀린 전기자코일, 정렬되어 있지 않은 축, 닳아진 베어링 때문에 발생한다. 모든 교류전동기의 검사와 정비는 제작사의 사용설명서에 따라 수행되어야 한다.

4.7 전동기 분해 조립

(1) 직류 직권전동기와 그에 맞는 수공구를 준비한다.
(2) 수공구를 이용해서 고정 볼트를 분리하고, 브러시 부분의 케이스를 탈착한다.
(3) 브러시 홀더채로 정류자에서 분리해 낸다. 계자와 계자 프레임도 브러시 홀더에 연결되었으므로 같이 빼내야 한다. 내부 전기자에서 브러시와 연결된 부분이 정류자이고, 정류자보다 바깥쪽에 있는 것이 베어링이다. 브러시가 정류자를 강한 힘으로 누르고 있으므로 작업자는 손가락 등이 끼지 않도록 주의하여야 한다.
(4) 전기자를 기어박스에서 빼낸다.
(5) 헝겊을 이용해서 전기자 및 계자, 브러시, 홀더의 이물질을 제거하고, 앞서 설명한 점검방법에서와 같이 브러시의 상태를 확인한다.
(6) 전기자를 기어박스에 연결한다.

(7) 계자 프레임을 전기자 외곽에 넣고, 브러시를 정류자에 연결한다. 브러시는 최소 2개 이상이므로 여러 방향에서 힘을 주어 조립해야 한다. 이때는 더욱 더 손가락 등이 끼지 않도록 주의하여야 한다. 큰 부상의 위험이 있다.

(8) 케이스를 조립하고 고정용 볼트를 조여 고정한다.

4.8 전동기 코일 저항 측정

(1) 전동기, 멀티미터를 준비한다.

(2) 멀티미터를 이용하여 전동기의 전원 인가 부분 사이의 코일 저항을 측정한다.

4.9 전동기 절연저항 측정

(1) 전동기, 절연저항계를 준비한다.

(2) 전동기의 케이스와 전원 인가되는 부분사이의 저항인 절연저항을 측정한다.

4.10 평가

순번	평가항목	A	B	C	D	비고
1	작업이해도					
2	직권전동기 분해 조립					
3	전동기의 코일저항 측정					
4	전동기의 절연저항 측정					
5	작업 후 정리 정돈 상태					

제8장 도선작업

1. 스플라이스(Splice) 실습

1.1 학습목표

전선과 전선을 연결하는 스플라이스 작업을 통해 항공기에서 도선 관련 정비 및 고장 수리를 할 수 있다.

1.2 실습재료

도선, 스플라이스, 와이어스트리퍼, 클램핑툴, 수축튜브, 힛건

1.3 관련지식

1.3.1 배선도

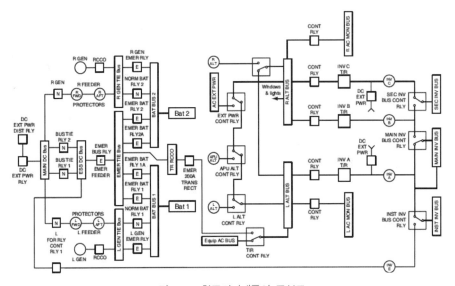

그림 8-1 항공전기계통의 구성도

　　매뉴얼에는 전기적인 문제 해결을 위해 전기 배선도가 포함되어 있다. 배선도에는 기준에 따라서 구성도(Block diagram, 그림 8-1), 그림도해(Pictorial diagram, 그림 8-2), 계통도(Schematic diagram 그림 8-3)로 구분된다.

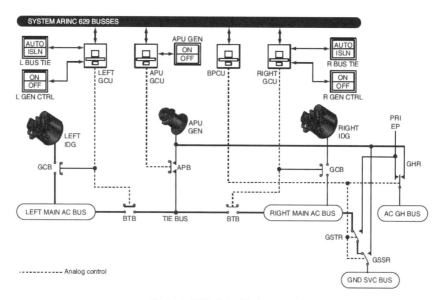

그림 8-2 항공전기계통의 그림도해

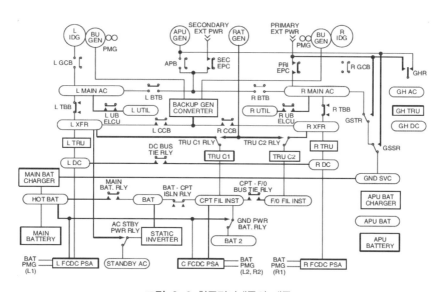

그림 8-3 항공전기계통의 계통도

구성도는 교체 할 수 있는 블록 단위로 구성되어 있기 때문에 복잡한 전기시스템과 전자시스템의 문제 해결에 보조 자료로 사용 된다. 그림도해는 부품의 그림을 기준으로 작성되어 정비사가 시각적으로 시스템의 작동을 볼 수 있도록 도움을 준다. 계통도는 작동 원리를 설명하기 위해 사용되며, 서로 관계되는 부품의 위치를 나타내어 전기적인 문제 해결에 있어서 가장 유용하게 활용된다.

1.3.2 배선

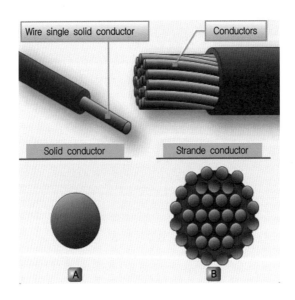

그림 8-4 단선(A)과 연선(B)

(1) 도선의 규격 및 조건

항공기의 성능도 자동차의 성능과 마찬가지로 기계적인 특성보다는 전기적인 성능에 좌우되고, 이를 유지하기 위해서는 전기 계통 케이블을 설치, 검사, 관리하는 것이 중요하다. 전선은 그림 8-4에서 보듯이 크게 단선(Single conductor)과 연선(Stranded conductor)으로 구분된다. 단선은 도선 내부의 선이 하나이고, 연선은 도선 내부의 여러 가닥으로 되어 있어 휠 수 있는 장점이 있다.

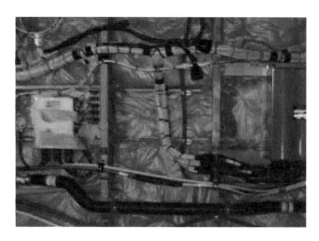

그림 8-5 와이어 하네스

구성적으로 보면 도선 내부에 전기적으로 분리된(여러 개의 내부 피복과 하나의 외부 피복으로 구분된) 여러 도선이 있는 것을 다심 케이블(Multi-conductor cable), 외부 피복과 내부 피복사이에 금속 그물망으로 되어 있어 외부의 전자기파로부터 보호되는(혹은 내부의 전자기파가 외부로 나가지 못하게 막아주는) 도선을 쉴드 케이블(Shielded cable), 자기장의 상쇄를 위해 꼬여진 케이블을 트위스트 페어 케이블(Twisted pair cable)이라고 한다. 그리고 그림 8-5.과 같이 배선 다발을 하네스(Harness)라고 한다.

경량항공기에 표준전선은 600V와 105℃까지 사용 가능한 주석 도금 구리 도체인 MIL-W-5086A이었다. 상업용 항공기와 군용기는 MIL-W-22759규격에 따라 제작된 전선을 사용한다. 항공기 전선의 선정에서 가장 중요한 고려사항은 가장 가혹한 환경조건에도 사용 가능하여야 한다.

표 8-1 구리와 알루미늄의 특성비교

특성	구리	알루미늄
Tensile strength (lb-in)	55000	25000
Tensile strength for same conductivity (lb)	55000	40000
Weight for same conductivity (lb)	100	48
Cross section for same conductivity (CM)	100	160
Specific resistance (ohm/mil ft)	10.6	17

　가장 많이 사용하는 도선의 재질은 구리와 알루미늄이다. 구리는 도전율(High conductivity)이 높고 연성이며 인장강가 높고 납땜이 쉽지만, 알루미늄보다 비싸고 무겁다. 알루미늄의 도전율은 구리의 약 60%이지만, 가벼워서 구리에 비해 상대적으로 큰 직경을 가질 수 있어 코로나 방전(Corona discharge)을 줄일 수 있다. 동일한 무게에서 면적이 크다는 것은 그만큼 열의 배출이 원활하다는 의미이다. 표 8-1에서는 구리와 알루미늄의 특성이 비교되었다.

　도선은 산화되면 전기적인 특싱이 완진히 변하므로, 산소와 직접 만나지 않기 위해 매우 느린 산화율(Oxidation rate)을 갖는 주석, 은, 니켈로 도금(Plating)을 한 후 피복을 씌워 만든다. 주석 도금 시 150℃, 은도금 시 200℃ 까지 사용 가능하다. 니켈 도금전선(Nickel-coated wire)은 260℃ 이상에서도 해당 속성을 유지하지만, 260℃를 초과하지 않게 하는 절연시스템을 갖는다. 니켈도금전선의 납땜된 말단은 다른 솔더 슬리브(Solder sleeve) 또는 용제의 사용을 필요로 한다.

그림 8-6 전선 차폐

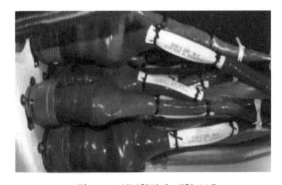

그림 8-7 외부환경에 대한 보호

항공기에 사용되는 장비는 민감하기 때문에 전자기로부터 보호되어야한다. 이를 위해 배선과 장비에 금속성 피복(Metallic covering)을 씌워야 한다. 권장하는 차폐정도는 85% 수준이다. 그림 8-6은 항공기에 사용된 전선 차폐를 보여준다.

전기적인 차폐이외에도 그림 8-7처럼 열풍과 습기에 대한 보호도 필요하다. Wheel well, Wing flap 근처, Wing fold, Pylon 등이 보호가 필요한 구역이다.

항공기에 사용되는 전선은 미국 전선 규격(AWG, American Wire Gauge)인 BS(Brown & Sharpe) 규격을 따르고, 표 8-2와 같이 00번부터 20번까지의 전선 중 짝수 번만 사용한다. 번호가 클수록 전선의 직경은 작아진다. 전력을 송전하고 배전하는 전선의 크기를 선정할 때는 전류에 의한 주울열, 전압강하, 전선의 기계적 강도 등이 고려되어야 한다.

표 8-2 BS도선 규격 중 항공기 도선의 규격

	Cross Section			Ohms per 1,000 ft	
Gauge Number	Diameter (mil)	Area (Cmil)	Square inches	at 25 ℃	at65 ℃
00	365	133,000	0.105	0.0795	0.0917
0	325	106,000	0.0829	0.100	0.166
2	258	66,400	0.0521	0.159	0.184
4	204	41,700	0.0328	0.253	0.292
6	162	26,300	0.0206	0.403	0.465
8	128	16,500	0.0130	0.641	0.739
10	102	10,400	0.00815	1.02	1.18
12	81	6,530	0.00513	1.62	1.87
14	64	4,110	0.00323	2.58	2.97
16	51	2,580	0.00203	4.09	4.73
18	40	1,620	0.00128	6.51	7.51
20	32	1,020	0.000802	10.40	11.90

(2) 전선 식별 (Wire identification)

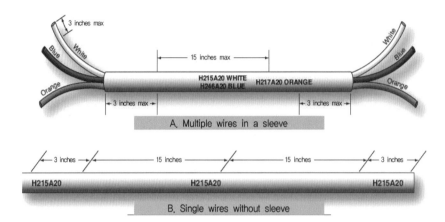

A. Multiple wires in a sleeve

B. Single wires without sleeve

그림 8-8 직접표시

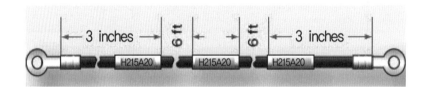

그림 8-9 간접표시

그림 8-10 도선에 영향을 안주는 표시 방법

전선의 식별은 작동의 안전, 정비사의 안전, 정비의 편리를 위해 필요하다. 전선에는 5자리의 숫자와 문자로 조합된 제작사 등록 번호 부호(CAGE, Commercial And Goverment Entry code)가 표시된 것이 일반적이다. 그림 8-8과 같이 전선에는 직접 표시할 수도 있고, 그림 8-9와 같이 수축튜브에 인쇄하여 표시하는 간접표시 방법도 있고, 그림 8-10과 같이 아예 외부에 표시하는 방법도 있다.

1.3.3 동축케이블(Coaxial cable)

모든 배선은 손상으로부터 보호되어야 할 필요가 있다. 그러나 동축케이블(그림 8-11) 또는 3축 케이블(Triaxial cable)은 특히 더 주의하여야 한다. 동축케이블은 일상생활에서도 흔히 볼 수 있는데, TV 안테나선이 동축케이블이다.

그림 8-11 동축케이블

작업자는 동축케이블을 취급하거나 작업하는 동안 주의해야 한다. 동축케이블 손상은 너무 단단하게 고정되어 있거나 커넥터 근처에서 급격하게 구부러졌을 때 발생할 수 있다. 이런 손상은 동축케이블과 관련 없는 정비행위 도중에 발생할 수 있고, 동축케이블은 외부 표시 없이 내부에 심각하게 손상될 수 있다. 그림 8-12는 표준 동축 케이블(Standard center coaxial cable)이다.

동축케이블 고장의 예방책은 다음과 같다.

(1) 동축케이블을 절대로 비틀지 않는다.
(2) 동축케이블에 물건을 떨어뜨리지 않아야 한다.

(3) 동축케이블을 밟지 말아야 한다.

(4) 동축케이블을 급격하게 구부리지 말아야 한다.

(5) 허용 굴곡 반경(allowable bend radius)보다 더 바짝 쥔 동축케이블을 고리로 만들지 않는다.

(6) 직선을 제외하고 동축케이블을 당기지 말아야 한다.

(7) 손잡이를 위해 사용하거나, 동축케이블에 기대는, 또는 동축케이블에 또는 어떤 다른 전선을 걸지 말아야 한다.

그림 8-12 표준 동축 케이블(Standard center coaxial cable)

1.4 작업 안전 사항

(1) 실습 시는 항상 실습장 안전수칙을 인지하여야 한다.

(2) 실습전후에는 정리정돈을 철저히 한다.

(3) 수공구 사용 시나 횟건 사용 시에는 안전에 항상 유의 한다.

1.5 스플라이스 실습

그림 8-13 여러 종류의 스플라이스

스플라이스는 도선과 도선을 연결하는데 필요한 전자 부품으로 모습은 그림 8-13 과 같다. 스플라이스의 작업 순서는 다음과 같다.

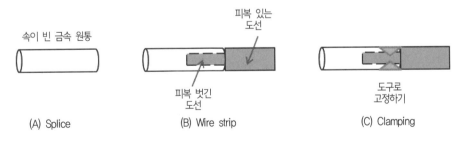

그림 8-14 스플라이스 작업 순서

(1) 그림 8-14 (A)와 같이 속이 빈 금속으로 된 원통(Splice)을 준비한다. 스플라이스는 플라스틱으로 된 피복이 있는 형태와 없는 형태가 있다. 피복이 없는 형태의 스플라이스는 (5)의 추가 작업이 필요하다. 스플라이스의 내경과 도선 내선인 금속의 외경이 일치하는 것을 준비한다. 만약 AWG14 도선이라면 AWG14에서 AWG16에서 사용 가능한 스플라이스를 준비한다.

(2) 연결하려는 도선의 피복을 와이어 스트리퍼(Wire stripper)를 이용하여 벗긴다. 많이 사용하는 와이어 스트리퍼는 그림 8-14와 같이 수동과 반자동의 2가지 종류가 있고, 모양은 둘 다 가위에 반원의 홈이 있는 형태이다. 반원의 홈은 도선 내부의 금속선의 굵기에 따라 선택하면 된다. 수동은 조인 다음 잡아 당겨 피복을 벗겨내는 형태이고, 반자동은 도선을 잡은 후 손잡이를 누르면 도선의 잘라진 피복과 도선 사이를 벌려주어 피복을 벗기는 형태이다. 피복을 벗긴 도선(Wire strip)의 길이는 반대편에도 똑같은 도선이 들어가야 하므로 스플라이스의 반 정도로 한다. 스플라이스는 선과 선을 연결하는 전자 부품이므로 대부분 중간 부분이 표시되어 있다. 연선의 경우는 스플라이스에 넣을 때 일부의 도선이 벗어나는 것을 방지하기 위해 한 번 정도 꼬아준다. 너무 많이 꼬아주면(Twist) 두께가 두꺼워진다.

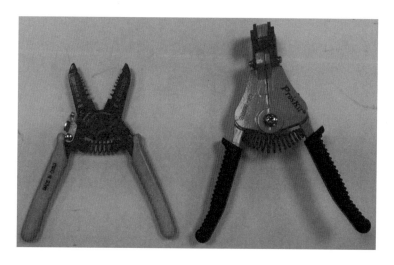

그림 8-15 와이어 스트리퍼 (좌:수동, 우:반자동)

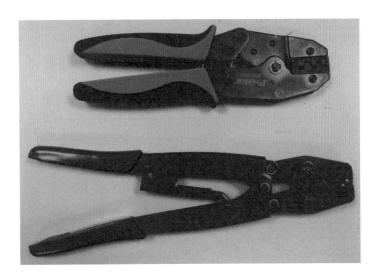

그림 8-16 클램핑 툴

(3) 그림 8-14 (B)와 같이 스플라이스의 한 방향에 피복을 벗긴 도선을 넣고, 그림 8-14 (C)와 같이 클램핑 툴(Clamping tool, 그림 8-16)을 이용하여 힘을 주어 누른다. 그러면 도선의 금속과 원통의 금속은 전기적으로 연결이 되고, 누름으로 인해 접촉면이 넓어져 기계적으로도 연결이 된다. 클램핑 툴은 홈이 정해져 있어서 일정한 부분까지 압력을 가하기(Clamping) 쉽다.

(4) 스플라이스의 반대편에는 연결하려는 도선을 (3)과 같은 방법으로 연결한다. 연결하려는 두 도선과 스플라이스의 재질이 같아야 전기적인 손실을 줄일 수 있다.

(5) 피복이 없는 스플라이스의 경우는 절연을 위해 스플라이스 위에 절연체를 씌워줘야 한다. 절연체로 흔히 사용되는 것이 열수축튜브(Heat shrinkable tube)이다. 수축튜브는 열(125℃ 수준)을 가하면 수축되는 성질이 있어서 적당한 길이를 잘라서 스플라이스를 다 덮게 위치시킨 후 힛건(Heat gun)은 이용해 열을 가해주면 수축이 되어 스플라이스에 고정되고, 이는 피복을 씌운 것과 같은 효과를 낸다. 그림 8-17은 수축튜브의 모습이고, 그림 8-18은 힛건의 모습이다. 수축튜브 사진 중 제일 위에 있는 것 의 오른쪽 부분은 다른 부분에 비해 좀 더 얇은데 이는 열에 의해 수축된 모습을 보여준다. 힛건

은 사용법이나 원리가 일반적으로 사용하는 드라이기와 같다. 하지만 조금 더 온도가 높다. (300~500℃ 수준)

그림 8-17 여러 종류의 수축튜브

그림 8-18 힛건

1.6 평가

순번	평가항목	A	B	C	D	비고
1	작업이해도					
2	스플라이스 작업한 도선의 도통					
3	스플라이스 작업한 도선의 탈착					
4	스플라이스 상태					
5	작업 후 정리 정돈 상태					

2. 터미널(Terminal) 실습

2.1 학습목표

전선을 선 이외의 장치에 연결하는 터미널 작업을 통해 항공기에서 도선 관련 정비 및 고장 수리를 할 수 있다.

2.2 실습재료

도선, 터미널, 터미널블럭, 와이어스트리퍼, 클램핑툴, 드라이버

2.3 관련지식

2.3.1 본딩과 접지

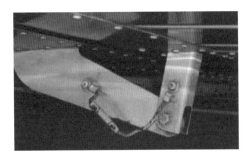

그림 8-19 본딩 선

항공기 장비의 케이스를 전기적으로 연결(Bonding)하거나 장비의 케이스와 항공기 기체를 전기적으로 연결한 것을 본딩(Bonding)이라고 한다. 장비의 케이스와 기체를 연결한 이유는 최종적으로 정전기 방전장치 (Static discharger)를 통해 필요 없는 정전기를 항공기 밖으로 빼내기 위해서이다. 지상에서는 접지(Ground, Earth)를 통해 필요 없는 전기를 해소할 수 있다. 지구(Earth)에서 제일 큰 것은 지구이므로 땅(Ground)에 전기적으로 연결을 해 놓으면 정전기를 없애거나 기준을 잡을 수 있다.

항공기는 공중에 떠 있으므로 땅에 연결할 수 없다. 따라서 정전기 방전장치를 사용한다. 정전기 방전장치는 날개 끝이나 꼬리 날개 끝에 위치한 원뿔형의 모서리로 전자가 뾰족한 부분에 모이는 성질을 이용한 것이다. 전자가 충분히 모이면 공기 중으로 방전되어 정전기를 해소한다. 본딩 와이어는 $0.003\,\Omega$ 을 초과하지 않는 것이 좋다. 그림 8-19는 본딩선을, 그림 8-20은 접지선을 각각 보여준다. 그림 8-21은 이때 사용되는 볼트와 너트 재질 규격을 보여준다.

그림 8-20 접지선

Screw or bolt	Washer A
Washer B	Structure	Terminal (limit to 4)
Lockwasher	Washer C
	Locknut

Aluminum Terminal and Jumper					
Structure	Screw or bolt and nut plate	Locknut	Washer A	Washer B	Washer C
Aluminum alloys	Cadmium-plated steel	Cadmium-plated steel	Cadmium-plated steel or aluminum	None	Cadmium-plated steel or aluminum
Magnesium alloys	Cadmium-plated steel	Cadmium-plated steel	Magnesium-alloy	None or magnesium alloy	Cadmium-plated steel or aluminum
Cadmium-plated steel	Cadmium-plated steel	Cadmium-plated steel	Cadmium-plated steel	Cadmium-plated steel	Cadmium-plated steel or aluminum
Corrosion-resisting steel	Corrosion-resisting steel or Cadmium-plated steel	Cadmium-plated steel	Corrosion-resisting steel	Cadmium-plated steel	Cadmium-plated steel or aluminum
Tinned Copper Terminal and Jumper					
Aluminum alloys	Cadmium-plated steel	Cadmium-plated steel	Cadmium-plated steel	Aluminum alloys[2]	Cadmium-plated steel
Magnesium alloys[1]					
Cadmium-plated steel	Cadmium-plated steel	Cadmium-plated steel	Cadmium-plated steel	none	Cadmium-plated steel
Corrosion-resisting steel	Corrosion-resisting steel or cadmium-plated steel	Cadmium-plated steel	Corrosion-resisting steel	none	Cadmium-plated steel

[1]Avoid connecting copper to magnesium.
[2]Use washers with a conductive finish treated to prevent corrosion, such as AN960JD10L.

그림 8-21 본딩과 접지 연결 시 볼트와 너트 재질 규격

2.3.2 커넥터 (Connector)

미리 정해진 암수 형태의 구조물에 도선을 연결한 다음 연결과 분리가 편하게 만들어진 것을 커넥터라고 한다. 커넥터는 스플라이스나 터미널에 비해 부피가 크고 가격이 비싸다는 단점이 있지만, 탈부착이 가능하여 일상생활에서 널리 쓰이고 있다. 전원선, USB, 이어폰 등등 일상생활에서 전기적으로 연결할 수 있는 모든 구조물이 커넥터이다. 그림 8-22는 항공기에 사용된 커넥터의 사진이다.

그림 8-22 커넥터

2.3.3 정션박스 (Junction box)

그림 8-23 정션박스

정선박스는 그림 8-23처럼 여러 도선이 복잡하게 연결되어야 할 때 금속박스에 커넥터를 미리 달아 놓고 그 커넥터 들 사이의 연결을 미리 배선을 해 놓아 여러 방향에서 커넥터만 연결하면 미리 정해진 연결방식으로 서로 연결이 되게 만들어 놓은 박스이다. 이 박스는 안전을 위해 튼튼한 금속으로 제작하는 것이 보통이다.

2.3.4 터미널

그림 8-24 터미널

터미널은 도선과 도선 이외의 볼트나 커넥터에 전기적으로 연결하기 위해 사용하는 전자 부품으로 그림 8-24가 대표적이며 이 이외에도 다양한 모습이 있다. 예를 들어서 그림의 원형의 터미널을 볼트에 연결하려면 볼트를 완전히 분리해야지만 연결이 가능하다. 만약 U자형의 터미널을 사용하면 볼트를 완전히 분리하지 않아도 전기적으로 연결이 가능하다. 하지만 U자형은 볼트가 조금만 풀려도 전기적 연결이 끊어질 가능성이 있지만 원형은 볼트가 완전히 분리되지 않으면 전기적 연결이 풀리지 않는다.

그림 8-25와 같이 도선을 터미널에 연결하면 터미널과 전기적으로 연결되고 이 터미널을 금속 볼트를 이용하여 금속 케이스에 고정시키면, 도선부터 금속 케이스까지 전기적으로 연결된다. 이런 경우는 주로 접지 연결에 사용되고, 예전 세탁기나 에어컨 등의 가전제품의 접지선이 이런 방식으로 되어 있는 경우가 많았다. 그림 8-26. 과 같이 터미널 블록(Terminal block)을 사용하면, 여러 선을 고정된 형태로 전기적으로 튼튼하게 연결시킬 때 사용 할 수 있다.

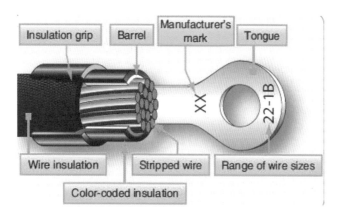

그림 8-25 터미널에 도선 연결한 모습

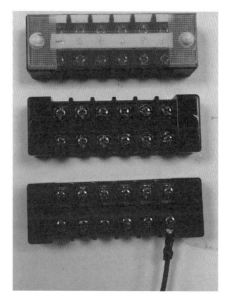

그림 8-26 터미널 블록과 커넥터에 터미널을 이용하여 연결한 모습

2.4 작업 안전 사항

(1) 실습 시는 항상 실습장 안전수칙을 인지하여야 한다.

(2) 실습전후에는 정리정돈을 철저히 한다.

(3) 수공구 사용 시에는 안전에 항상 유의 한다.

2.5 터미널 작업

(1) 2.3.4를 참조하여 도선에 터미널을 연결한다.
(2) 터미널 블록 중 임의의 번호를 정한 다음에 그 번호에 터미널이 연결되게 선을 연결한다.

2.6 평가

순번	평가항목	A	B	C	D	비고
1	작업이해도					
2	터미널 작업한 전선 도통시험					
3	터미널상태					
4	작업 후 정리 정돈 상태					

3. 와이어 번들 작업

3.1 학습목표

도선 다발을 정리하는 와이어번들 작업을 통해 항공기에서 도선 관련 정비 및 고장 수리를 할 수 있다.

3.2 실습재료

와이어 번들(도선 다발), 초실, 케이블 타이, 니퍼

3.3 관련지식

3.3.1 전선의 장착과 배선

다수의 전선이 한 지점을 통과 할 때는 편의성이나 안정성을 위해 묶음(Bundle)을 해야 한다. 와이어 번들(Wire Bundle)은 일반적으로 전선이 75개 이하이거나 직경이 $1\frac{1}{2}$~2인치 이하가 되어야 한다. 물론 각각의 와이어 번들과 와이어 번들 안의 각 도선은 구별 할 수 있게 식별 표시가 있어야 한다. 와이어 번들은 여유(Slack) 가져야 하므로 그림 8-27과 같이 일정간격으로 클램프(Clamp)를 설치해 고정해야 한다. 손으로 눌렀을 경우 최대 0.5인치는 늘어나야 하지만, 하네스나 다른 부분에 영향을 주지 않으면 초과해도 문제는 없다.

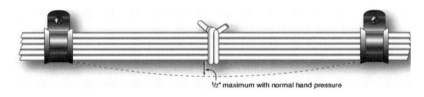

½" maximum with normal hand pressure

그림 8-27 도선 처짐의 기준

자기나침반(Magnetic compass) 또는 플럭스 밸브(Flux valve)의 부근에 있는 배선, 3상 배전(Three-phase distribution) 배선, 통신 배선은 표 8-3과 같이 꼬아주어야 오류 발생을 줄일 수 있다.

표 8-3 도선 번호에 따른 1피트 당 권장 꼬임수

도선번호	22	20	18	16	14	12	10	8	6	4
2 Wire	10	10	9	8	7.5	7	6.5	6	5	4
3 Wire	10	10	8.5	7	6.5	6	5.5	5	4	3

선과 선을 연결하는 스플라이스 작업(Splicing)은 배선의 신뢰성과 전기·기계특성에 영향을 주지 않는 한 배선에 허용되지만, 최소로 유지되어야 하며 극심한 진동이 있는 장소에서는 완전히 피해야 한다. 하네스에 스플라이스를 사용하는 경우에는 그림 8-28.과 같이 스플라이스에 공간적인 차이를 두는 스태거(Stagger) 접속법을 사용해야 한다. 스플라이스는 플라스틱으로 절연된 스플라이스를 사용하던지, 금속이 노출되어 있으면 절연을 위해 수축튜브를 사용해야한다. 스플라이스는 도선을 끝에서 12인치 이내는 사용하지 않는 것이 좋다.

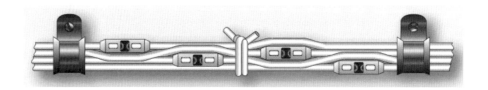

그림 8-28 스태거 접속법

당연한 얘기지만 하네스는 외부 충격, 마찰, 고온, 용액, 유체로부터 보호되어야 한다. 그림 8-29는 2인치 간격으로 하네서를 배치한 것을, 그림 8-30은 유체의 흐름을 막도록 배치된 예이다. 클램프(Clamp)는 그림 8-31과 같이 고정하기 위해 금속 부분과 전선을 보호하기 위한 고무부분으로 되어 있다.

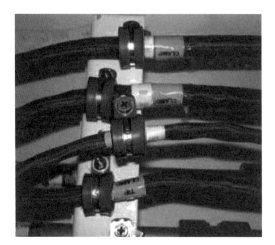

그림 8-29 하네스의 배치 간격

그림 8-30 위치 차이를 이용한 전선 보호

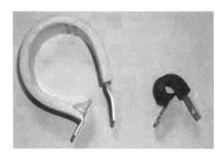

그림 8-31 클램프

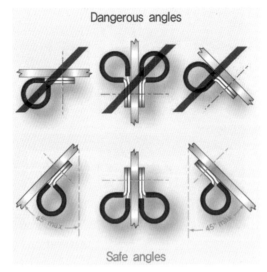

그림 8-32 클램프의 각도

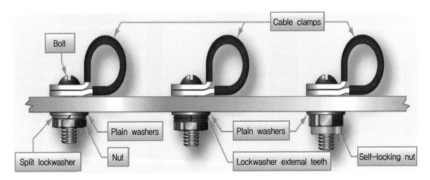

그림 8-33 클램프 고정 방법

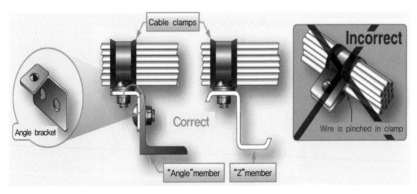

그림 8-34 클램프 지지방법

그림 8-32부터 그림 8-34는 클램프 고정 시 주의 사항을 보여주고 있다. 그림 8-32는 고무부분 이외에 전선이 닿는 것을 방지하기 위한 클램프의 각도를 표시하는 내용이고, 그림 8-33은 클램프를 고정하는 방법, 그림 8-34는 고정부에 클램프를 고정하는 방법에 대한 설명이다.

클램프의 간격은 24인치를 넘지 않는 것이 좋다. 그림 8-35와 같이 격벽 (Bulkhead)에 있는 구멍을 통과하여 하네스가 지나갈 경우에는 구멍과 하네스의 간격이 최소한 3/8인치는 되어야 하고, 구멍은 그로밋(Grommet, 보호 고리 철판을 관통하는 배선, 파이프 등의 손상을 방지하기 위해 관통 구멍에 끼우는 고무 제품의 보호 고리)을 장착해야 한다.

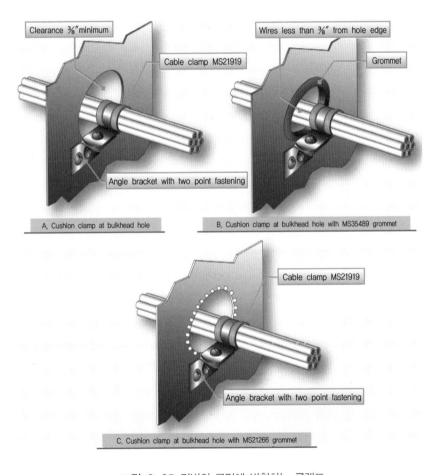

그림 8-35 격벽의 구멍에 방착하는 클램프

3.3.2 와이어 번들 (Wire bundle) 작업

와이어 번들 작업은 도선 다발을 묶어주는 작업을 의미한다. 단선식과 매기는 직경 1인치 이하 와이어 번들에 사용한다. 그림 8-36과 같이 단선식을 시작하기 위한 권장 매듭은 이중 고리식 외법 매듭(Double-looped overhand knot)으로 고정된 감아 매기(Clove hitch)이다.

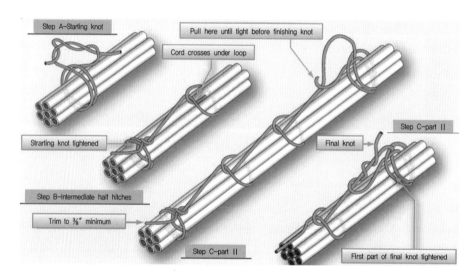

그림 8-36 단선식(Single cord)

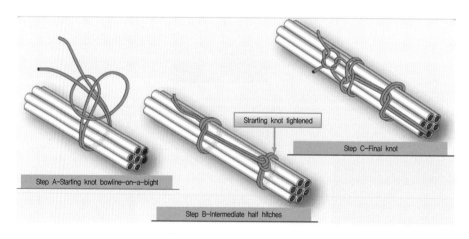

그림 8-37 복선식(Double cord)

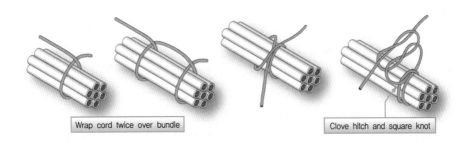

Wrap cord twice over bundle
Clove hitch and square knot

그림 8-38 매기(Tying)

그림 8-37의 복선식은 직경 1인치 이상의 와이어 번들에 사용한다. 복선식을 사용할 때 시작매듭으로 두 겹 고정 매듭(Bowline-on-a-bight)을 이용한다. 전선을 위한 지지대가 12인치 이상 떨어져 있는 곳에는 그림 8-38의 매기나 케이블 타이(Cable tie)를 사용한다. 매기는 옭매듭(Square knot)으로 고정하고, 와이어 번들을 감아 매기로 마무리 한다.

3.4 작업 안전 사항

(1) 실습 시는 항상 실습장 안전수칙을 인지하여야 한다.
(2) 실습전후에는 정리정돈을 철저히 한다.
(3) 수공구 사용 시에는 안전에 항상 유의 하다

3.5 와이어 번들 작업

(1) 와이어 번들과 초실, 케이블 타이를 준비한다.
(2) 와이어 번들을 초실을 이용하여 단선식으로 묶는다.
(3) 와이어 번들을 초실을 이용하여 복선식으로 묶는다.
(4) 와이어 번들을 케이블 타이를 이용하여 묶는다.
(5) 와이어 번들 실습이 끝나면 전부 분리하여 처음 상태로 되돌린다.

3.6 평가

순번	평가항목	A	B	C	D	비고
1	작업이해도					
2	단선식 도선 묶음 작업					
3	복선식 도선 묶음 작업					
4	케이블타이 도선 묶음 작업					
5	작업 후 정리 정돈 상태					

Part

03

기 관

제9장 기관의 작동

1. 왕복 엔진의 작동 절차

1.1 학습목표

왕복 엔진의 시동 전 절차, 시동 절차, 시운전 절차, 정지 절차 등에 대해 학습한다.

1.2 실습재료

왕복 엔진, 소화기, 차륜지 고임목, 배터리 또는 지상 전원(GPU)

1.3 관련지식

1.3.1 왕복 엔진에 사용되는 엔진 계기

(1) 기화기 공기 온도계

기화기 입구에서 측정되는 기화기 공기 온도는 흡기 계통의 결빙 여부를 지시하는 온도로 사용되지만, 그 외에도 많은 중요한 용도로 활용된다.

기화기 공기 온도는 엔진 시동 전과 엔진 정지 직후에 더욱 주의 깊게 확인해야 한다. 엔진 시동 전의 온도는 초기의 기화 상태와 혼합기의 밀도 조절 여부를 판단하는 온도로 활용된다. 엔진 정지 후의 기화기 공기 온도는 기화기 내의 잔류된 연료의 팽창으로 높은 내부 압력이 존재함을 알 수 있다.

그림 9-1은 기화기 공기 온도계를 보여준다. -10~15℃ 범위를 지시하는 황색 아크는 결빙의 위험 상태를 표시하며, 15~40℃ 범위를 지시하는 녹색 아크는 정상 작동 범위를 표시한다. 40℃이상의 적색 선은 최대 작동 온도를 지시하며, 그 이상을 벗어난 엔진 작동은 디토네이션의 위험을 초래할 수 있음을 표시한다.

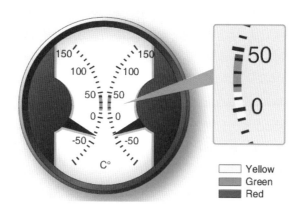

그림 9-1 기화기 공기 온도계

(2) 연료 압력계

연료 압력계는 엔진 연료의 압력을 측정하여 PSI(pound per square inch)로 표시된다.

(3) 오일 압력계

오일 압력은 오일 펌프 중 압력 펌프의 압력을 나타내 준다. 그림 9-2에서 나타나듯 적색 선은 엔진 작동 중 허용되는 최소 또는 최대 오일 압력을 나타내고, 녹색 아크는 정상오일 압력의 범위를 나타낸다.

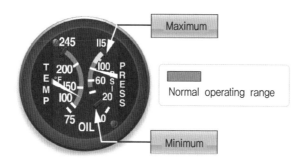

그림 9-2 엔진 오일 계기

(4) 오일 온도계

일반적으로 엔진으로 공급되는 오일의 온도를 측정하며, 왕복 엔진 시동 시 가장 먼저 확인해야 할 계기 중 하나로서 매우 중요한 요소이다.

(5) 연료 유량계

연료 유량계는 시간당 엔진으로 유입되는 연료량을 측정한 것으로서, 이것을 PPH(pound per hour) 또는 GPH(gallon per hour) 등의 단위로 나타낸다.

(6) 매니폴드 압력계

왕복엔진의 매니폴드 압력은 절대압력으로 나타내며, 그림 9-3.과 같이 단위는 in-hg를 사용한다.

그림 9-3 매니폴드 압력계

(7) 회전 속도계

왕복엔진의 회전 속도계는 크랭크축의 분당 회전수(rpm)를 나타내며, 100rpm 간격으로 눈금이 표시된다. 그림 9-4와 같은 회전 속도계에서는 최대 허용 회전수가 적색 선으로 표시된다.

그림 9-4 회전 속도계

(8) 실린더 헤드 온도계

실린더 헤드 온도는 실린더에 장착된 열전쌍에 의한 온도를 지시하며, 그림 9-5와 같이 파란색 호선의 경우 일반적으로 매니폴드 압력계, 회전 속도계, 실린더 헤드 온도계 등에 표시되는 호선으로써 연료와 공기의 혼합비가 오토린(auto-lean)일 때의 상용안전 운용범위를 나타낸다.

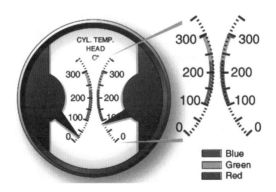

그림 9-5 실린더 헤드 온도계

(9) 토크 미터

토크 미터는 프로펠러축에 의해 발생된 토크의 크기를 지시하며, 그림 9-6과 같이 단위는 ft-lb를 사용한다.

그림 9-6 토크 미터

1.3.2 엔진의 고장

엔진을 작동 시에는 반드시 작동 절차를 확인하며 작동해야 하고, 점검표에 엔진의
상태를 확인하여 기록해야 하며, 다음은 고장의 원인과 수정 사항을 설명한다.

(1) 사용 불능

1) 시동 절차의 부정확함 : 시동 절차의 부정확함에 의한 사용 불능의 경우에는
   엔진 시동 절차표를 보고 정확한 작동으로 수정할 수 있다.

2) 연료 없음 : 연료 계통의 누설이 있는지 확인하고, 누설 부위를 수정해야 한다.

3) 연료 계통의 고장 : 연료 계통을 고장 탐구해야 한다.

4) 오버 프라이밍(over priming) : 점화 스위치를 "OFF", 혼합기 조절 레버를
   "IDLE CUT OFF" 위치에 놓고 스로틀을 완전히 열어 몇 초간 무부하 상태에
   서 크랭크축을 회전시킨다. 그리고 점화 스위치를 "ON" 하고 정상적인 시동 절
   차로 시동을 한다.

5) 언더 프라이밍(under priming) : 프라이머로 2~3회 정도 연료를 분사시킨 후
   엔진을 시동한다.

6) 점화 플러그의 결함 : 점화 플러그를 세척하고 간극을 점검하여 조절하거나 교

환한다.

7) 배터리의 결함 : 배터리의 결함은 배터리의 충전 확인 후 재충전하거나 새 배터리로 교환한다.

8) 점화 계통 전선의 결함 : 전선을 회로 시험기를 이용하여 검사한다. 검사 후 결함이 있는 전선은 교환해야 한다.

9) 점화 스위치의 고장 : 점화 스위치를 교환한다.

10) 마그네토 브레이커의 작동 불량 : 브레이커 포인트를 세척하고 마그네토의 내부 점화시기를 검사한다.

11) 연료 흐름이 충분치 못함 : 연료 라인을 분리하여 연료의 흐름 상태를 검사한다.

12) 기화기의 고장 : 기화기를 새것으로 교환해 준다.

13) 엔진 내부의 결함 : 윤활유 스크린에 금속 입자가 있는지 검사하고, 금속 입자의 발견 시 해당 엔진의 매뉴얼의 지침에 따라 작업한다.

14) 임펄스 커플링(impulse coupling)의 결함 : 임펄스 커플링을 교환하거나 마그네토를 교환한다.

15) 연료 흐름 분할기의 결함 : 연료 흐름 분할기를 검사하여 필요할 경우 교환한다.

16) 연료 분사 노즐의 막힘 : 연료 분사 노즐을 세척하여 이물질 등을 제거하고 검사한다.

17) 시동기 바이브레이터의 결함 : 시동기 바이브레이터를 교환해야 한다.

18) 시동기 및 시동기 스위치의 고장 : 시동기 및 시동기 스위치를 교환한다.

(2) 엔진 작동 후 즉시 엔진 정지, 재시동 불능 상태

1) 연료 계통 내에 수분 함유 : 연료 계통 내에 있는 수분을 제거한다.(water drain)

2) 마그네토 브레이커 포인트에 이물질 : 깨끗한 천을 이용하여 브레이커 포인트를 닦아준다.

3) 점화 플러그 간극에 윤활유나 탄소 찌꺼기 : 모든 점화 플러그를 장탈하여 깨

끗하게 닦아준다.

(3) 비정상적인 완속 운전

1) 완속 혼합비 조절 불량 : 완속 혼합비를 적절하게 조절한다.
2) 프라이머 손잡이가 완전히 잠기지 않음 : 프라이머 손잡이를 완전히 잠근다.
3) 점화 플러그에 이물질이 끼이거나 간극의 상태가 불량 : 점화 플러그의 세척과 간극 상태 점검 및 조절한다.
4) 연료 압력이 낮음 : 연료 펌프의 릴리프 밸브를 조절하여 연료 압력을 높인다.
5) 실린더 압축 압력이 낮음 : 실린더 압축 압력, 피스톤 링 및 밸브 시트의 상태를 점검한다.
6) 매니폴드 균열로 인한 혼합비 희박 : 매니폴드의 균열 부분을 찾아 수리하거나 매니폴드를 교환한다.
7) 기화기 내부에서 연료 누설로 인한 혼합비 농후 : 기화기를 교환해야 한다.

(4) 기화기 가속 상태가 불량하고 엔진이 최대 출력을 발생하지 못하는 경우

1) 혼합비가 과 희박 상태 : 기화기나 연료 분사기를 점검하고 재조절 한다.
2) 기화기 내부에 있는 가속 펌프의 불량 : 기화기를 점검한다.
3) 스로틀 레버의 조절이 잘 못된 경우 : 스로틀 레버를 다시 조절한다.
4) 공기 흡입구에 이물질이 있는 경우 : 공기 흡입구를 검사하고, 이물질 등을 제거한다.
5) 연료가 부정절한 경우 : 연료를 모두 배유하고 규정된 연료를 재보급한다.
6) 스로틀 링크 계통이 느슨한 경우 : 스로틀 링크 기구를 점검 및 조절한다.
7) 점화 계통의 결함 : 점화 시기를 검사한다.

(5) 엔진의 진동이 심한 경우

1) 엔진 마운트의 균열 : 엔진 마운트를 수리하거나 새것으로 교환한다.
2) 프로펠러의 불평형 : 프로펠러를 장탈하고 평형 상태를 검사한다.

3) 점화 플러그에 이물질이 낀 경우 : 점화 플러그를 세척하거나 새것으로 교환한다.

4) 엔진의 충격 마운트 결함 : 마운트를 새것으로 교환한다.

5) 엔진의 결함 : 엔진을 수리하거나 새것으로 교환한다.

(6) 온도가 낮을 때 엔진의 작동 불능

1) 윤활유의 온도가 낮음 : 윤활유의 온도를 높여준다.

2) 압력 게이지가 너무 높은 압력을 지시 : 매우 추운 날씨에는 압력계가 100psi 를 지시할 수 있으나 이것은 정상적인 지시이다.

3) 프라이머를 너무 많이 작동하여 연료가 너무 많이 실린더 안에 주입된 경우 : 스로틀을 완전히 열고 혼합기 레버를 "IDLE CUT OFF"위치에 놓고 점화 스위 치를 "OFF"시킨 후 크랭크축을 회전방향으로 회전시킨다.

4) 배터리의 전압이 약한 경우 : 완충된 배터리로 교환한다.

(7) 엔진의 정비 불능

1) 프라이머 펌프에서 실린더 내로 연료가 흘러 들어감 : 프라이머 펌프 손잡이의 위치를 정확히 하거나 교환한다.

2) 점화 스위치의 결함 : 접지선을 검사하고, 필요하다면 수리하거나 교환한다.

3) "IDLE CUT OFF" 위치가 잘못 조절된 경우 : "IDLE CUT OFF"위치를 재조 절 한다.

4) 혼합기 조정 레버와 기화기 연결 로드의 연결 상태 불량 : 혼합기 조정 연결 로드를 재조정한다.

5) 기화기 내부에 있는 포핏 밸브의 누실 : 밸브 시트와 페이스의 접촉면을 검사 하여 조절한다.

1.4 작업 안전 사항

(1) 사용 가능한 소화기를 지정된 위치에 비치해야 한다.

(2) 안전 구역 내 사람이나 기타 장애물이 있는지 확인해야 한다.

(3) 시동 상태를 감시할 감시원을 지정된 위치에 배치해야 한다.

(4) 항공기를 시동 장소로 옮길 때는 주날개, 방향키, 승강키 및 프로펠러 등이 장애물 등에 의해 손상되지 않도록 주의해야 한다.

(5) 항공기를 시동 장소에 주기 시 바람이 부는 쪽으로 기수가 향하도록 한다.

(6) 운전 중 프로펠러에서 발생되는 바람에 의한 피해가 없도록 주의해야 한다.

(7) 깨끗하고 평평한 곳에서 시동해야 하고, 시동 전에 바닥의 작은 돌, 이물질 등을 제거해야 한다.

(8) 항공기 주기 후에는 반드시 바퀴에 고임목을 받쳐야 한다.

(9) 엔진의 온도가 낮거나 장기간 정지되었던 엔진은 시동 시 프라이머를 2~3 회정도 작동시킨 후 프라이머 손잡이를 확실하게 집어넣고 잠궈야 한다.

(10) 시운전을 하기 전에 실린더 헤드 온도를 100℃이상 될 때까지 난기운전 후 시운전해야 한다.

1.5 왕복 엔진의 시동 전 점검 절차

(1) 연료가 충분한지 연료 탱크를 점검하고, 연료 탱크의 드레인 콕(drain cock)을 눌러 약간의 연료를 드레인하여 연료에 섞인 물, 먼지 및 기타 이물질 등이 나오는지 확인하고, 이러한 이물질 등이 나오지 않을 때까지 연료를 계속 드레인 해준다.

(2) 딥스틱(dipstick)을 이용하여 윤활유의 양을 점검하고, 필요시 윤활유를 보충한다. 윤활유를 보충하지 않더라도 윤활유 마개가 안전한지 확인해야 한다.

(3) 엔진 마운트, 각 배선, 안전 결선, 부품들의 조임 및 연결 상태가 안전한지 점검한다.

(4) 윤활유 냉각기 및 공기 여과기 앞부분의 청결 상태를 확인한다.

(5) 연료 여과기 밑에 있는 드레인콕을 눌러 약간의 연료를 드레인하여 물, 먼지 및 이물질 등을 드레인한다.

(6) 조종간 및 브레이크를 푼다.

(7) 모든 스위치가 "OFF" 상태인지 확인한다.

(8) 스로틀 레버가 완속 위치, 혼합비 조정 레버가 "IDLE CUT OFF" 위치, 기화기 공기 조정 레버가 "RAM FILTERED AIR" 위치에 있는지 확인한다.

(9) 엔진 프라이머 손잡이가 잘 잠겨져 있는지 확인한다.

1.6 왕복 엔진의 시동 절차

(1) 프로펠러 주위에 위험 요소가 없는지 확인한다.

(2) 좌석을 앞, 뒤로 움직여 발이 브레이크 페달에 맞게 좌석을 조정하고 고정시킨다.

(3) 시동 전 브레이크는 확실하게 밟고, 바퀴에 고임목이 설치되어 있는지 확인한 후 조종간은 뒤로 당기고 있어야 한다.

(4) 연료 선택 및 차단 밸브를 원하는 연료 탱크의 위치로 한다.

(5) 엔진을 공회전 시켜 연료, 윤활유 및 기타 계통의 누설 또는 이상이 없는지 확인한다.

(6) 스로틀 레버는 완속 위치에서 약 6~7mm 앞쪽으로 밀어 놓고, 혼합비 조정 레버는 "RICH"위치에 놓는다.

(7) 스위치를 "ON" 시키기 전에 주위의 사람이 다 들을 수 있도록 큰 소리로 "스위치 ON" 이리고 외쳐 시동을 하기 위한 준비가 끝났다는 깃을 일리고, 지상 요원도 준비가 끝났을 때 "스위치 ON" 이라고 복창하며, 지상 동력을 사용할 때에는 지상 동력 전원을 연결한다.

(8) 발전기와 배터리 스위치를 "ON" 시킨다. 지상 동력을 사용할 경우에는 지상 전원을 차단시킬 때까지 배터리 스위치는 "OFF" 위치에 있어야 한다.

(9) 전기식 부스터 연료 펌프 스위치를 "ON" 시킨다. 연료 압력계의 바늘이 정상 범위까지 올라가는 것을 확인한 후 스위치를 "OFF" 한다.

(10) 프로펠러 주위에 위험 요소가 없는지 확인하기 위해 "CLEAR"라고 큰 소리로 외치고, 지상 요원도 프로펠러로부터 안전하게 벗어난 후 "CLEAR"라고 복창한다.

(11) 엔진의 온도가 낮거나 처음 시동을 할 경우 시동이 잘 되도록 프라이머 펌프의 손잡이로 2~3회 펌프질하고 확실하게 밀어 넣어 잠궈준다.

(12) 점화 스위치를 "BOTH" 위치로 놓는다.

(13) 시동기 버튼스위치를 엔진이 시동될 때까지 누른다.(30초 이내에 시동이 되지 않으면 시동기의 냉각을 위해 30초간 멈추었다가 다시 시동기 버튼을 누른다.)

(14) 엔진이 시동되면 시동기 버튼을 놓고 즉시 윤활유 압력계를 점검해야 한다. 30초 이내에 윤활유 압력계가 정상 범위까지 상승하지 않으면 즉시 기관을 정지시켜야 한다.

(15) 스로틀 레버를 사용하여 천천히 800rpm에 맞춘다. 난기 운전을 위하여 최소한 1분간은 800rpm을 유지해야 한다.

(16) 난기 운전을 한 다음 스로틀로 1500rpm에 맞추고, 부하계를 점검하여 0.5 이하를 지시하는지 확인한다.

1.7 왕복 엔진의 시운전 절차

(1) 브레이크를 더욱 꼭 밟고, 조종간을 완전히 뒤로 당기고 있어야 한다.

(2) 700rpm에 스로틀을 맞추고, 마그네토 안전 점검을 실시한다.(점화 스위치를 "BOTH" 위치에서 "OFF" 위치로 하여 폭발이 잠시 정지되는지 확인한 후 폭발이 정지되면 즉시 "OFF" 위치에서 "BOTH" 위치로 놓는다. 만약, "OFF" 위치에 놓아도 폭발이 계속된다면 점화 계통의 고장이므로 점화 스위치가 "OFF" 되어 있더라도 엔진 정지 시에 프로펠러를 돌리면 시동이 될 수 있는 위험한 상태이다.)

(3) 스로틀 레버를 앞쪽으로 밀어서 1700rpm에 맞추고 혼합비 점검, 기화기 공기 조절 점검 및 점화 계통을 점검한다.

  1) 혼합비 점검은 혼합비 조정 레버를 "RICH" 위치에서 "LEAN" 위치로 천천히 당기면서 회전 계기를 확인하면 회전 계기의 바늘이 25prm 이내로 증가하였다가 떨어지게 되는데, 100rpm정도 떨어지는 것을 확인한 후 즉시

"RICH" 위치로 밀어 놓는다. 만약, 25rpm 이상 증가했다가 떨어지면 혼합비가 농후한 것이다.

(2) 기화기 공기 조정 점검은 기화기 공기 조정 레버를 "RAM FILTERED AIR" 위치에서 "HEAT" 위치로 당기면 50rpm 이내로 회전수가 감소되는지를 확인하는 것인데, 확인한 뒤에는 다시 "RAM FILTERED AIR" 위치로 놓는다.

(3) 점화 계통 점검은 점화 스위치를 "BOTH" 위치에서 "R" 위치로 놓고, 회전계의 바늘이 얼마나 떨어지는지를 확인한 뒤 "BOTH"로 놓는다."L" 위치에서도 점검한다. 회전계의 떨어지는 최대 허용 회전수는 100rpm이다.

(4) 발전기 스위치 점검을 한다. 발전기 스위치를 "OFF" 시켜 부하계의 반응을 확인한 뒤 "ON" 시킨다.

(5) 스로틀 레버를 당겨 800rpm으로 낮추고 완속 혼합비 점검을 한다. 혼합비 조정 레버를 "IDLE CUT OFF" 위치로 당기면서, 회전계의 바늘이 약 25rpm 정도 증가했다가 기관 정지가 되는지 확인한 뒤 즉시 "RICH" 위치로 밀어 넣는다.

(6) 스로틀 레버를 완속 위치로 당겨 놓고 완속 점검을 한다. 완속은 500rpm이 정상이다.

(7) 스로틀 레버를 완속 위치에서 앞, 뒤쪽으로 빠른 속도로 밀면서 가속 점검을 하고, 완전히 앞으로 밀었을 때 최대 동력이 되는지 확인한다. 최대 회전수는 2200~2300rpm 이다. 최대 회전수를 유지하는 시간은 15초를 넘기지 말아야 한다.

(8) 스로틀 레버를 당겨 1300rpm에 맞춘다.

1.8 왕복 엔진의 정지 절차

(1) 스로틀 레버를 900rpm에 맞추고 1~3분간 냉각 운전한다.

(2) 스로틀 레버를 700rpm에 맞추고 마그네토 안전 점검을 다시 실시한다.

(3) 스로틀을 1300rpm에 놓는다.

(4) 혼합비 조정 레버를 "IDLE CUT OFF" 위치로 당긴다.(당기기 전에 혼합비

조정 레버 잠금을 풀고 당겨야 한다.)

(5) 프로펠러가 완전히 멈추면 점화 스위치를 "OFF", 발전기 및 배터리 스위치를 "OFF" 시킨다.

(6) 연료 선택 및 차단 밸브를 "OFF" 시킨다.

1.9 평가

순번	평가항목	A	B	C	D	비고
1	작업이해도					
2	작업 전 소화기 비치 상태					
3	엔진 사용 계기의 종류 및 이해					
4	엔진 고장의 원인 및 수정 사항					
5	엔진 시동 전 점검 절차					
6	엔진 시동 절차					
7	엔진 시운전 절차					
8	엔진 정지 절차					
9	작업 후 정리 정돈 상태					

2. 가스 터빈 엔진의 작동 절차

2.1 학습목표

가스 터빈 엔진의 시동, 시운전, 정지 등의 절차 및 작동 방법을 학습한다.

2.2 실습재료

가스 터빈 엔진, 소화기, 차륜지 고임목, 지상 전원(GPU)

2.3 관련지식

2.3.1 가스 터빈 엔진 작동에 필요한 계기

(1) 엔진 압력 비 지시계

엔진 압력 비(EPR : engine pressure ratio)는 그림 9-7과 같이 엔진에 의해 발생되는 추력을 지시하는 수단이며, 터빈 배기의 전 압력(Pt7)을 엔진 입구의 전 압력(Pt2)으로 나눈 값이다.

그림 9-7 엔진 압력 비 계기

(2) 배기가스 온도계

배기가스 온도계는 그림 9-8과 같이 엔진의 배기가스 온도(EGT : exhaust gas temperature)를 측정하는 것으로써 터빈 출구 주위에 일정한 간격으로 몇 개의 열전쌍을 장착하여 평균값을 조종실에 있는 배기가스 온도계로 섭씨 혹은 화씨 등으로 나타내는 계기이다.

그림 9-8 배기가스 온도계

(3) 회전 속도계

가스 터빈 엔진의 속도는 구동축의 분당 회전수(rpm)로 측정된다. 요즘 일반적으로 사용되는 가스 터빈 엔진에서는 2개의 독립적인 구동축을 가지고 있으며, 이 두 개의 축, 즉 저압 축과 고압축을 N1, N2로 각각 표시하여 각 축의 분당 회전수를 회전 속도계에 지시하게 되며, 이를 통해 엔진의 회전 상황을 확인할 수 있다. 또한, 회전 속도계는 회전수가 각각 다른 여러 종류의 엔진을 동일한 기준으로 비교하기 위해 보통 %RPM로 나타낸다.

그림 9-9 회전 속도계

(4) 연료 유량계

연료 유량계는 그림 9-10과 같이 연료 조정 장치를 통과하는 연료유량을 시간당 무게(PPH : pound per hour) 또는 시간당 부피(GPH : gallon per hour) 등의 단위로 지시한다. 일반적으로 대형 항공기는 온도 변화에 민감한 부피보다는 무게(PPH)를 많이 사용한다.

또한, 연료 유량계는 시간당 지나가는 연료 유량을 이용하여 엔진의 연료 소모량 및 연료 잔류량 등을 계산하여 엔진 성능을 점검하는 수단으로 사용한다.

그림 9-10 연료 유량계

(5) 윤활유 압력계

윤활유 압력계는 그림 9-11과 같이 엔진의 기어, 베어링 등 불충분한 윤활과 냉각으로 발생될 수 있는 엔진 손상을 방지하기 위해 윤활이 필요한 중요 부위에 공급되는 윤활유의 압력을 나타내는 계기로서 일반적으로 오일펌프의 배출 압력을 psi로 나타낸다.

그림 9-11 오일 압력계

(6) 윤활유 온도계

윤활유 온도계는 그림 9-12와 같이 윤활유의 윤활 능력과 윤활유 냉각기의 올바른 작동 상태 등을 점검하기 위해 윤활유의 온도를 지시하는 계기이다.

그림 9-12 윤활유 온도계

2.3.2 가스 터빈 엔진의 비정상 시동

엔진의 시동을 실패한 경우 연료 및 점화 계통을 차단하고, 시동기로 10~15초 동안 압축기를 회전시켜 연소실에 남은 연료 및 연료 증기를 배출시켜야 한다. 시동기로 회전시키지 않을 때에는 다시 시동을 하기 전에 30초 동안 연료 배출시간을 기다려야 한다.

(1) 과열 시동

과열 시동(hot start)는 시동 시 배기가스 온도가 규정된 한계치 이상으로 증가하는 현상이며, 연료-공기 혼합비를 조정하는 연료 조정 장치의 고장, 결빙 및 압축기 입구 부분에서 공기 흐름의 제한 등에 의해 발생된다.

(2) 결핍 시동

결핍 시동(hung star)은 시동이 시작된 다음 엔진의 회전수가 완속 회전수까지 증가하지 않고 이보다 낮은 회전수에 머물러 있는 현상이며, 이런 경우에는 배기가스 온도는 계속 상승하기 때문에 온도의 한계를 초과하기 전에 시동을 중지시킬 준비를 해야 한다.

(3) 시동 불능

엔진이 규정된 시간 안에 시동되지 않는 현상을 시동 불능(no start)이라 하며, 엔진의 회전수나 배기가스 온도가 상승하지 않는 것으로 판단할 수 있고, 원인으로는 시동기나 점화 장치의 결함, 연료 흐름의 막힘, 연료 조정 장치의 고장 등에 의해 발생된다.

2.3.3 가스 터빈 엔진의 조절

가스 터빈 엔진은 그 엔진이 최대 또는 정격 추력을 낼 수 있는 특정 상태가 있다. 이러한 특정 상태는 압축기 입구의 온도, 압력, 엔진의 회전수, 엔진 압력비, 터빈 출구 압력, 배기 노즐 넓이 등을 말한다.

엔진이 정상적으로 작동하고 있는지를 판단하기 위해 엔진 계기들의 지시 값을 관찰하여 이들을 엔진 제작 회사에서 주어진 값들과 비교해야 한다. 특히 비행 중에는 엔진의 추력을 직접 측정 할 방법이 없다.

비행 중 엔진의 추력을 측정하는 방법으로, 초기의 가스 터빈 엔진은 추력을 나타내는 엔진의 작동 변수로서 엔진의 회전수만을 사용하였으나, 현재 생산되는 대부분의 엔진은 추력을 축정하는 작동 변수로서 엔진 압력비를 사용한다.

정격 추력은 엔진 압력비 계기가 미리 정해진 지시 값을 지시하도록 동력 레버에 의해 조정된다. 주어진 정격 추력에 해당하는 엔진 압력비의 값은 대기 압력 및 온도와 기관의 작동 상태에 따라 변한다. 따라서 제작 회사에서 정해 놓은 정격 추력에 해당하는 엔진 압력비가 얻어지지 않을 수도 있기 때문에 주기적으로 엔진의 여러 가지 작동 상태를 조정하는 것을 엔진 조절(engine trimming)이라고 한다.

2.4 작업 안전 사항

(1) 엔진을 시동하거나 시운전할 때 F.O.D 방지를 위해 청결을 유지해야 한다.

(2) 항공기에 장착된 엔진을 시동 시에는 반드시 지상 안전 절차를 준수해야 한다.

(3) 지정된 장소에 사용 가능한 소화기를 비치해야 하고, 인원을 배치하여 화재 발생과 장애물 접근에 대비해야 한다.

(4) 항공기에 장착된 엔진을 시동 시에는 접지 상태를 확인하고, 바퀴에 고임목을 확인해야 한다.

(5) 항공기에 장착된 엔진을 시동 시에는 엔진의 공기 흡입구가 정방향이거나 측풍 방향으로 향하게 항공기를 위치시킨다.

(6) 해당 엔진 작동 점검표와 작동 절차를 참고해야 한다.

(7) 엔진 작동 시 그림 9-13과 같은 위험 구역 내에 장비, 사람 또는 기타 이물질이 있어서는 안 된다.

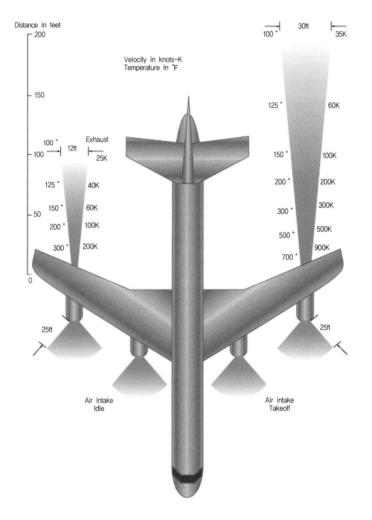

그림 9-13 엔진 작동 시 위험 지역

2.5 건식 모터링 점검 절차

이 점검 방법은 엔진 회전이 원활한지의 여부를 검사하거나 정비 후에 수행되며, 정비나 부품을 교환했을 경우 누설 점검 및 기능 점검을 위해 실시한다. 또한, 습식 모터링 점검을 한 다음 연소실의 연료를 배출하기 위해 건식 모터링 점검을 반드시 실시해야 한다.

   (1) 정상적인 시동을 위한 모든 상태를 점검한다.

   (2) 기종에 따라 약간의 차이는 있으나, 엔진 작동에 필요한 스위치 및 스로틀의 위치를 다음과 같이 위치시킨다.

    1) 점화 스위치 "OFF"

    2) 연료 차단 레버 "OFF"

    3) 연료 부스터 펌프 "ON"

    4) 스로틀 "IDLE"

   (3) 시동기를 작동, 엔진 회전과 윤활유 압력의 정상 지시를 위해 점검에 필요한 만큼 구동한다.

   (4) 시동기를 "OFF" 하고, 다음과 같은 점검을 해야 한다.

    1) 엔진의 소음이 있는지 확인한다.(만일, 금속이 닿는 마찰음이 들릴 경우 즉시 엔진을 정지시키고 원인을 찾아야 한다.)

    2) 연료 및 윤활 계통의 각종 호스와 튜브, 부품 등에서 누설이 있는지 확인한다.

    3) 윤활유 탱크의 윤활유 양을 점검한다.

2.6 습식 모터링 점검 절차

습식 모터링 점검 방법은 연료 계통의 점검이나 분해 또는 교환 시에 필요한 점검이다. 습식 모터링을 한 다음 연소실 내에 연료를 배출하기 위해 반드시 건식 모터링을 해야 한다.

(1) 엔진 작동에 필요한 스위치와 스로틀의 위치는 건식 모터링 점검 절차와 같다.

(2) 시동기를 작동하여 엔진의 회전이 10%까지 상승되었을 경우 연료 차단 레버를 "ON" 하고, 연료 유량계를 확인한다.

(3) 연료 흐름이 시간당 500~600 lb 또는 60초까지 엔진을 계속 모터링하고, 시동기 작동 범위를 주시한다.

(4) 연료 차단 레버를 "OFF" 위치로 하고 연소실에서 연료가 증발될 때까지 최소 30초 이상 엔진을 모터링한 다음 연료 흐름이 "0" 으로 떨어지는 것을 확인해야 한다.

(5) 시동기를 끄고 건식 모터링 점검과 같이 엔진에서 나는 소음을 듣는다. 만약, 정상적인 소음이 아닌 마찰음이 발생할 때는 고장 탐구해야 한다.

(6) 연료 및 윤활 계통의 각종 호스와 튜브, 부품 등에서 누설 상태를 확인한다.

(7) 윤활유 탱크에서 윤활유의 양을 점검한다.

2.7 가스 터빈 엔진의 전기 시동 절차

(1) 항공기에 지상 동력 장비(GPU : ground power unit)를 연결한다.

(2) 주 스위치(main switch)를 "ON" 한다.

(3) 연료 부스터 스위치를 "ON" 한다.

(4) 배터리-시동기 스위치는 잠시 시동(starter) 위치에 놓았다가 배터리(battery) 위치로 놓는다.

(5) 시동기는 30분 내에 1분간 최대 3번만 시동 가능하다.(만약, 시동기를 작동시켰다면 시동기의 냉각을 위해 30분간 기다렸다가 다시 시동해야 한다.)

(6) 3%rpm이 되도록 스로틀을 앞쪽으로 움직인다.

(7) 점화 스위치를 "ON" 한다.

(8) 스로틀을 앞쪽으로 움직여 6%rpm에 맞춘다.(연료 유량계는 시간당 500~

600 lb, 배기가스 온도는 550~750℃ 이내이어야 한다.)

(9) 시동 중에 5초 이내에 점화가 되지 않는다면 스로틀을 "CLOSE" 위치에 놓고 시동 중지 버튼을 눌러야 한다.(다시 재시동을 하기 전에 연소실 내에 들어 있던 연료가 드립 밸브를 통하여 밖으로 배출되도록 3분간 기다려야 한다.)

(10) 점화가 되면 스로틀 레버로 배기가스 온도가 700℃가 되도록 천천히 조심스럽게 전진시키며, 배기가스 온도가 일정하게 유지되면 출력을 천천히 증가시킨다.

(11) 만약 배기가스 온도가 950℃ 이상 과열 시동을 했을 경우에는 즉시 엔진을 정지 시키고, 기록부에 과열 상태를 기록하고 터빈 부분을 검사해야 한다.

(12) 만약, 엔진 회전수가 1분 이내에 23%에 도달하지 않는다면 엔진을 정지시켜야 한다.

(13) 엔진이 시동되어 25% rpm이 되면 지상 전원을 제거한다.

(14) 발전기 경고등이 꺼지는지 확인한다.

(15) 윤활유 압력을 점검하고, 만일 윤활유 압력이 60초 이내에 정상 상태로 지시하지 않는다면 즉시 엔진을 정지하고 고장 탐구해야 한다.

(16) 엔진이 시동되었을 때 시동 스위치를 "OFF" 한다.

(17) 엔진 작동에 필요한 계기들을 주시한다.

2.8 가스 터빈 엔진의 공기압 시동 절차

(1) 압축 공기를 공급한다.(지상 장비나 보조 장비 또는 항공기 내에 장착된 보조 동력 장치가 시동되었을 경우 블리드 공기 등을 받는다.)

(2) 항공기의 전기 동력을 "ON" 위치에 놓는다.

(3) 연료 부스터 펌프 수위치를 "ON" 위치에 놓는다.

(4) 저속에서 스로틀을 고정한다.

(5) 엔진 선택 스위치를 엔진 시동 위치에 놓는다.

(6) 시동 스위치를 누른다.(시동 스위치는 홀딩 코일로 되어 있어서 엔진이 시동 될 때까지 스위치는 스스로 시동 회로를 형성하며, 시동되면 "OFF" 된다.)

2.9 가스 터빈 엔진의 시운전 절차

(1) 가스 터빈 엔진은 나기 운전을 할 필요가 없다.

(2) 완속 운전에서 모든 엔진 작동용 계기들이 정상인가를 확인하고, 엔진의 작동 상태가 안정되면 스로틀 레버를 천천히 최대 출력까지 증가시킨다.

(3) 완속 회전수는 34~38% 사이에 있는 것이 정상이지만, 시운전 지역의 표고와 대기 온도에 따라 차이가 있다.

(4) 엔진의 온도가 정상 범위에 도달되지 않을 경우에는 갑자기 100%rpm 으로 가속시켜서는 안 된다.

(5) 엔진 작동 시 엔진의 회전이 완속에서 63%까지 사이에서는 가속 성능이 좋지 않다.

(6) 엔진이 정상 상태로 작동이 되면 비상 연료 장치를 88%rpm에서 계통 점검을 한다.

2.10 가스 터빈 엔진의 정지 절차

(1) 스로틀 레버를 움직여 65~70 %rpm에 엔진 회전을 유지시키고 2분간 배기 부분의 배기가스 온도가 떨어지도록 유지시킨다.

(2) 스로틀 레버를 "OFF" 시킨다.

(3) 엔진 회전이 10 %rpm 이하로 떨어지면 주 스위치를 "OFF" 위치에 놓는다.

(4) 주 스위치를 "OFF" 한 다음 5초 뒤에 배터리-시동기 스위치를 "OFF" 한다. 이것은 주 연료 밸브가 닫히는 시간이 약 5초 걸리기 때문이다.

(5) 모든 스위치를 "OFF" 한다.

2.11 평가

순번	평가항목	A	B	C	D	비고
1	작업이해도					
2	엔진 작동 전 준비					
3	엔진의 모터링 점검					
4	엔진 작동 절차					
5	엔진 정지 절차					
6	엔진 정지 후 정리 정돈 상태					

3. 터보 프롭 엔진의 시운전

3.1 학습목표

터보 프롭 엔진의 시운전 절차 및 안전 사항에 대하여 학습한다.

3.2 실습재료

터보 프롭 엔진, 소화기, 차륜지 고임목, 지상 전원(GPU)

3.3 관련지식

터보프롭엔진은 보통 고정터빈(fixed turbine)과 자유터빈(free turbine)으로 나누어진다. 고정터빈은 프로펠러가 엔진에 직접 연결되어 있어서 엔진이 시동될 때 큰 저항을 준다. 만약 시동 시에 프로펠러가 "Start" 위치에 있지 않다면 큰 부하로 인해 시동이 어려워질 수 있다. 이것 때문에 프로펠러는 엔진이 정지된 상태에서는 부하를 최소한으로 줄일 수 있는 플랫피치(flat pitch)에 있으며, 시동 중에도 플랫피치를 유지한다. 자유터빈엔진은 프로펠러로 연결되는 가스발생기(gas generator)와 동력터빈 사이에 기계적인 연결이 되어있지 않다. 이러한 유형의 엔진에서는 시동 중에 프로펠러의 위치는 페더링(feather) 위치를 유지하며, 가스발생기가 가속될 때 회전하기 시작한다. 터빈엔진에 사용하는 계기는 형식에 따라 다르다. 그림 9-14는 터보 프롭엔진의 대표적인 계기를 보여주고 있다.

오일압력(oil pressure), 오일온도(oil temperature), 터빈온도(inter-turbine temperature) 및 연료유량(fuel flow) 등이다. 그리고 가스 발생 장치의 속도(gas generator speed), 프로펠러의 속도(propeller speed), 프로펠러가 만들어낸 토크를 측정하기 위한 계기들이 사용된다.

그림 9-14 전형적인 터보프롭엔진의 계기

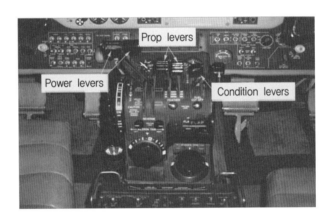

그림 9-15 터보 프롭 항공기의 엔진 조절

그림 9-15와 같이 전형적인 터보프롭엔진은 엔진조종을 위해 동력레버, 프로펠러 레버 및 컨디션 레버 등을 세트로 사용한다.

터빈엔진을 시동할 때 첫 번째 단계는 시동기를 위한 적당한 동력원을 제공하는 것이다. 소형 터빈엔진의 시동기는 전기전원으로 엔진을 회전시키는 전동기를 사용한 다. 그러나 대형엔진은 더욱 강력한 시동기를 필요로 하는데 전동기는 전류흐름과 무 게로 인해서 사용이 제한됨에 따라 가벼우면서도 시동에 충분한 동력을 만들어낼 수 있는 공기터빈시동기를 사용하고 있다. 공기터빈 시동기를 작동하기 위한 공기 공급은 항공기에 탑재된 보조동력장치(auxiliary power unit), 외부 지상동력장치 및 엔진 크로스 브리드(engine cross-bleed)로부터 공급된다. 일부의 경우 저압의 대 용적 탱크(large volume tank)에서 엔진 시동을 위한 공기를 공급 받기도 한다.

3.4 작업 안전 사항

(1) 항상 시동기 듀티 사이클(duty cycle)을 준수한다. 그렇지 않으면 시동기가 과열되어 손상될 수 있다.
(2) 시동을 시도하기 전에 공기압이나 전력량이 충분한지 확인한다.
(3) 터빈입구온도가 제작사에서 명시된 규정 값 이상이라면 지상 시동을 할 수 없다.
(4) 엔진의 연료펌프에 낮은 압력으로 연료를 공급한다.

3.5 시동 전 절차

터빈엔진의 시동은 세 단계로 순차적으로 이루어진다. 시동기는 엔진으로 흡입된 공기를 공급해 주기 위한 압축기(compressor)를 구동시켜준다. 공기의 속도가 연소하기 위한 충분한 속도에 도달하게 되면 점화플러그가 작동하여 연료를 연소하기 위한 불꽃을 일으킨다. 엔진의 속도가 점차 증가하여 스스로 돌아 갈 수 있는 속도에 도달하면 시동기는 분리된다.

엔진 시동 전에 항공기를 보호하기 위해 씌워둔 각종 덮개들을 제거하고, 엔진 배기부분에서 연료나 오일이 새어나오지 않는지 주의 깊게 점검한다. 엔진부분과 엔진 조종 장치부분은 정밀하게 육안검사를 실시한다. 그리고 모든 검사 창과 점검 창들이 잘 고정되어 있는지 나셀(nacelle)부분을 점검한다. 섬프(sump)를 점검하여 물이 고여 있는지 확인한다. 공기흡입구 부분의 일반적인 상태와 이물질 여부를 점검한다. 압축기에 손이 닿는다면 손으로 블레이드(blade)를 돌려서 회전이 자유로운지(free rotation) 확인해야 한다.

3.6 엔진 시동 절차

지상에서 엔진시동 절차는 다음과 같이 수행한다.

(1) 항공기 승압펌프(boost pump)를 작동시킨다.

(2) 동력 레버가 "Start" 위치에 있는지 확인한다.

(3) 점화 스위치를 ON 시킨다. 일부 엔진에서는 연료 레버(fuel lever)에 의해서 점화가 되기도 한다.

(4) 컨디션 레버(condition lever)를 "ON" 위치로 이동시켜 연료를 공급한다.

(5) 배기온도 엔진 감시등을 관찰한다. 배기온도의 한계를 초과하는 경우에는 시동을 즉시 중단해야 한다.

(6) 오일 압력과 오일 온도를 확인한다.

(7) 엔진이 스스로 회전할 수 있는 속도가 되면 시동기를 분리한다.

(8) 엔진이 완속 운전까지 증가되는지 확인한다.

(9) 규정된 최소 오일 온도에 도달될 때까지 동력레버를 "Start" 위치에 고정시킨다.

(10) 엔진 시동 시 지상 지원 장비를 사용했다면 장비를 분리한다.

다음에 나오는 현상은 시동 중에 나타날 수 있는 현상으로 이러한 현상 발생 시 연료와 점화를 즉시 차단하고 시동을 중지해야 한다.

(1) 터빈 입구 온도가 최대 규정치를 초과하면 최고의 온도를 기록해야 한다.

(2) 프로펠러가 회전하기 시작하여 안정된 rpm까지 도달하는 가속시간이 규정된 시간을 초과한다면 그 시간을 기록해야 한다.

(3) 5000rpm에서 감속기어(reduction gear) 동력 계통에서 오일 압력 상승이 되지 않을 경우

(4) 화염(정상적인 농후혼합 조작이 아닌 경우에 배기관에서 화염이 육안으로 보이는 경우) 또는 과도한 연기가 최초의 발화기관 동안 나타났을 경우

(5) 엔진이 4500rpm 또는 최대 모터링(motoring) rpm에서 점화에 실패하였거나, rpm이 감소하기 시작할 경우

(6) 비정상적인 진동이 나타나거나 압축기 서지(compressor surge) 현상이 발생한 경우(역화 발생)

(7) 엔진의 과열이나 화재에 의해 화재 경고가 울릴 경우

3.7 평가

순번	평가항목	A	B	C	D	비고
1	작업이해도					
2	작업 전 소화기 비치 상태					
3	터보 프롭 엔진의 사용 계기 이해					
4	엔진 시동 전 절차					
5	엔진 시동 절차					
6	작업 후 정리 정돈 상태					

제10장 검 사

1. 보어스코프 검사

1.1 학습목표

보어스코프의 사용 방법 및 기능을 학습한다.

1.2 실습재료

보어스코프 장비

1.3 관련지식

1.3.1 보어스코프의 사용 목적

이 검사도 근본적으로 육안검사이다. 보어스코프는 정밀한 광학계로 광원을 가지고 있다. 보어스코프의 종류는 다양하며 직접 눈으로 확인할 수 없는 기체의 구조부나 엔진의 내부 등을 검사하는데 효과적이다. 이 장치는 렌즈의 초점 거리를 조절하여 상을 선명하게 볼 수 있고, 조절 핸들을 이용, 대물렌즈의 방향을 상하좌우로 조절함으로써 검사 구역의 모든 곳을 검사할 수 있다.

보어스코프로서 검사 될 수 있는 예로서는 왕복엔진 실린더 내부이다. 보어스코프는 손상된 피스톤, 실린더 벽 또는 밸브 상태를 보기 위해 점화플러그 장착용 구멍을 통하여 삽입한다. 터빈엔진의 경우 점화 플러그 장착 구멍과 검사용 플러그 구멍을 경유하여 검사를 실시하는데 검사부분은 다음과 같다.

(1) 압축기의 로터와 스테이터
(2) 연소실 내부 및 연료 노즐
(3) 터빈 노즐 및 로터 등

보어스코프 검사는 다음과 같은 상황에서 엔진 내부를 검사한다.

(1) 이물질 흡입으로 인한 손상 여부를 알고자 할 때

(2) 주기적으로 엔진 내부를 검사할 때

(3) 엔진 작동 중에 배기가스 온도 규정된 한계를 초과했을 때

(4) 실속 또는 서지 현상이 발생 되어 원인을 알고자 할 때

(5) 시동 시 과열 시동되었을 때

(6) 엔진 분해 정비를 위하여 작업 범위를 결정하고자 할 때

(7) 그 밖에 보어스코프 검사가 필요하다고 예상될 때

엔진을 분해하지 않고 검사하기 때문에 인력과 시간의 절감은 물론, 결함을 미리 발견하여 정비함으로써 엔진의 수명을 연장하고 사고를 예방할 수 있다. 그리고 대부분의 보어스코프 장비는 조명이 내장되어 있고, 검사 영상을 녹화할 수 있는 컴퓨터 또는 비디오 모니터를 구비하기도 한다.

1.3.2 압축기 및 터빈 깃의 결함

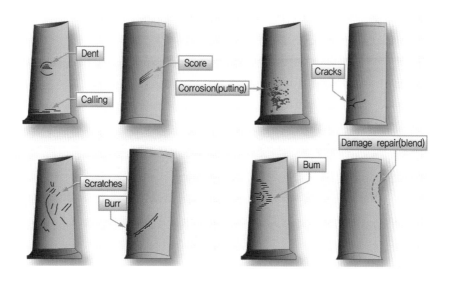

그림 10-1 깃의 결함 상태

(1) 구부러짐(bow)

깃의 끝이 구부러진 형태로서 볼트, 너트, 돌 등의 외부 물질에 의해 손상된 상태를 나타낸다.

(2) 소손(burning)

국부적으로 색이 변했거나 심한 경우 재료가 떨어져 나간 형태가 되며, 과열에 의해 손상된 상태를 나타낸다.

(3) 거칠음(burr)

끝이 닳아서 거칠어진 형태로서, 회전할 때 연마나 절삭에 의해 생긴 결함의 형태이다.

(4) 부식(corrosion)

깃 표면의 산소와의 화학작용으로 변질되는 경우를 말하며, 부식이 더 발전하게 되면 깃 표면이 움푹 패인 형태가 되거나 심한 경우 깃 표면이 떨어져 나가게 된다.

(5) 균열(crack)

깃이 부분적으로 갈라진 형태로서, 심한 충격이나 과부하 또는 과열이나 재료의 결함 등에 의해 생긴 손상을 나타낸다.

(6) 움푹 눌린 자국(dent)

국부적으로 둥글게 눌려진 형태로서, 외부 물질에 부딪힘으로써 생긴 결함의 형태이다.

(7) 용착(gall)

접촉되어 있는 2개의 재료가 녹아서 다른 쪽에 늘어붙은 형태이며, 압력이 작용하는 부분의 심한 마찰에 의해 생기는 결함

(8) 가우징(gouging)

재료가 찢어지거나 떨어져 없어진 상태이며, 비교적 큰 외부 물질에 부딪히거나 움직이는 두 물체가 서로 부딪혀서 생기는 결함의 형태이다.

(9) 신장(growth)

길이가 늘어난 형태이며, 고온에서 원심력의 작용에 의해 생기는 결함

(10) 찍힘(nick)

예리한 물체에 찍혀 표면이 예리하게 들어가거나 쪼개져 생긴 결함의 형태

(11) 스코어(score)

깊게 긁힌 형태이며, 표면이 예리한 물체와 닿았을 경우 생기는 결함이다.

(12) 긁힘(scratch)

좁게 긁힌 형태로서, 모래 등 작은 외부 물질에 의해 생기는 결함이다.

(13) 찢어짐(broken)

외부 충격에 의해 찢어지는 형태의 결함이다.

(14) 절단(sheared)

볼트로 연결된 부분이 전단 응력에 의해 잘라지는 형태의 결함이다.

(15) 뒤틀림(distortion)

외부 환경에 의해 꼬이거나 틀어지는 형태의 결함이다.

(16) 굽힘(bend)

부품이 어떤 응력에 의해 구부러진 형태의 결함이다.

(17) 부풀음(bulged)

가열된 상태에서 외부나 내부 압력에 의해 혹 모양으로 부풀어 오르는 형태의 결함

(18) 퇴적물의 붙음(deposits)

고열 부분에서 과열로 인해 내부의 퇴적물이 깃에 붙게 되는 형태의 결함이다.

1.4 작업 안전 사항

(1) 보어스코프를 취급 시 제작 회사의 지침서를 참고해야 한다.
(2) 보어스코프의 굴절부는 광케이블로 되어 있으므로 비틀거나 충격을 주어 찌그러지게 하면 안 된다.
(3) 보어스코프 보관 시는 보관용 상자에 넣어 보관해야 한다.
(4) 보어스코프를 82℃ 이상의 고온에 장시간 노출시키면 안 된다.
(5) 보어스코프의 접안렌즈 조절부를 조작할 경우 무리하게 힘을 가하지 않도록 주의해야 한다.
(6) 보어스코프 사용이 끝나면 전원 플러그를 뽑아 놓아야 한다.

(7) 보어스코프를 엔진 내부에 삽입할 경우 굴절부가 올바르게 들어갈 수 있게
주의해야 한다.

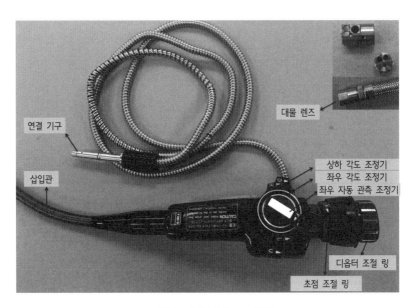

그림 9-2 보어스코프 구조

1.5 보어스코프 작동

(1) 엔진 내부의 결함을 관찰하기 위하여 전방 또는 측면 관찰 접속기 중에서 용
도에 맞게 선택한다.

(2) 선택된 광학 접속기는 끝 부분에 순서대로 장착한다.

(3) 장착된 광학 접속기를 고정 링으로 고정시키며, 고정 링은 광학 접속기를 풀
거나 조일 때 사용한다.

(4) 보어스코프의 조립이 끝난 후 사용하기 전에 다음 사항을 시험한다.

1) 좌우 각도 조종기의 손잡이를 움직여 "R" 이나 "L" 위치에 놓으면 굴절부가
오른쪽이나 왼쪽으로 휘어지는지 확인한다.

2) 좌우 자동 관측 조종기의 손잡이를 "F" 위치에 놓으면 굴절부가 좌우로 자
유롭게 움직이지만, 반대쪽으로 돌리면 굴절부가 원하는 위치에서 멈추는지

확인한다.

3) 상하 각도 조종기의 손잡이를 "U" 또는 "D" 위치에 놓으면 굴절부가 위쪽이나 아래쪽으로 휘어지는지 확인한다.

4) 상하 자동 관측 조종기의 손잡이를 "F" 위치에 놓으면 굴절부를 상하로 자유롭게 움직이지만, 반대쪽으로 돌리면 굴절부가 원하는 위치에서 멈추는지 확인한다.

(5) 디옵터(diopter : 렌즈의 굴절율을 나타내는 단위) 조절 링으로 접안렌즈의 영상이 작업자가 잘 볼 수 있도록 조절한다.

(6) 초점 조절 링은 대물렌즈를 움직여 물체와의 거리가 적합하게 조절되어 디옵터가 양호하도록 한다.

(7) 시험이 끝난 후 보어스코프의 조명 케이블 연결 기구를 전압 조절 트랜스에 연결한다.

(8) 엔진 내부의 결함이 예상되는 부분에 보어스코프를 집어넣고 관찰한다.

1.6 평가

순번	평가항목	A	B	C	D	비고
1	작업이해도					
2	보어스코프 취급					
3	보어스코프 적용					
4	보어스코프 사용 방법					
5	보어스코프를 이용한 결함 판독					
6	작업 후 정리 정돈 상태					

2. 자분 탐상 검사

2.1 학습목표

철금속 재료의 자기적 성질과 자화 방법을 이해하고, 휴대용 자기 탐상기의 사용 방법 및 기능을 학습한다.

2.2 실습재료

건식 자분, 고무장갑, 고무 앞치마, 면장갑, 휴대용 자기 탐상기, 자기 탐상용 계기, 건식 수동 자분 살포기, 표준 시험편

2.3 관련지식

자분탐상검사는 자성체로 된 검사체의 표면 및 표면 바로 밑의 결함을 자장을 걸어 자화시킨 후 자분을 적용하고, 누설자장으로 인해 형성된 자분 지시를 관찰하여 결함의 크기, 위치 및 형상 등을 검출하는 방법이다. 이 방법은 비자성체에는 적용할 수 없다. 철강재료 능 강자성체를 자화하게 되면 많은 자속을 발생한다. 자속은 자기의 흐름으로 나타나며 강자성체 중에서 자속은 쉽게 흐르지만 비자성체 중에서 자속은 흐르기 어렵다. 자속이 흐르는 길에 결함이 있으면 자속이 흐르기 어려워진다. 그러므로 자속은 결함이 가로막게 되면 피해 가려는 모양으로 넓게 흐른다. 자분을 뿌릴 경우 검사체의 표면에 자속을 가로지르는 결함이 있다면 누설자속에 들어간 자분은 자화되어 자극을 나타내는 작은 자석이 되며 자분 서로가 얽혀 결함부의 자극에 흡착한다. 빠르게 회전하고, 왕복운동, 진동에 노출되고, 대단히 큰 응력을 받는 항공기 부품에서의 작은 결점은 종종 이 부품의 완전한 파손시키는 원인이 되기도 한다. 자분탐상검사는 표면 위쪽에 또는 그 가까이에 위치한 결함의 신속한 탐지에 신뢰할 수 있는 방법이다.

2.3.1 결함 지시

자기화 된 물질의 불연속(결함)이 표면까지 개방되고 이를 지시하는 매질, 즉 자성을 띤 물질을 표면에 적용할 수 있을 때, 누설자속에 들어간 매질인 자분은 자화되어 자극을 나타내는 작은 자석이 되며 자분 서로가 얽혀 결함 부위의 자극에 흡착하게 한다. 부품에 있는 자기로 인해 표면에 뿌려진 자분은 결함 부위에 결함의 윤곽 형태로 점착하여 남게 된다. 부품 표면으로 개방되지 않은 경우도 동일한 현상이 일어나지만, 이 경우는 누설자속의 양이 적으므로 자분의 응집이 적다. 결함이 표면보다 훨씬 아래쪽에 존재하면, 누설자속 양은 거의 없어 자분의 응집 현상도 나타나지 않는다. (그림 10-3, 10-4 참조)

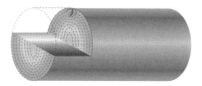

그림 10-3 가로 불연속의 누설자속

그림 10-4 세로 불연속의 누설자속

2.3.2 노출된 결함의 형태

자분탐상시험으로 불연속 형태인 균열, 갈라진 틈(seam), 주름(Lap 또는 Cold shut 형태) 함유물, 쪼개진 금, 찢어진 곳, 관의 파열, 기공을 검출할 수 있다. 균열, 쪼개진 금, 터짐, 찢어진 곳, 갈라진 틈, 기공, 관의 분리 현상은 금속의 파열로 형성된다. 금속의 주름은 제조 공정에서 형성된 주름이다 함유물은 금속제조 열처리 시에 들어간 불순물에 의해 형성된 이물질이다. 함유물은 금속구조의 입자간 결함이나 용접을 방해하여 금속구조의 연속성을 방해하는 결함이다.

2.3.3 준비 및 전 처리

윤활유, 오일, 오염물질은 부품을 시험하기 전에 모두 제거 되어야 한다. 검사체의 오염 물질에는 자성을 띤 미립자가 있어 결함과 무관한 지시를 조성할 수 있고, 자분의 결함 형태의 형성을 방해하므로 세척이 중요하다. 특히, 건식 자분으로 탐지할 때에는 세척을 완벽하게 하여야 정확한 검사 결과를 얻을 수 있다. 내부통로 기공이나 오일 구멍 등 표면에 개방된 구멍은 파라핀과 같은 마찰을 일으키지 않는 물질로 막아야 한다.

카드뮴, 구리, 주석, 아연 코팅은 너무 두껍거나 얇은 곳을 제외하고 자분탐상검사에 영향이 없다. 크롬도금, 니켈도금은 일반적으로 모재 표면의 균열의 표시에 간섭이 없지만, 함유물에 의한 불연속은 나타난다. 니켈도금이 크롬도금보다 강자성체이다.

2.3.4 자속방향 효과

부품의 결점을 찾는데 효과적이려면 자력선과 결점은 수직을 이뤄야 한다. 결점은 부품의 축에 어떤 각을 이루기 때문에 하나 이상의 자속을 유도시켜야한다. 원형자화와 선형자화라는 두 가시 사화 삭업이 필요하다.

그림 10-5는 자속 방향 효과를 보여준다.

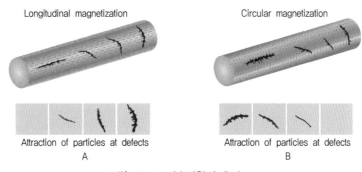

그림 10-5 자속방향의 효과

검사체에 전극을 접촉시켜 직접 통전하거나, 링, 튜브와 같은 부품 안에 전도체를 위치시켜 통전시키면 원형자상이 형성된다. 원형자화는 부품 내부에 동심원의 자기장을 유도하는 방법이다. 이 방법은 부품의 축에 평행하게 연속하는 결점의 위치를 찾는 방법이다. 그림 10-6은 크랭크샤프트의 원형자화를 보여준다. 선형자화는 코일에 전류를 통전시키면 자속이 직선으로 이루어지는 것을 이용한 방법으로 자기장은 부품의 장축 방향과 평행하게 형성된다. 전류로 여자된 솔레노이드에 부품을 놓아 유도 자기장을 이용하는 것이다.

그림 10-6 크랭크샤프트의 원형자화

그림 10-7과 같이 긴 부품의 선형자화에서 솔레노이드는 부품 자화를 위해 부품의 종축을 따라 이동시켜야 한다. 대형 또는 복잡한 시험체의 국부적 검사에 활용되고 있다.

그림 10-7 캠샤프트의 선형자화(솔레노이드 방법)

2.3.5 자화 방법

자화는 다음 사항을 고려하여 적정한 방법을 선택한다.

- 자장의 방향은 예상 결함 방향과 직각을 이루도록 한다.

- 자장의 방향은 검사면과 평행하도록 한다.

- 검사 면을 손상시킬 우려가 있으면 직접 통전하지 않는다.

- 자화방법 및 자화 전류 값, 자화시간

자화를 위한 전류의 통전 시간은 전류를 통과시키는 방법에 따라 연속법과 잔류자기법이 있다. 검사체의 자성 특성과 부품의 모양에 따라 연속법과 잔류 자기법을 선택한다.

연속검사법에서 부품의 자화가 연속적으로 이루어지고 있는 동안, 즉 자속밀도가 최대로 유지되는 동안 자분이 적용된다. 이 방법은 실제로 원형자화 절차와 선형자화 절차 모두에 이용하게 된다. 연소법이 검사체 표면 바로 밑에 있는 결함 검출에 효과적이어서 항공기 부품검사에 활용된다. 부품의 자화력을 제거한 후의 잔류자기를 이용하는 방법이 잔류자기 검사절차이다.

2.3.6 형광 자분 검사

이 검사는 형광 미립자 용액을 사용하고 자외선 등(Black light)을 비추어 검사한다. 검사 효율이 결함 내부에 침투한 형광 침투액의 효과로 아주 높다. 이 방법은 치차 나사가 난 부품, 엔진 부품의 결점 검출에 효과적이다. 사용되는 적갈색 액체가 형광자분이다. 검사 후, 부품은 자성을 없애야 하고 세척용제로 헹구어준다.

(1) 자화 장비

그림 10-8은 일반적으로 사용되는 고정식 자화 시험 장비이다. 이 장비는 습식연속자화와 잔류자화절차 모두 수행할 수 있고 직류를 사용하여 자화시킨다. 동력원은 내장 축전지에 의한 직류 또는 교류를 정류한 직류를 사용한다. 고정된 헤드와 이동

식 헤드가 있고 직류가 연결된다. 이 2개의 헤드 사이에 검사체를 거치할 수 있는데, 이동식 헤드가 가하는 힘은 고정식 헤드의 스프링 탄성에 전달되어 검사체가 고정된다. 전동 모터로 구동되는 이동식 헤드는 세로방향으로 가이드를 따라 움직인다. 스프링은 움직이지 않게 되는 것을 피하도록 이동식 헤드가 충분히 이동하여 전기적 접촉이 확실하게 유지되도록 검사체 끝부분에 압력을 가한다.

고정된 헤드가 있는 플런저 스위치는 스프링이 적절하게 압축되면 이동식 헤드의 운동회로가 전기적 운동 회로에 공급되는 전기를 차단한다. 자기화 회로는 앞쪽의 푸쉬 버튼을 눌러 접속하는데 0.5초의 시간차가 있다. 자화전류의 강도는 레오스타트 (Rheostat)에 의해 수동으로 필요 값을 설정하거나, 레오스타트 차단회로 스위치 (Rheostat Short-circuiting Switch)로 장치의 용량에 따라 증가시키게 된다.

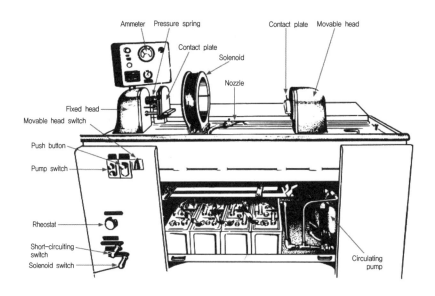

그림 10-8 일반 고정식 자화 장치

선형자화는 솔레노이드에 의하여 이루어지며, 이동식 헤드와 같은 가이드 선로에서 운동하며 스위치에 의해 전기적 회로와 연결된다. 현탁액은 노즐을 통해 검사체에 적용되고, 검사체에서 떨어진 현탁액은 집수 팬 안에 있는 비금속 그릴을 경유하여 모이게 된다. 순환펌프에 의해 비수조로 회귀한다.

(2) 탈자

검사 후에 산류하는 영구자기를 부품에서 제거하는 작업이 탈자이다. 작동 기구에 남아 있는 자력은 줄밥, 연마, 칩 등을 끌어 당겨 작업 시에 결함을 초래할 수도 있어 탈자를 확실하게 해야 한다. 탈자가 안 된 부품에 미립자가 축적된다면 이 작동기구의 베어링이나 가공하는 물체에 스코어링과 같은 결함을 유발한다. 기체 부품은 그러한 미립자의 축척으로 계기에 영향을 미치지 않도록 탈자 시켜야 한다. 항공기 부품에 대한 탈자 방법은 부품에 계속하여 자력선의 방향을 변경하면서, 동시에 자력의 세기도 점차적으로 감소시키는 방법이 주로 사용된다.

(3) 표준 탈자 방법

표준적 탈자 방법으로 교류 솔레노이드 코일을 사용한다. 부품이 솔레노이드의 교번자장에서 멀어지면 부품의 잔류 자기는 점차 감소한다.

탈자 할 물체와 비슷한 크기의 탈자기 탈자장치가 사용되어져야 한다. 탈자가 쉽지 않은 부품은 2~4번 이장치의 안팎을 천천히 지나가게 해야 하고, 동시에 여러 방향으로 회전시켜야 한다. 자력 제거에 효과적 절차는 자장의 강도에 떨어져서 부품을 천천히 움직이는 것이다. 탈자장치로부터 1~2feet까지 이격하여 머무르도록 한다. 탈자장치에는 전류제거를 천천히 하여 부품이 다시 자력을 갖지 않도록 한다. 이동식 장치에서의 탈자는 부품에 교류를 가하여 점차적으로 전류 값이 0이 될 때 까지 충분히 탈자 하는 것이다.

2.4 작업 안전 사항

(1) 자분이 눈에 들어가지 않도록 주의해야 한다.
(2) 형광 자분을 이용한 검사를 할 경우 자외선 등의 빛이 눈에 직접 들어가지 않도록 보안경을 착용해야 한다.
(3) 시계나 그 밖의 계기 등 강한 자장에 가까이하지 않도록 주의해야 한다.
(4) 장비를 사용하지 않을 경우 전원으로부터 플러그를 뽑아 놓아야 한다.

그림 10-9 휴대용 자기 탐상기

2.5 자분 탐상 검사

(1) 검사물의 모양에 따라 휴대용 자기 탐상기의 프로브를 고정시킨다.

(2) 휴대용 자기 탐상기에 의한 결함 검사 절차는 다음과 같다.

1) 검사하고자 하는 검사체의 부분에 세척액을 뿌리고 걸레로 깨끗이 닦아준다.

2) 결함이 예상되는 검사체에 휴대용 자기 탐상기의 프로브를 고정시킨다.

3) 휴대용 자기 탐상기에 전원을 연결한다.

4) 휴대용 자기 탐상기에 있는 직류 및 교류 선택 스위치를 교류로 선택한다.

5) 손잡이 위에 부착된 누름 스위치를 눌러 자화시키면 자장이 흐르게 된다.

6) 검사체의 결함이 예상되는 부분에 건식 수동 자분 살포기를 이용하여 자분을 뿌린다. 만일, 검사체의 표면이 거칠거나 색이 불투명하여 결함 분석이 어려울 경우 자기 탐상용 백색 페인트를 결함이 예상되는 부분에 칠하여 검사하면 미세한 결함까지 찾아 낼 수 있다.

7) 검사 부분에 균열 결함이 있는지 관찰한다.

8) 휴대용 자기 탐상기의 누름 스위치는 검사체에 자장을 만들 때에만 사용한다.

9) 검사 후 부품에 남아 있는 잔류 자기를 제거하기 위해 직류 및 교류 선택 스위치를 직류에 놓는다.

10) 휴대용 자기 탐상기의 직류 전류 조절기를 검사체의 용량에 따라 강이나 약으로 조절한다.

11) 손잡이에 있는 누름 스위치를 누르면서 프로브 사이에 검사체를 두고 천천히 좌우 또는 상하로 프로브를 움직여주면 잔류 자기를 제거할 수 있다.

12) 검사체의 크기에 따라 잔류 자기가 쉽게 제거되지 않기 때문에 자기 검출기 또는 자력 탐지용 계기를 사용하여 검사체에서 자기가 완전히 제거될 때까지 반복하여 잔류 자기를 제거해 준다.

13) 검사가 끝난 후 검사체에 묻어 있는 자분을 세척제로 깨끗이 세척한다.

2.6 평가

순번	평가항목	A	B	C	D	비고
1	작업이해도					
2	철금속 부품의 자화 방법					
3	휴대용 자기 탐상기 사용 방법					
4	검사 부품의 결함 판독					
5	잔류 자기 제거 방법					
6	작업 후 정리 정돈 상태					

3. 침투 탐상 검사

3.1 학습목표

침투 탐상 검사의 적용과 특징을 이해하고, 형광 및 색조 침투 탐상 검사 방법 및 기능을 학습한다.

3.2 실습재료

형광 침투액, 색조 침투 검사 세트, 면장갑, 고무장갑, 고무 앞치마, 형광 침투 검사용 장비, 자외선 탐상등, 표준 시험편, 확대경

3.3 관련지식

액체침투검사는 표면에 존재하는 불연속을 검출하는 비파괴 검사 방법이다. 액체침투에 사용되는 침투액은 낮은 표면장력과 높은 모세관 현상의 특성이 있어 검사체에 적용하면 표면의 불연속성 즉 균열 등에 쉽게 침투하게 된다. 모세관 현상으로 침투액이 불연속부로 침투하게 되고 침투하지 못한 침투액을 제거한 후 현상액을 적용하면 불연속부에 들어있는 침투액이 현상액 위로 흡착되어 침투액이 침투되어 있는 부위를 나타내게 되어 불연속부의 위치 및 크기 등을 알 수 있다.

3.3.1 침투액의 장/단점

(1) 침투검사의 장점

- 시험방법이 간단하고, 고도의 숙련이 요구되지 않는다.

- 제품의 크기, 형상 등에 크게 구애를 받지 않는다.

- 국부적 시험이 가능하다.

- 미세한 균열의 탐상도 가능하다.

- 비교적 가격이 저렴하다.

- 판독이 비교적 쉽다.

- 철, 비철, 플라스틱 및 세라믹 등의 거의 모든 제품에 적용된다.

(2) 침투검사의 단점

- 표면검사만 가능하며 표면에 열려진 불연속부만 검사 가능하다.

- 시험표면이 너무 거칠거나 다공성인 경우에는 탐상이 불가능하다.

- 시험면이 침투액 등과 반응하여 손상을 입는 제품은 검사할 수 없다.

- 후처리가 종종 요구된다.

3.3.2 검사액의 특성

액체침투검사는 검사체에 침투액을 적용하여 표면 불연속부에 침투된 침투액 위에 현상액을 적용하여 탐상하는 방법으로 침투액, 현상액, 유화제가 있다.

(1) 침투액

액체침투검사에서 가장 중요한 역할을 하는 것이 침투액이다. 친투액이란 균열과 같은 표면까지 열린 미세한 균열에도 침투가 되어야 하는 재료다. 침투액의 종류는 수세성 침투액, 후유화성 침투액, 용제제거성 침투액이 있다.

(2) 현상제

현상액이란 결함 속에 적용된 침투액과 작용해서 육안으로 볼 수 있게 명암도를 증가시켜 결함의 관찰을 쉽게 하는 작용을 하며 현상액은 미세한 분말로 구성되어 침투액이 적용되고 과잉 침투액이 제거된 후에 검사체 표면에 도포한다. 종류로는 건식 현상제, 비수용성 습식 현상제, 습식현상제가 있다.

(3) 유화제

유화제는 침투력이 낮은 특성 때문에 결함 속으로 쉽게 침투하지 못하므로 불연속부에 있는 침투제는 쉽게 세척이 안 된다. 수세성 침투제에는 유화제가 섞여 있으므로 별도의 유화제 적용이 필요치 않으나, 침투제에 유화제가 섞여있지 않은 경우 과잉 침투제의 세척을 위해서는 유화처리가 필요하다.

3.3.3 액체침투검사방법의 종류 및 특징

침투제의 관찰방법 및 세척방법에 따라 분류한다. 형광침투검사는 자외선등(Black light)이 필요하다. 염색침투검사는 적색 염료를 포함하고 있는 침투제를 사용하는 방법으로 자연광에서 관찰하면 흰색의 현상제 위에 적색의 결함 모양을 관찰할 수 있다.

형광침투의 경우 염색 침투법에 비해 감도는 매우 높은 반면 암실 및 자외선 등의 검사 장비가 있어야 하므로 검사장비가 많아지고 전원 등이 필요한 단점이 있다. 침투제 세척방법에 따라 수세성, 후유화성, 용제 제거성 액체침투검사로 나뉜다.

3.3.4 결과의 판독

액체침투검사에 있어서 판독은 비교적 간단하다. 액체침투검사에 의해 나타나는 지시는 표면에 있는 실제 불연속에 의한 것과 실제 결함과는 관계없는 다른 원인에 의한 것으로 구분할 수 있다. 실제 불연속에 의한 지시 모양은 선형지시로 길이가 폭의 3배 이상되는 지시를 말하며, 균열, 단조, 겹침, 긁힘 등에 의해 나타난다. 둥근형태의 지시는 일반적으로 길이가 폭의 3배 이내가 되는 지시를 말하며, 주로 기공 및 Pin-Hole에 나타나며 깊이가 있는 균열의 경우에도 침투제가 빨려 나오면서 확산하여 둥근 형태로 나타나는 수가 있다. 이러한 결함 발견을 쉽게 하기 위해서 다음 사항을 충분히 고려해야 한다.

(1) 침투액이 결함을 채울 수 있도록 충분한 시간을 주는 것은 중요하다. 결함은 내부로 침투액이 들어가도록 깨끗이 세척하여 내부에 오염물질이 없어야 한다.

(2) 현상 이전에 세척 또는 린스 과정에서 침투액이 표면과 결함 내부에서 제거될 가능성에 유의하라.

(3) 내부가 깨끗한 균열은 발견하기 쉽다.

(4) 결함이 작을수록 침투시간은 길다. 미세한 균열과 같은 틈은 침투액 침투시간이 충분해야 한다.

(5) 검사체가 자기에 민감한 물질이면 자분탐상검사방법으로 검사하라.

(6) 현상액은 백색이고, 진홍색 표시는 표면결점이 있는 곳이다.

(7) 형광침투검사인 경우, 결함은 자외선 등(Black Light)를 비추면 밝은 결함은 연두색, 이외 지역은 진한 남보라색으로 나타난다.

(8) 결함 표시를 크기 및 원인 판정도 가능하다. 표시의 크기, 또는 침투액의 축적은 결함의 크기로 나타난다. 명도는 그것의 깊이 값이다. 깊이 갈라진 균열은 더 많은 침투액이 들어가므로 넓고, 크게 빛나게 된다. 아주 미세한 열린 구멍은 적은 양의 침투액으로 가는 선과 같이 나타나게 될 것이다.

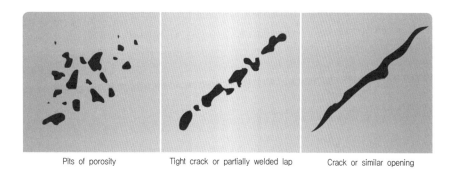

Pits of porosity   Tight crack or partially welded lap   Crack or similar opening

그림 10-10 결함의 형태

3.3.5 형광 침투 검사액의 품질 검사

(1) 침투액의 검사

사용 중인 침투액은 결함 검출 능력과 결함을 나타내는 모양의 밝기 또는 색의 농도가 낮아져 있고 오염되어 침전물이 생겼을 경우에는 폐기해야 한다.

(2) 현상액의 검사

사용 중인 현상제의 겉모양에 대하여 검사하고, 현저하게 형광의 잔유물이 생겼을 경우나 적정한 농도를 유지하지 못하게 되어 형광 성능이 저하되었을 경우에는 폐기해야 한다.

(3) 유화액의 검사

사용 중인 유화액의 겉모양에 대해 검사하고, 현저하게 흐리거나 침전물이 생겼을 경우나 점도가 높아져 유화 성능이 저하되었을 경우에는 폐기한다.

3.4 작업 안전 사항

(1) 색조 침투 용액을 분사할 경우 눈에 들어가지 않도록 주의해야 한다.
(2) 형광 침투액이 직접 피부에 닿지 않도록 주의해야 한다.
(3) 형광 침투 검사 작업 시는 반드시 고무장갑과 앞치마를 착용해야 한다.
(4) 자외선 등을 장시간 눈이나 피부에 쬐면 해로우므로 조심해야 한다.
(5) 부품을 건조시킬 경우에는 건조기가 과열되지 않게 감시해야 한다.
(6) 환기가 잘 되는 곳에서 작업한다.
(7) 다 사용한 색조 침투 검사 용기를 버릴 경우에는 구멍을 뚫어서 버려야 한다.

3.5 형광 침투 탐상 검사

(1) 사전 처리 세척

검사체의 표면에 묻은 먼지, 기름, 페인트, 녹 등을 완전히 제거하기 위해 사전에 세척 처리한다.

(2) 침투 처리

검사할 부품을 침투 처리 탱크에 넣고 침투에 필요한 시간을 침투액의 종류, 검사체의 재질, 예측되는 결함의 종류와 크기 및 검사체와 침투액의 온도 등을 고려하여 정한다.

일반적으로 15~40℃의 온도 범위에서 5~20분을 기준으로 하는데, 폭이 좁은 균열에 대해서는 표준 시간의 2배 이상으로 하고, 3~15℃의 온도 범위에서는 온도가 낮으므로 시간을 증가시켜야 한다.

그리고 40℃ 이상일 경우에는 침투액의 종류와 검사체의 크기 등을 고려하여 별도로 시간을 정해야 한다.

(3) 유화 처리

유화제는 담금, 부어주기 및 분무 등으로 균일한 유화 처리를 하는데 사용하며, 유화 처리한 다음 세척을 할 경우 시간을 유화 시간이라 하고, 유화 시간은 검사체에 따라 약간의 차이는 있지만 보통 2분 이내로 한다.

(4) 세척 처리

세척은 표면에 묻은 여분의 침투액만을 제거하는 것으로, 결함 속에 침투되어 있는 침투액이 씻겨 나올 정도로 지나치게 세척해서는 안 된다. 수성 및 후유화성 침투액은 물로 세척하며, 분무 노즐을 사용하는 경우, 수압은 별도의 규정이 없는 한 1.5~3.0 kg/㎠ 로 한다.

(5) 건조 처리

습식 현상액을 사용한 경우에는 검사체의 표면에 묻은 현상액을 가능한 한 빨리 제거시키며, 건조 온도는 원칙적으로 최고 90℃로 한다.

건식 또는 급속 건식 현상제를 사용한 경우에는 현상 처리하기 전에 물 세척을 하여 90℃의 온도에서 건조시키고, 세척액으로 세척한 경우에는 자연 건조 또는 마른 걸레로 닦아 내는 정도로 하여야 하며, 가열 건조시켜서는 안 된다.

(6) 현상 처리

1) 습식 현상법의 경우 검사체를 세척 처리한 다음 그대로 습식 현상액 속에 담그거나 분무, 붓질 중 어느 한 가지 방법을 사용하고, 여분의 현상액은 빨리 제거하고 건조 처리한다.

2) 건식 현상법의 경우에는 건조 처리를 한 다음 건식 현상제 속에 검사체를 담그거나 또는 현상제를 적당한 방법으로 균일하게 뿌려서 정해진 시간동안 유지한다.

3) 급속 건식 현상법의 경우 건조 처리한 다음 현상액을 분무 또는 붓칠하고, 현상액 속에 검사체를 담가서는 안 된다. 현상 처리한 후에는 자연 건조시키는 것이 원칙이다.

4) 현상 처리한 다음부터 관찰할 때까지의 시간을 현상 시간이라고 하며, 현상 시간을 현상제의 종류 및 예측되는 결함의 종류와 크기를 고려하여 정해진다. 일반적으로 현상 시간은 침투에 필요한 시간의 1/2 또는 10분을 기준으로 한다.

(7) 결함의 식별

현상 처리 후 규정된 시간이 경과하면 즉시 암실에서 파장이 330~390mm인 자외선 등을 비추어 나타나는 모양을 관찰해야 한다. 모양이 나타나는 경우에는 이것이 진정한 결함으로 인한 것인지 확인해야 한다.

그림 10-11 자외선 등

(8) 재검사

　검사체를 형광 침투 검사할 경우 검사 절차의 잘못이 있거나 나타난 모양이 실제의 결함인지 판단이 곤란할 때 또는 그 밖에 필요에 따라서 처음부터 검사를 다시 해야 한다.

3.6 색조 침투 탐상 검사

(1) 검사체를 검사하기 전에 표면에 묻은 먼지, 기름, 페인트, 녹 등을 세척액을 분무하면서 걸레로 깨끗이 닦아낸다.
(2) 검사체의 결함이 예상되는 곳에 착색된 색조 침투액을 표면으로부터 약 25 ~30cm 거리의 적당한 방향에서 분무한다.
(3) 색조 침투액이 검사물의 결함부에 완전히 침두되게 대기 온도에 따라 약 5~ 20분간 방치하여 건조시킨다.
(4) 시간이 경과한 후 여분의 침투액은 걸레에 세척액을 묻혀 깨끗이 닦아낸다.
(5) 검사체의 표면에 현상액을 분무하기 전에 현상액이 들어 있는 용기를 잘 흔들어 현상액의 배합이 이상적으로 배합된 다음 균일하게 결함이 예상되는 부분에 뿌린다.

(6) 현상액이 천천히 건조되면 결함 유무를 밝은 곳에서 관찰한다.

그림 10-12 세척액, 침투액, 현상액

3.7 평가

순번	평가항목	A	B	C	D	비고
1	작업이해도					
2	침투 탐상 검사의 적용					
3	형광 침투 참상 검사 방법					
4	색조 침투 탐상 검사 방법					
5	검사 부분의 결함 판독					
6	작업 후 정리 정돈 상태					

4. 가스 터빈 엔진의 이상 현상과 원인

4.1 학습목표

엔진의 이상 현상과 원인 등에 대하여 학습한다.

4.2 실습재료

가스 터빈 엔진, 지상 전원, 소화기, 안전 결선용 와이어, 트위스터, 토크 렌치, 오픈 렌치 또는 박스 렌치

4.3 관련지식

4.3.1 가스 터빈 엔진의 이상 현상과 고장 원인

(1) 시동 불능 상태

- 공기 밸브의 결함

- 압축기 로터, 시동기, 기어 박스 등의 고착

- 윤활유 압력 및 배유 펌프의 고착

- F.O.D에 의한 손상

- 주 베어링의 손상

(2) 시동 시 엔진이 저속으로 회전하거나 가속이 늦을 경우

- 연료 계통 선택 스위치 결함

- 시동기 공기압이 낮은 경우

- 공기 시동기 밸브의 고장

- 압축기, 핀 블레이드 공기 실 등의 손상

- 엔진 내부의 손상

(3) 엔진의 윤활유 압력이 낮을 경우

- 윤활유 펌프의 고장

- 펌프 공급 계통의 높은 저항

- 윤활유 탱크에 윤활유 부족

- 윤활 계통에서의 누설(leaking)

(4) 시동 시 연료가 흐르지 않는 경우

- 연료 펌프 축의 절단이나 입구의 막힘

- 연료 라인의 증기 폐쇄(vapor lock) 현상

- 연료 차단 계통의 고장

- 연료 조정기의 고장

(5) 시동 시 연료 흐름이 낮은 경우

- 연료 라인의 증기 폐쇄(vapor lock) 현상

- 연료 차단 밸브의 고장

- 부스터 압력이 낮음

- 연료 차단 계통의 리깅(rigging)이 안 맞음

- 연료 흐름 지시 계통의 결함

- 압축기 출구 압력(compressor discharge pressure) 계통이 비정상적인 경우

- 압축기 입구 온도(compressor inlet temperature) 계통이 비정상적인 경우

- 주 연료 조종 장치의 고장

- 연료 펌프의 고장

(6) 배기가스 온도가 최대 한계를 넘은 경우

- 배기가스 온도계의 결함

- 최대 모터링 속도가 낮은 경우

- 가변 정익 계통의 리깅 상태 불량

- 가변 바이패스 밸브의 부정확한 작동

- 압축기 로터 깃(rotor blade)이나 스테이터 베인(stator vane)의 손상

- 연료 조정 장치의 고장에 의한 과도한 연료 흐름

- 압축기 입구 온도 감지기의 고장

(7) 엔진 회전 속도의 변화가 심할 경우

- 회전계의 고장

- 연료 부스터 압력의 불안정

- 가변 정익 베인(variable stator vane)의 리깅 상태 불량

- 가변 정익 베인(variable stator vane)의 스케줄이 부정확할 경우

- 가변 바이패스 밸브의 스케줄이 부정확할 경우

(8) 스로틀 조작에 따른 엔진의 감응이 늦을 경우

- 가변 정익 베인(variable stator vane)의 스케줄이 부정확할 경우

- 가변 정익 베인(variable stator vane)의 리깅 불량

- 가변 바이패스 밸브(variable bypass valve))의 스케줄 조정의 고장

- 연료 조절 장치로 가는 압축기 출구 압력 튜브의 누설

- 압축기 로터 깃, 스테이터 베인의 손상

4.4 작업 안전 사항

(1) 엔진 시운전 중에 이상 현상이 발생하면 즉시 엔진을 정지해야 한다.

(2) 엔진이 작동 중일 경우 위험 지역으로 접근해서는 안 된다.(그림 2-46. 참고)

(3) 지정된 위치에 사용 가능한 소화기를 비치하고 화재에 대비해야 한다.

4.5 엔진 가속 중 실속하는 경우

(1) 연료 선택 스위치가 "ALERT" 위치에 놓여 있는지 확인하고,"MAIN" 위치로 놓는다.

(2) 비상 제어 바이패스 솔레노이드(emergency control bypass solenoid)와 전선을 점검한다.

(3) 흐름 분할기가 부적절하게 조절되어 있는지 확인하고, 적절하게 조절한다.

(4) 기속 시간이 너무 빠르거나 느리지 않은지 가속 시간을 확인한다.

(5) 압축기 입구 스크린의 상태를 점검한다.

(6) 압축기 깃의 상태를 보어스코프를 이용하여 검사한다.

4.6 엔진의 서지(surge)

(1) 엔진을 주 연료 계통과 비상 연료 계통으로 변경하여 운전하면서 주 연료 계통의 결함인지 아니면 비상 연료 계통의 결함인지 점검한다.

(2) 주 연료 계통에서 서지가 발생했다면, 주 연료 조종 장치를 조절하고, 그래도 서지가 계속되면 주 연료 조종 장치를 교환한다.

(3) 비상 연료 계통에서 서지가 발생했다면, 비상 연료 조종 장치의 블리드 플러그의 치수를 점검하고, 한 치수 큰 것으로 바꾼다.

(4) 연료 공급 압력이 변동하지 않는지를 알기 위해 연료 입구 압력을 점검한다.

(5) 연료 공급 계통이 막혔는지 점검한다.

(6) 연료 흐름 분할기를 점검한다.

4.7 엔진에 진동이 있는 경우

(1) 엔진이 부착된 받침대(dolly)의 상태를 점검한다.

(2) 엔진의 전후방에 장착된 바이브레이션 픽업(vibration pick-up) 상태를 점검한다.

(3) 바이브레이션 픽업의 보정(calibration) 주기를 확인하고 사용 가능한 상태인지 확인한다.

(4) 압축기 깃에 손상이 없는지 보어스코프를 이용하여 검사한다.

(5) 터빈 깃에 손상이 없는지 검사한다.

(6) 엔진의 전방 부분에 진동이 있을 경우 시동기-발전기를 다른 것으로 바꾸어 본다.

(7) 엔진의 압축기 부분에 진동이 있을 경우 압축기 축을 지지하고 있는 베어링을 교환해 보거나 압축기 로터를 균형 검사한다.

(8) 엔진의 후방 부분에 진동이 있을 경우 터빈 휠을 떼어서 각도를 바꾸어 장착하거나 터빈 휠을 균형 검사한다.

(9) 엔진의 진동이 전체적으로 올 경우에는 I.O.D(internal object damage)의 원

인이 될 수도 있기 때문에 사용을 중지해야 한다.

4.8 엔진 내부에 잡음이 있는 경우

엔진 내부 잡음의 원인은 주 베어링, 터빈 버킷, 시동기-발전기, 스플라인 접합점, 액세서리 기어 등이 있으며, 잡음의 제거는 확실한 원인 규명에 있다.

4.9 배기가스 온도가 최대 한계를 초과하는 경우

(1) 배기 노즐 면적이 너무 작은지 점검한다.

(2) 열전쌍을 점검한다.

(3) 터빈 쉬라우드 링 간격이 적절한지 점검한다.

(4) 연소실의 내부 연소실 및 트랜지션 라이너(transition liner)의 상태를 점검하고, 터빈 노즐 면적이 너무 크지 않은지 점검한다.

(5) 압축기 깃이 부식되거나 오염되지 않았는지 점검한다.

4.10 평가

순번	평가항목	A	B	C	D	비고
1	작업이해도					
2	엔진의 이상 현상 원인 규명					
3	엔진의 이상 현상의 원인과 고장 진단					
4	엔진의 이상 현상 고장 수리 능력					
5	작업 후 정리 정돈 상태					

부 록

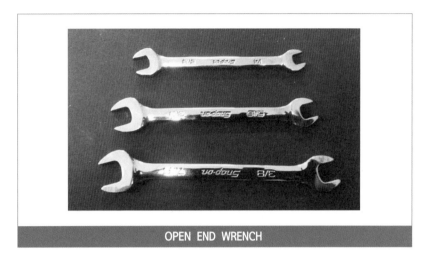

OPEN END WRENCH

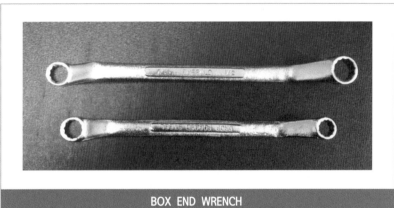

BOX END WRENCH

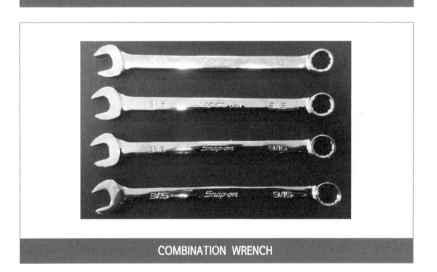

COMBINATION WRENCH

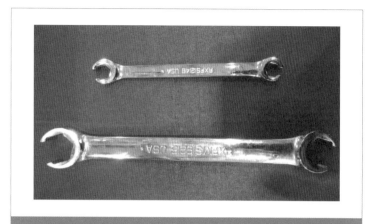

FLARE NUT END WRENCH

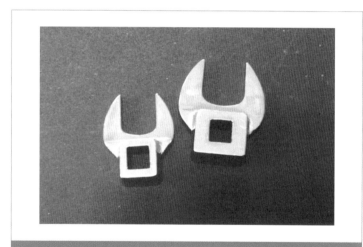

CROWFOOT WRENCH

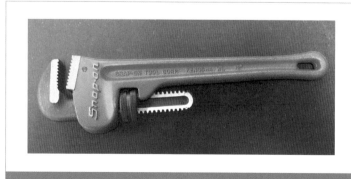

PIPE WRENCH

L(ALLEN)- WRENCH

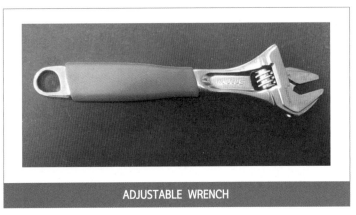

ADJUSTABLE WRENCH

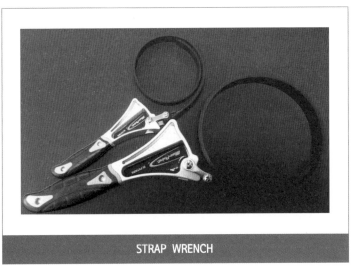

STRAP WRENCH

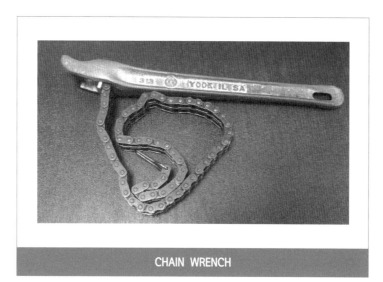

CHAIN WRENCH

PIN SPANNER WRENCH

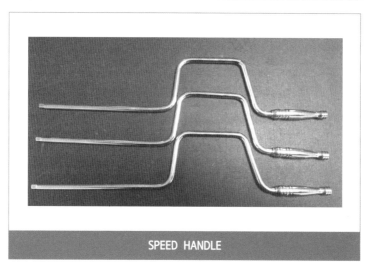

SPEED HANDLE

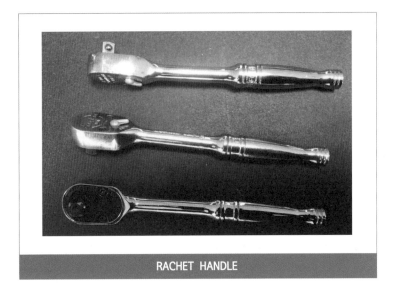

RACHET HANDLE

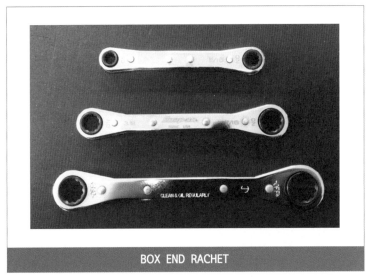

BOX END RACHET

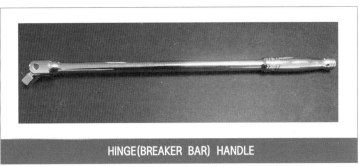

HINGE(BREAKER BAR) HANDLE

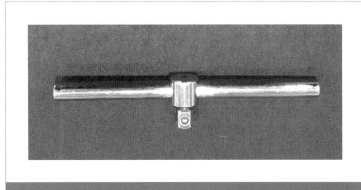

SLIDING-T HANDLE

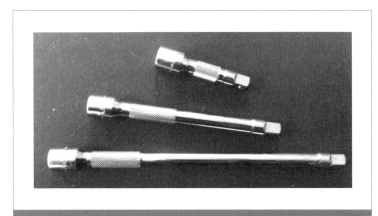

EXTENSION BAR

UNIVERSAL SOCKET

STANDARD SOCKET

DEEP SOCKET

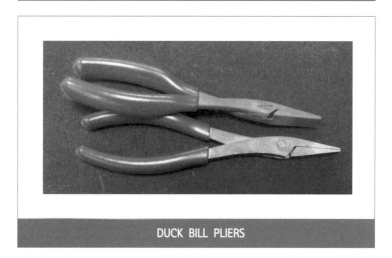

DUCK BILL PLIERS

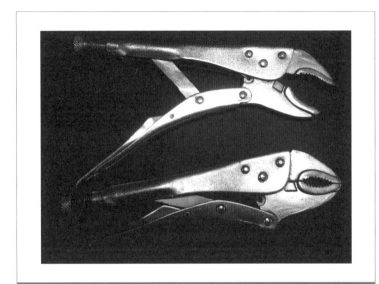

VISE GRIP PLIER

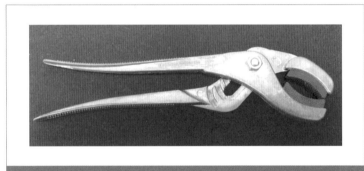

CONNECTOR PLIER

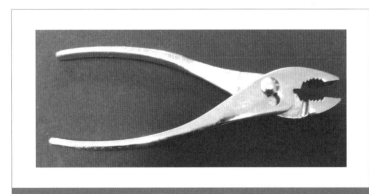

SLIP JOINT PLIER

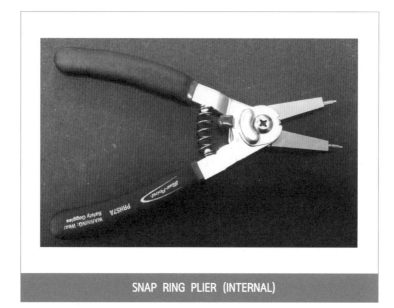

SNAP RING PLIER (INTERNAL)

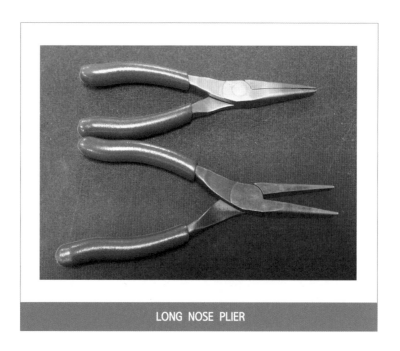

LONG NOSE PLIER

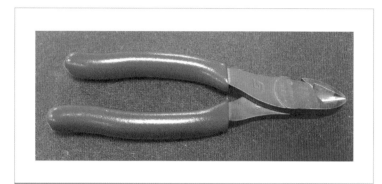

DIAGONAL CUTTING PLIER

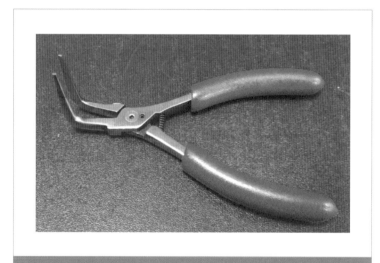

90°CURVE NEEDLE NOSE PLIER

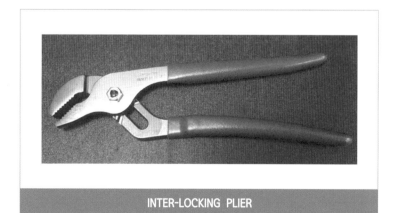

INTER-LOCKING PLIER

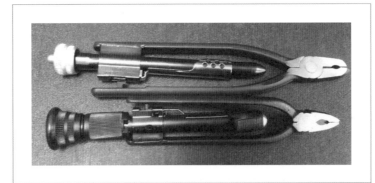

WIRE TWISTER

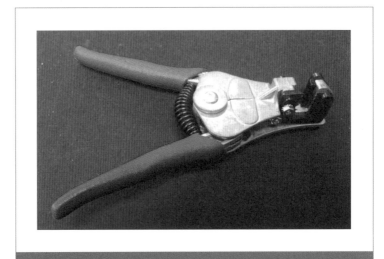

WIRE STRIPER

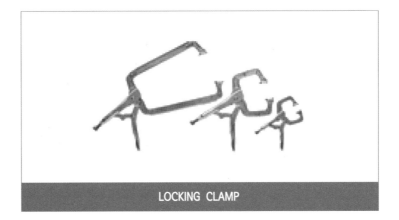

LOCKING CLAMP

2

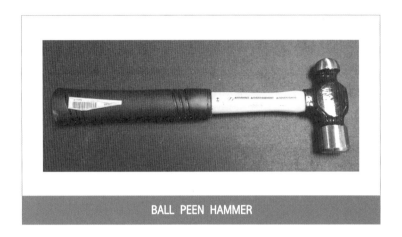

BALL PEEN HAMMER

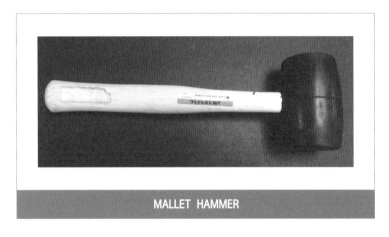

MALLET HAMMER

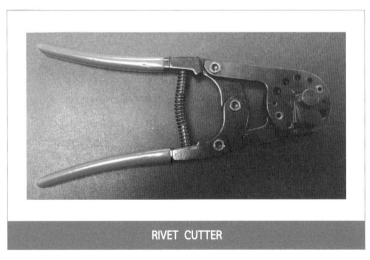

RIVET CUTTER

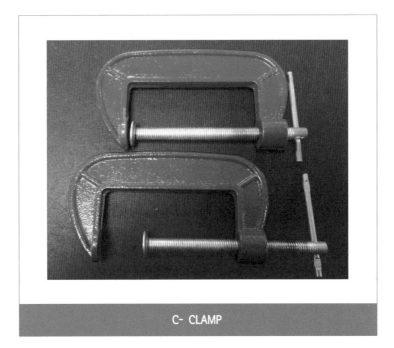

C- CLAMP

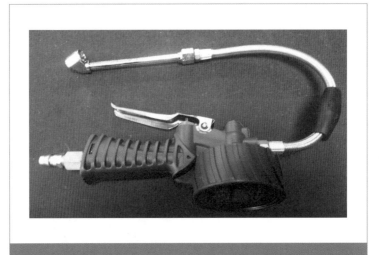

TIRE PRESSURE GAUGE

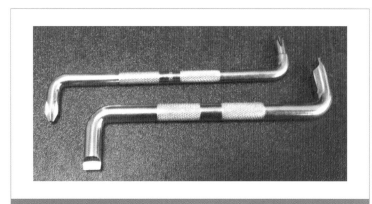

OFFSET SCREWDRIVER

TORQUE WRENCH(RIGID FRAME TYPE)

TORQUE WRENCH(DEFLECTING BEAM TYPE)

TORQUE WRENCH(AUDIBLE INDICATING TYPE)

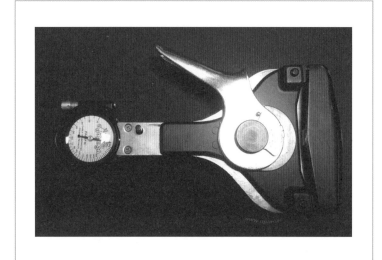

C-8 TYPE TENSION METER

T-5 TYPE TENSION METER

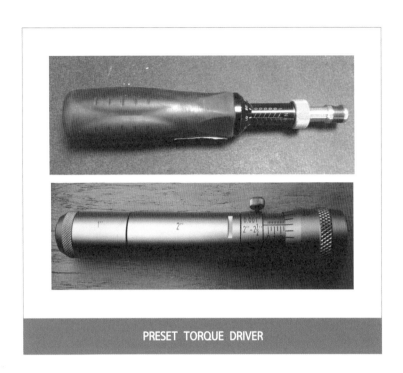

PRESET TORQUE DRIVER

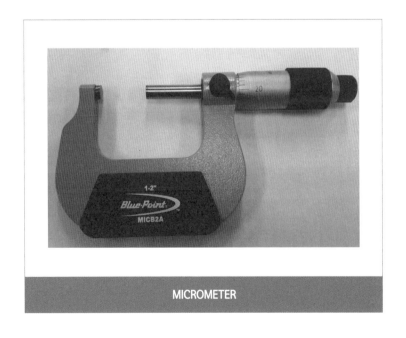

MICROMETER

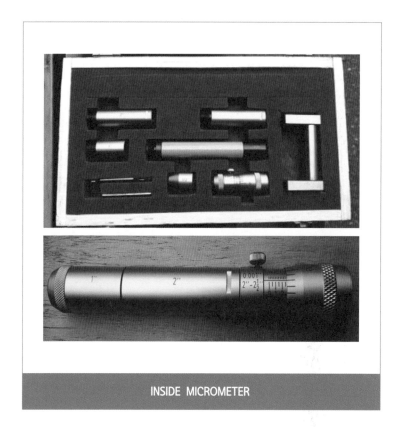

INSIDE MICROMETER

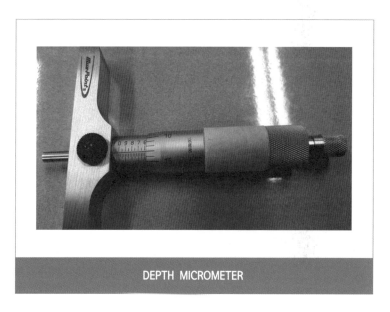

DEPTH MICROMETER

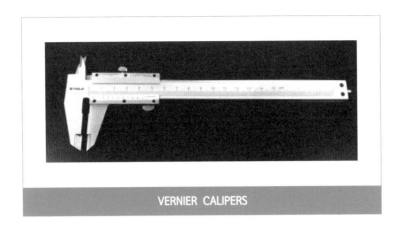

VERNIER CALIPERS

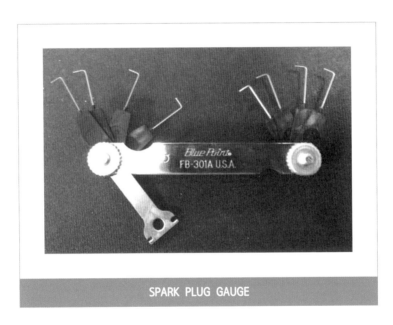

SPARK PLUG GAUGE

THREAD GAUGE

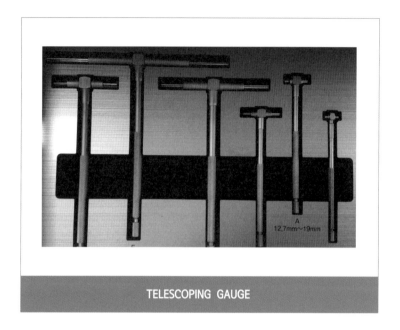

TELESCOPING GAUGE

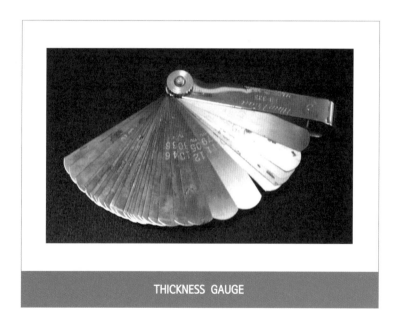

THICKNESS GAUGE

[참 고 문 헌]

1. *FAA H-8083-31/ AMT Handbook-airframe Vol 1,2 FAA,2012*

2. *FAA H-8083-32/ AMT Handbook-Powerplant Vol 1,2 FAA,2012*

3. 항공정비사 표준교재/ 항공기 기체/ 국토교통부 자격관리과,2015

4. 항공정비사 표준교재/ 항공기 전자전기계기/ 국토교통부 자격관리과,2015

5. 항공정비사 표준교재/ 항공기 엔진/ 국토교통부 자격관리과,2015

6. 항공정비사 표준교재/ 항공정비 일반/ 국토교통부 자격관리과,2015

7. 항공기 기체 실습/ 교육 인적 자원부,1994

8. 항공기 기관 실습/ 교육 인적 자원부,1994

9. 노명수 저/ 항공기 가스 터빈 엔진/ 성안당

10. 서홍적 외2/ 항공 정비 실무/ 노드미디어

11. 김천용 저/ 항공기 왕복엔진/ 노드미디어

12. 김천용 저/ 항공기 가스터빈 엔진/ 노드미디어

항공학 시리즈 ❼

항공기정비실습 I

발행일 : 2017년 4월 7일

지은이 : 서홍적·한용희·조은태 공저
펴낸이 : 박승합

펴낸곳 : 노드미디어
주　소 : 서울시 용산구 한강대로 320(갈월동)
전　화 : 02-754-1867, 0992
팩　스 : 02-753-1867

홈페이지 : http://www.enodemedia.co.kr
전자우편 : nodemedia@daum.net
출판사 등록번호 : 제 302-2008-000043 호 (1998년 1월 21일)

ISBN : **978-89-8458-311-5**

정가 32,000원